はじめての行政法
第5版

石川敏行・藤原静雄・大貫裕之・
大久保規子・下井康史 [著]

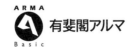

第5版はしがき

　新しい法曹養成制度である法科大学院が，日本に産声を上げて3年後の2007（平成19）年4月に初版を刊行した本書は，その後順調に版を重ね，このたび第5版を世に送ることになった。本書を受け容れ，支持してくださった多くの読者の方々には，ここに共著者を代表して，心からの御礼を申し上げる。

　今回の改版のきっかけは，本書，特にあとがきの内容が「時代の空気」に合わなくなったと感じられたことであった。その矢先，2020（令和2）年はじめ頃から，新型コロナウイルス感染症（COVID-19）の発生と感染拡大が，日本でも始まった。世界全体で4億人を超える感染者と500万人を超える死者を出し，今日に至るも未だ収束を見せていないこの未曾有のパンデミック（感染症の世界的流行）は，私たちの生活を一変させた。

　大学ではオンライン授業，企業では在宅勤務などが始まり，累次に及ぶ緊急事態宣言やまん防（新型インフルエンザ等まん延防止等重点措置）の発令で，「新しい日常」は，個人や企業の社会経済活動に，深刻な影響を及ぼしつつある。新型コロナワクチンの予防接種が始まり一安心と思ったのも束の間，ブレークスルー感染や各種の変異株の発生が起き，その状況は現在も続いている。

　行政法の書物である本書としては，この状況に何も対応しないわけにはいかない。しかし他方，速報性を欠く書籍という媒体の中で，この未曾有のパンデミックにどう対応するか。著者たちは大いに悩

i

み迷った。その結果，コラムと「あとがき」で，必要最小限の情報を読者に提供することにした。

　コロナ撲滅のためにたたかう医療従事者はじめ各般各層の関係者に感謝し，一刻も早い事態の収束を，読者とともに祈りつつ。

　2022 年如月

共著者を代表して

石 川 敏 行

初版 はしがき

　「初心者にフレンドリーで，読みやすく分かりやすい行政法のテキストを書いてみたい」という共通の思いを抱いていた著者5名が集まって，このようなテキストが生まれることになった。だが，「言うは易く行うは難し」で，その実際の仕上がり具合は，読者のみなさんに判定して頂くしかない。

　この本が想定している「はじめての読者」とは，主には学部などで初めて行政法を学ぶ人々，法科大学院の受験を考えている人々，法科大学院に法学未修者として入学した人々である。しかし，法学既修者も現状では行政法に関しては「未修者」に近いので，本来の既修者の水準に達するための基礎固めとして，この本をお読みいただけるだろう。

　また，この本は初心者を念頭に置いて書かれているので，それ以外にも例えば公務員試験の受験を考えている人々，現役公務員で行政法の研修を受ける人々などにも利用していただけるはずである。

　以上のような「はじめての」読者のために，1つめの工夫としてこの本では具体例をあげて説明することにした。しかも，共通の事例（ case ）を最初にあげ，それを後の複数の章で引用・参照する，という方法をとった。2つめの工夫として，なるべく「枝葉」は落として，「幹」の部分を重点的に解説した。3つめの工夫として各章の冒頭に「あらまし」を付け，この本のはじまりの部分には「あらましのあらまし」を付けた。4つめの工夫として，基礎知識の幅を広げてもらうためのコラム（*Column*）欄に加え「もう一歩先へ」という項目を設けた。5つ目の工夫として，全体の「見取り図」を付けた。

　最初に著者の会合を持ってから，3年の月日が流れてしまった。しかし，この間に行政手続法と行政事件訴訟法の重要改正があり，その動向をこの本の中に盛り込むことができた。

　最後に，この本が完成するまでには，有斐閣書籍編集第一部の伊丹亜紀さんの，献身的な助力があったことを，ここに書き記しておきたい。伊丹さんは各著者の提出した原稿に，「読者代表」として様々な注文をつけてくれた。もちろん，著者相互の間でも，原稿チェックを重ね，『はじめての行政法』にふさわしい内容にするための努力をした。それでもやはり，問題は残っていると思うが，これから読者のみなさんのご意見をいただいて，この本をより良いものにしていきたいと思っている。この本が，読者のみなさんのお役に立つことを願っている。

　　2006 年師走の東京にて　　　　　　　　　　　共著者を代表して

　　　　　　　　　　　　　　　　　　　　　　石 川 敏 行

目　次

序　章　はじめに　1

1　「総集編」 ………………………………………………………… 1

2　行政法の正体 …………………………………………………… 2

3　形式的意味の行政法がない理由 …………………………… 3

4　行政法いろはカルタ ………………………………………… 4

5　行政法の「三本柱」…………………………………………… 5

6　「あらまし」のあらまし ……………………………………… 6

7　本書を読むためのヒント …………………………………… 8

　　① はじめに　8

　　② 手続3法とその相互関係　10

第1章　*行政は誰が行うか*──行政主体・行政機関　15

1　行政主体とは？ ………………………………………………… 16

2　行政機関とは？ ………………………………………………… 20

　　① 「行政機関」は「行政主体」の構成要素　20

　　② 行政機関についている「人」はいろいろな顔を持つ
　　　 （「公務員」そして「私人」）　23

　　③ 行政機関の分類　24

　　④ 裁判と行政機関　26

第2章　*行政法の基本的な考え方*──行政作用の一般理論　33

1　法治主義 ………………………………………………………… 37

iv

2 さまざまなコントロールの方法
——透明・公正な行政過程 ……………………………………… 43

- ① 法律を使った行政のコントロール　43
- ② 手続による行政のコントロール　46
- ③ 情報の収集・管理・使用　53
- ④ 情報公開制度　56
- ⑤ 個人情報保護制度　59
- ⑥ 公文書管理制度　60
- ⑦ 救済制度
  ——情報公開・個人情報保護・公文書管理まとめて　62

第3章　行政はどのように行われるか——行政の行為形式　67

1 行政処分 ………………………………………………… 71

- ① 行政処分とは？　71
- ② 行政処分はどのように分類されるか　82
- ③ 行政処分にはどのような効力があるか　87
- ④ どのような手続を経て行政処分が下されるか　99

2 行政指導 ………………………………………………… 109

- ① 行政指導とは？　109
- ② 行政指導の長所と短所，そして限界　111
- ③ 行政指導を裁判で争う手段は？　113
- ④ 行政手続法の定め　115

3 その他の行為形式 ……………………………………… 116

- ① 行政立法（行政基準）　116
- ② 行政計画　123
- ③ 行政契約　126

Intermezzo I　*手続と不服審査と訴訟*　129
　　　　――*本書3章を読み終えてから5章・6章を*
　　　　　読むにあたって

第4章　*行政活動を実現する手段*――*行政の実効性確保*　131

　　① 行政活動をどのように実現するか　136
　　② 義務にもいろいろ　140
　　③ 間接的強制制度　141
　　④ 直接的強制制度　143
　　⑤ 義務を課している暇のない場合――即時強制　146

第5章　*国民の権利利益の救済方法（1）*
　　　　――*行政作用を是正する行政争訟制度*　153

　1　行政不服申立て――行政に救済を求める方法 ……………… 155
　　① 行政不服申立てとはどのような制度か
　　　　――意義と種類　155
　　② 不服申立てはどのように提起すればよいか　158
　　③ 不服申立ての審理はどのように行われるか　161
　　④ 不服申立てに対する判断――裁決　163
　2　行政事件訴訟――裁判所に救済を求める方法 ……………… 165
　　① 行政事件訴訟とはどのような制度か――意義と沿革　165
　　② 行政事件訴訟の守備範囲はどこまでか　167
　　③ 行政事件訴訟にはどのような類型があるか　169
　　④ 抗告訴訟にはどのような類型があるか　175
　　⑤ 処分取消訴訟はどのように提起されるか　183
　　⑥ 仮の救済とは何か――訴訟提起と執行停止　194
　　⑦ 処分取消訴訟の審理はどのように進められるか　197

8 取消訴訟の結論はどのように出されるか —— 判決 199

Intermezzo II　　*1 次試験，2 次試験*　202
　　　　　　　　　　　——「3 つの手続」に共通する要件審理と本案審理

第6章　国民の権利利益の救済方法（2）
　　　　 —— 金銭によって償う国家補償制度　205

1　国家賠償 —— 違法な行政活動に対する損害賠償　……………… 208

　　① 国家賠償法1条 —— 公権力責任　209

　　② 国家賠償法2条 —— 営造物責任　223

2　損失補償 —— 適法な行政活動に対する損失の補塡…………… 231

3　国家補償の谷間 —— 賠償か補償か　………………………… 239

終章　おわりに　243

1　「行政」とは何か？　………………………………………… 243

2　行政法学における「行政」の把握方法の特徴　………… 244

3　実質的意味の行政に関する諸説　……………………… 246

4　なぜ消極説が多数説なのか —— 行政の定義の難しさ……… 247

5　公法と私法　………………………………………………… 248

あとがき　…………………………………………………………… 254

事項索引　271

判例索引　280

『はじめての行政法』全体の見取り図／行政法(学)関係年表　巻末

目　次　**vii**

case & *Column* 目次

第1章

case 1–1 16

Column ① 私人・人民・国民・住民・市民（Level 1） 20

第2章

case 2–1 35　　case 2–2 35　　case 2–3 36

Column ② 公共事業と法（Level 2） 52

Column ③ 行政による情報の収集・管理（Level 1） 65

第3章

case 3–1 71　　case 3–2 72　　case 3–3 74　　case 3–4 74

case 3–5 87　　case 3–6 88

Column ④ 「処分」の意味とその分類（Level 1） 81

第4章

case 4–1 133　　case 4–2 134

Column ⑤ 現代的サンクション（Level 3） 139

Column ⑥ 行 政 調 査（Level 3） 147

第5章

Column ⑦ 住 民 訴 訟（Level 3） 172

Column ⑧ 団 体 訴 訟（Level 2） 189

第6章

Column ⑨ 薬害と不作為（Level 1） 215

Column ⑩ 不許可補償（Level 1） 239

著 者 紹 介

石川敏行（いしかわとしゆき）　序章，終章，あとがき，*Column*，
　　　　　　　　Intermezzo II　執筆　　行政法(学)関係年表　作成
中央大学法科大学院フェロー，前運輸安全委員会委員

主著・主論文

- 『ドイツ語圏公法学者プロフィール —— 国法学者協会の 1003 人』(中央大学出版部・2012)
- 『新プロゼミ行政法 —— 「3 つの手続」で行政法の基本を学ぶ』(実務教育出版・2020)
- 「〈対談〉法律を学び始める人へ」(野村修也氏〔商法〕と）法学教室391 号 (2013)
- 「ドイツ国法学者協会とその昨今 —— 給付行政論の観点から」村上武則先生還暦記念論文集『給付行政の諸問題』(有信堂・2012)
- 「解題『オットー・バッホーフに聞く』」法学新報127 巻 7・8 号(2021)

読者へのメッセージ

　お伝えしたいことは，「はしがき」ほか，本書の中で述べました。これからは，若い皆さんの出番です。よろしくお願いしますね！

藤原静雄（ふじわらしずお）　第 6 章，Intermezzo I　執筆
中央大学法科大学院教授

主著・主論文

- 『情報公開法制』(弘文堂・1998)
- 『逐条個人情報保護法』(弘文堂・2003)
- 『条文解説　公文書管理法 —— 行政情報 2 法のポイントとともに』(共著，有斐閣・2013)
- 『個人情報保護法の解説〔第二次改訂版〕』(共編，ぎょうせい・2018)
- 「国家による個人の把握と行政法理論」公法研究 75 号 (2013)

読者へのメッセージ

　1 本の無味乾燥な行政法規であっても，作るのも，解釈・運用するのも，そして適用を受けるのも，血の通った人間です。このことを忘れないようにしたいと思っています。

大貫裕之 　第1章，第2章，第4章　執筆
中央大学法科大学院教授

主著・主論文

- 『都市計画法制の枠組み法化 ── 制度と理論』（共著，土地総合研究所・2016）
- 『縮退の時代の「管理型」都市計画』（共著，第一法規・2021）
- 「行政訴訟の審判の対象と判決の効力」磯部力ほか編『行政法の新構想Ⅲ』（有斐閣・2008）
- 「取消訴訟の原告適格についての備忘録」藤田宙靖先生東北大学退職記念論文集『行政法学の思考形式』（青林書院・2008）
- 「実質的当事者訴訟と抗告訴訟に関する論点覚書」阿部泰隆先生古稀記念論文集『行政法学の未来に向けて』（有斐閣・2012）
- 「判決による安定化の可能性」法律時報1166号（2021）

読者へのメッセージ

「初学者のために分かり易く，明快に解説する」ことが大変難しいことを実感しました。ある程度学んだ人が持つ「常識」に依存できないからです。初代担当の伊丹さんは，常識に逃げてはいけないと何時も指摘してくれました。常識によりかからないで説明するよう努めましたが，結果は皆さんが判断します。

大久保規子　第5章　執筆
大阪大学大学院法学研究科教授

主著・主論文

- 『争訟管理』（編著，ぎょうせい・2013）
- 『緑の交通政策と市民参加 ── 新しい交通価値の実現に向けて』（編著，大阪大学出版会・2016）
- 『環境規制の現代的課題』（共編著，法律文化社・2019）
- "The Development of the Japanese Legal System for Public Participation in Land Use and Environmental Matters" Land Use Policy 52（2016）
- 「環境団体訴訟はなぜ必要なのか ── 環境民主主義の国際潮流」世界893号（2017）

・"State Liability System in Japan and Development of Case Law in Environmental Matters", EurUP, 3/2019

読者へのメッセージ

　本書では，行政争訟法の全体像をわかりやすく伝えることを心がけました。最後まで読み終えたら，次は，興味をもった事件の判決を一審から最高裁まで，実際に読んでみてください。紛争の複雑さにとまどいながらも，その奥深さに引き込まれることでしょう。

下井康史　　第3章　執筆　　索引，全体の見取り図　監修
千葉大学大学院専門法務研究科教授

主著・主論文

・『公務員制度の法理論』（弘文堂・2017）
・『はじめての行政法〔第3版〕』（共編著，三省堂・2016）
・『判例フォーカス行政法』（共編著，三省堂・2019）
・「公務員法の課題 ── 職務命令に対する服従義務について」行政法研究20号（2017）
・「公務員法 ── 処分性に関する最高裁判例から見た争訟手続法制の問題点」現代行政法講座編集委員会編『現代行政法講座III　行政法の仕組みと権利救済』（日本評論社・2022）

読者へのメッセージ

　行政法に苦手意識をもつ人は少なくないようです。この本で苦手意識が克服され，そして，少しでも行政法に興味をもってもらえたならば，執筆に携わった人間として，これ以上の喜びはありません。

本書を読むにあたって

1 *Column* の難易度（Level）について

本書で取り上げた①～⑩の *Column* には，理解が難しいと思われる内容も含まれているので，それぞれの難易度を以下の通り示すこととした。

Level ①＝本文の内容とともに理解してほしい内容

Level ②＝本文の内容から一歩進んだ内容

Level ③＝今後の学習のため，他の文献も参照した上で理解してほしい内容

2 書籍名の略記について

本書で引用する書籍については，以下の略語を用いることとした。

阿部『行政法解釈学』	阿部泰隆『行政法解釈学Ⅰ・Ⅱ』（有斐閣・Ⅰ：2008，Ⅱ：2009）
今村＝畠山『行政法入門』	今村成和＝畠山武道補訂『行政法入門〔第9版〕』（有斐閣・2012）
宇賀『行政法概説Ⅰ』	宇賀克也『行政法概説Ⅰ 行政法総論〔第7版〕』（有斐閣・2020）
宇賀『国家補償法』	宇賀克也『国家補償法』（有斐閣・1997）
大橋『行政法Ⅰ』	大橋洋一『行政法1 現代行政過程論〔第4版〕』（有斐閣・2019）
小早川『行政法(上)』	小早川光郎『行政法(上)』（弘文堂・1999）
塩野『行政法Ⅰ』	塩野宏『行政法Ⅰ（行政法総論）〔第6版〕』（有斐閣・2015）
高木『プレップ行政法』	高木光『プレップ行政法〔第2版〕』（弘文堂・2012）
田中『行政法(上)(中)』	田中二郎『新版 行政法(上)(中)〔全訂第2版〕』（弘文堂・(上)1974，(中)1976）
藤田『行政法総論(上)』	藤田宙靖『新版 行政法総論 上巻』（青林書院・2020）

xii

3 判例の略記について

　判例の略記法は以下の通り。なお，事件名については，よく使われるものに限って年月日の前に記した。また，判例の出典については，本文中では省略し，本書巻末の「判例索引」に掲げた。

　　　例：ごみ焼却場事件：最判昭 39・10・29
　　　　　→事件名＝ごみ焼却場事件
　　　　　　　　　　　最高裁判所昭和 39 年 10 月 29 日判決
　　　大：大審院　　　最：最高裁判所　　　最大：最高裁判所大法廷
　　　高：高等裁判所　　　地：地方裁判所　　　判：判決　　　決：決定

4 法令名の略記について

　（　）内で法令名を記すときは，原則として有斐閣『六法全書』巻末の「法令名略語」にもとづいた。おもなものは以下の通り。

　　　行機情公　　　行政機関の保有する情報の公開に関する法律
　　　行審　　　　　行政不服審査法
　　　行訴　　　　　行政事件訴訟法
　　　行手　　　　　行政手続法
　　　建基　　　　　建築基準法
　　　個情　　　　　個人情報保護法
　　　自治　　　　　地方自治法
　　　収用　　　　　土地収用法
　　　道交　　　　　道路交通法
　　　都計　　　　　都市計画法
　　　廃棄物　　　　廃棄物の処理及び清掃に関する法律

本書のコピー，スキャン，デジタル化等の無断複製は著作権法上での例外を除き禁じられています。本書を代行業者等の第三者に依頼してスキャンやデジタル化することは，たとえ個人や家庭内での利用でも著作権法違反です。

序章 はじめに

> *1 「総集編」*
> *2 行政法の正体*
> *3 形式的意味の行政法がない理由*
> *4 行政法いろはカルタ*
> *5 行政法の「三本柱」*
> *6 「あらまし」のあらまし*
> *7 本書を読むためのヒント*

1 「総集編」

総集編

どんな本でも，前から読み始める。そこでこの章では，読者がこれから「何を学ぶことになるのか」，全体を見渡しておく。ドラマやアニメでいえば，総集編（digest）だ。

6つの章

この本（以下，『はじめての』という）は，全部で6つの章でできている。すなわち，「第1章・行政は誰が行うか」，「第2章・行政法の基本的な考え方」，「第3章・行政はどのように行われるか」，「第4章・行政活動を実現する手段」，「第5章・国民の権利利益の救済方法(1)」，「第6章・国民の権利利益の救済方法(2)」だ。

そこで,「行政法の正体」を解明することから始める。

2 行政法の正体

| 「行政法」はないが "行政法" はある |

まず確認したいのは,「行政法」はない。ビックリだよね。だって,学び始めたとたん,いきなり学習の対象(=行政法)が否定されるわけだから……。

でも,安心してほしい。"行政法"は,ちゃんとある!

「行政法」はないけど,"行政法"はある?

これじゃ,何のことだかわからない。そこで,種明かしをする。

| 形式的意味の行政法 |

もし仮に,「行政法」という名前の法律があったとすると,これを「形式的意味の行政法」という。この意味の行政法(=「行政法」)は,存在していない(その理由は,次頁**3**参照)。いわゆる「六法」(憲・民・刑・商・民訴・刑訴)には,この意味の法律が存在している(これが,「六法全書」が生まれた時に,行政法が見落とされた原因だ)。

| ルールの束(たば) |

では,『はじめての』のタイトルともなっている"行政法"って,何だろう? それは,行政の組織や活動に関する多数のルール,つまり法律(全国ルール),条例(地方ルール)の「かたまり」あるいは「たば」のことなんだ。

| 実質的意味の行政法 |

国や地方公共団体などの行政の組織や活動は,とても幅広い。となると,その基になっているルール(法律・条例)も,数が多くなることは,当たり前

2　序章　はじめに

だ。これらを，「実質的意味の行政法」という。

| 中間まとめ | もうわかったかと思うけれど，「行政法」（形式的意味の行政法）は存在しない。しか |

し，"行政法"（実質的意味の行政法）はある。しかも，その数はものすごく多い（現行法律〔約2100本〕の大半）。

3 形式的意味の行政法がない理由

| 3つの理由 | ではなぜ，形式的意味の行政法は存在せず，実質的意味の行政法が数多く存在するのか。 |

その理由として，3つのことが考えられる。

| 1つめの理由 | まず，「行政法」という名前の法律（法典）は，作ろうと思えば作れる。でも，その結 |

果，条文の数がものすごく多くなる。おそらく，数万か条になる。そうなると，ある条文を探すのが大変だ。つまり，法律の「使い勝手」が悪くなってしまう。

　そこで，用途ごとに30条から60条ぐらいの「手頃な大きさ」に区切り，「小分け」にしてルールを作る，という立法者の知恵が生まれてくる。こうすれば，読みやすい。けれども，そのことで実質的意味の行政法の数は増えてしまう。

| 2つめの理由 | これはまた，行政，特に国の行政が「タテ割り」になっていることとも関係している。 |

いわゆる霞が関（東京の官庁街）の役所で，組織の基本的な単位である「課」は数百ある。各課が2本の法律を担当している（所管している）と計算しても，その数は軽く1000を超えてしまう。

| 3つめの理由 |

最後の理由は，理論的なものだ。後に学ぶ「法治主義」と呼ばれる考え方がある（⇨37頁）。それによると，行政の仕事（活動）は法律に根拠がある場合にはじめて行うことができる（法律の留保）。行政の仕事は，幅広く行われている。となると，その根拠を定める（実質的意味の）行政法の数は，どうしても多くなる。

4 行政法いろはカルタ

| イヌも歩けば……
（いろはの「イ」） |

だから，行政法の勉強は尻上がりに楽しくなる。一歩，町へ出れば，そこは「不思議の国のアリス」ならぬ「行政法のワンダーランド」が広がっているのだから。阿部泰隆先生は，そのことを「犬も歩けば棒に当たる。君も歩けば，行政法に当たる」，と表現しておられる（阿部『行政法解釈学Ⅰ』はしがきより）。

| 分類・整理の必要 |

でも，（実質的意味の）行政法が多いとすると，最初のうちは「楽しい」どころか，「苦痛」に感じないとも限らない。学習の対象が幅広すぎて，手が付けられないからだ。その結果，「行政法ぎらい」にもなりかねない。

| 六法に……
（いろはの「ロ」） |

かつての法学部・司法試験のしくみだと，「六法に入れてもらえぬ行政法」（高木光先生）の結果，必ずしも行政法を学ばなくてもよかった。ところが，現在のしくみ（法科大学院・司法試験）の下では，行政法は必修科目（法律基本科目）になった。

> **行政法の重要性**

だから，行政法をしっかり学んでおく必要がある。このような状況の変化を受けて，高木光先生は「六法のかなめ〔要〕を占める行政法」，と表現を変えられた（高木『プレップ行政法』31頁）。

5 行政法の「三本柱」

> **行政法の「三本柱」**

上に述べたように，（実質的意味の）行政法の数が多いと，何らかの分類・整理が必要になる。これに関して行政法学界では，「行政法の三本柱」と呼ばれる分類が，広く認められている。

　行政法の「三本柱」とは，①行政組織法，②行政作用（活動）法，③行政救済（統制）法という3つだ。そして「三本柱」に基づいて，いろいろな書物が書かれている。実は，『はじめての』もそうなのだ。

> **本書では？**

『はじめての』の第1章のタイトルは，「行政は誰が行うか」である。ここでは，三本柱の1つめ（行政組織法）を扱う。次に，第2章（行政法の基本的な考え方）と第3章（行政はどのように行われるか），そして第4章（行政活動を実現する手段）までが，2つめの柱（行政作用法）である。そして最後の2つの章，つまり第5章と第6章（国民の権利利益の救済方法(1)・(2)）が，3つめの柱（行政救済法），という組立てだ（目次と巻末の「見取り図」で確認してみよう）。

> **「三本柱」相互の関係**

行政法の「三本柱」は，どういう関係になっているのか。まず，行政組織法によって，

4　行政法いろはカルタ　／　5　行政法の「三本柱」　　5

行政の「からだ」がつくられる。だが、この「からだ」は、まだ止まったままである（静止画）。「からだ」は何のためにつくられるのか。もちろん、「うごく」ためである。そこで次に、行政のからだを「うごかす」しかけが必要だ。それが行政作用法で、それによって、組織法では静止していた行政が「動画」になる。最後に、行政のうごきが間違った場合に、「どう直すか？」を定めるのが、行政救済法である。

6 「あらまし」のあらまし

各章のあらまし

『はじめての』の6つの章には、最初に「この章のあらまし」がある。だから、そこを読むことによって、各章では何を学ぶのか、大体のイメージをつかむことができる。そこで、この序章では「あらましのあらまし」を述べておく。

第1章について

まず第1章は、「行政は誰が行うか」である。この章では、行政活動の基になる組織（行政組織）は、法的にはどのように組み立てられているのかについて知る。特に、「行政主体」「行政機関」「公務員」といったキーワードに気をつけながら、学んでほしい。また、第1章から「Case」が登場する。行政法はその範囲が広いので、話が抽象的になりがちだ。そこで、比較的よくある身近な例（ケース）を挙げ、それに即しながら、抽象的な理論を学ぼう、というワケだ。なお、第1章〜第4章で登場するCaseは、後の（別の）章でも参照される。ここ（「Case」を通じて各章の記述をつなげる工夫をしていること）が、本書

6　序章　はじめに

の特長の1つである。

> 第2章について

続く第2章は、「行政法の基本的な考え方」と題する。行政法の三本柱の2本目である行政作用法の基礎として、「法治主義」「適正手続」「情報公開制度」「個人情報保護制度」「公文書管理制度」について学ぶ。行政主体に適用される特別なルールとは何か、また、なぜ特別な（つまり、私人間に適用される民法とは別の）ルールが適用されるのか、を理解してほしい。

> 第3章について

第3章は、「行政はどのように行われるか」と題する。この章と次の章（第4章）では、行政作用法のコア（中心部分）を学ぶ。その基本は、「三段階構造モデル」（藤田宙靖先生⇨68頁）である。これを基軸に、「行政処分」「行政指導」「その他の行為形式」など行政の行為形式の違いについて、理解を深めることになる。特に、行政処分は、第5章（国民の権利利益の救済方法(1)）とも深く密接に関係するので、その点にも注意しながら学んでほしい。

> 第4章について

第4章は「行政活動を実現する手段」と題する。前の章で学んだ行政処分の段階では、まだ義務が負わされたにすぎない。例えば、「○○せよ」という、義務が負わされたとする。ところが、義務者が義務を果たさない。「さあ、どうする?」という問題が出てくる。第4章では、この、義務を果たしてもらうこと（義務履行確保）を含めた、「行政の実効性確保」の各種手法を学ぶ。具体的には、①間接的強制制度と、②直接的強制制度の2つである。また関連して、義務を命じているヒマのない場合（＝例外）である、「即時強制（即時執行）」制度についても、理解を深める。

6 「あらまし」のあらまし 7

第5章について この章から，行政法の三本柱の3つめの柱である，「行政救済法」の学習に入る。前の章までで見た各種の行政作用が間違った場合に，その「後始末のつけ方」について定める各種の制度である。まず，第5章では間違った行政作用を是正することによって国民の権利利益を救済する「行政争訟制度」，具体的には，①行政不服申立制度と，②行政事件訴訟制度の2つを学ぶ。ここでは，条文や理論と並んで多数集積されている判例の理解と学習も重要である。

第6章について 第6章では，行政作用によって国民に生じた損害を金銭で償う「国家補償制度」について学ぶ。前の章と並んで行政救済法の後半部分を形作る。その内容としては，①国家賠償制度，②損失補償制度，そして③両者から漏れる部分（賠償と補償の「谷間」）を救済する制度に関して学ぶ。特に，①は国家賠償法という法律があり，これまでに多数の判例が出されているので，それらの判例と，法律（国家賠償法）の条文の解釈について理解する必要がある。

7 本書を読むためのヒント

① はじめに

3つの手続 さて本書を読んで，行政法には「3つの手続がある」ことに気づいてくれるかと思う。そこに気がつけば，もうしめたもの。これが行政法の，言わば「背骨（脊椎）」だからである。

| 対応箇所 |

具体的には，本書の第3章と第5章で述べる手続がそれである。第3章では「**1 行政処分**」の手続，「**2 行政指導**」の手続，そして「**3 その他の行為形式**」の手続の一部（=①），また第5章では「**1 行政不服申立て**」の手続（=②）と「**2 行政事件訴訟**」の手続（=③）である。

| 3つの手続法 |

それに対応して，「3つの手続法」が存在している。①については行政手続法（行手法）であり，②については行政不服審査法（行審法）であり，そして③については行政事件訴訟法（行訴法）である。これらは，「手続3法」と呼ばれることもある（巻末「行政法(学)関係年表」も参照）。

| 3つの共通点 |

では，この「3つの手続（法）」に共通するものは何だろう。3つの手続法に共通して登場する言葉（=キーワード）を探せばよい。それは，「行政庁の処分その他公権力の行使に当たる行為」である。この言葉は，行手法2条2号と行審法1条2項，そして行訴法3条2項に出てくる。必ず条文を読んで，このことを確認してほしい。

| 処分の手続法 |

さて，「行政庁の処分その他公権力の行使に当たる行為」という言葉は長いので，縮めて「行政処分」，さらに縮めて「処分」と呼ぶとしよう（⇨71頁以下，158頁以下，183頁以下）。すると，3つの手続法の共通点は「(行政)処分の手続法である」ということが見えてくる。別の言い方をすると，「処分」については少なくとも3か所で別々に解説されている（それは本書の「事項索引」を見ても，明らかになる）。

7 本書を読むためのヒント　　9

〈図 0-1〉 手続 3 法と「処分」の関係

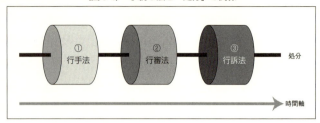

2 手続 3 法とその相互関係

イメージ図　以上を図解すると、〈図 0-1〉のようになる。「串」に見える黒い太線が「処分」を表す。本書の読者は初心者(ビギナー)であるので、「見える化（可視化）」して説明する（「図」で「解」る）。

時間軸　さて、黒い串を時間軸に見立て、左から右へ時間が流れていると想定しよう。処分は、「〇年〇月〇日」に行われる。この処分時を基準に取ると、まず処分の前（＝事前）と処分の後（＝事後）を区別できる（〈図 0-2〉参照）。つまり、この基準では②と③が「お友達」（事後手続法）で、①は「仲間はずれ」（事前手続法）ということになる（〈図 0-2〉の下側を参照）。

手続の主体　次に、「手続の主体は誰か」という点に着目すると、①と②は行政手続であるのに対して、③は司法手続である（〈図 0-2〉の上側を参照）。つまり、この基準では①と②がお友達（行政手続法）で、③が仲間はずれ（司法手続法）である（1964〔昭和 39〕年 9 月に公表された「行政手続法草案」〔橋本草案〕は、①と②の双方を 1 つの法典に収めるアイデアに立ってい

〈図0-2〉「処分」はどこに位置するか？

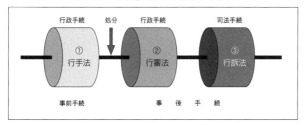

た)。このように,「見える化」すると,いろいろなことが見えてくる。

直列か並列か

さて〈図0-1〉には,行審法と行訴法を直列で描いた。しかし両者は,条件次第で直列になったり並列になったりする。要するに「原則直列,例外並列」ということである（行訴8条1項と2項を参照)。なお,直列は一般には「審査請求前置主義」,また並列は「自由選択主義」と呼ばれている。

行政と司法

結局,②と③を直列につなぐか並列につなぐかは,ひとえに立法政策の問題である。その際の判断の決め手は,行政と司法の関係をどう考えるか,具体的には行政と司法の性質・手続・能力の優劣ということである。

若干の脱線

一例を挙げる。筆者がまだ法科大学院で教えていた時代,「公法総合」という科目でこの話題に差し掛かった。そこで筆者が,「行政不服審査法には『違法又は不当な』という言葉が登場する（1条1項）が,行政事件訴訟法には『違法』という言葉がめったに出てこないねぇ」とつぶやいた。すると,すかさず手が上がって「先生,当たり前です。手続法は,ある行為が実体法上は違法であることを前提に組み立てら

れています。当然のことは，法律には書いてありません。民訴法にも『違法』という言葉は一か所も出てきません」。

閑話休題

学部時代には体験したこともない光速の，しかも明快な答えに，「さすがロースクール！」と感心したものだ（本当かなぁと思って調べたところ，実は一か所だけ「違法」という言葉が民訴法にも登場する。答えは言わない。各自で調べてみてほしい）。さて話を元に戻して，本書でも解説されていたように，同じく処分を対象にしていても，行審法と行訴法を比べると「処分の何を審査できるか」という点で，前者が後者よりも広くなる。

行審法1条1項

なぜなら，行審法の審査請求では，処分の違法性（処分が法定要件〔根拠法が定める主体・内容・形式・手続等の要件〕を満たしていないこと）に加えて，不当性（処分が法定要件を満たしてはいるが，公益要件を満たしておらず，従って妥当ではないこと）も争うことが可能だからである。理由は，行審法では行政が行政の，つまり自分のやったことをリビュー（見直す）のに対して，行訴法では司法が，つまり他人が行政のやったことを審査するからで，司法は処分の不当性までは審査することができない（行訴法30条は，そのことを「裏側から」規定している）。

一長一短

この違法性・不当性という違いのほかに，行政手続は「ゆるい手続」なので時間がかからない（簡易迅速）。一方，司法手続は「きつい手続」なので時間がかかる（慎重丁寧），という点も違う。ゆえに，このような一長一短を総合勘案して，②と③の直列か並列かが決められることになる。

串刺し

このように，手続3法は「（行政庁の）処分（その他公権力の行使に当たる行為）」という

〈図0-3〉「3度」の決定と3つの手続

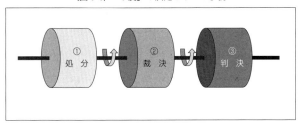

共通項で,「串刺し」されているワケである。しかし,むろん相違点もある。すなわち,

① (＝行手法) は1度目の審査・決定 (＝処分) の手続,

② (＝行審法) は2度目の審査・決定 (＝裁決) の手続,

③ (＝行訴法) は3度目の審査・決定 (＝判決) の手続

に関するルールだという点である。

らせん型　〈図0-1〉ではスチール写真 (静止画) のように見えるが,これら3つの手続は動いている。つまり,ムービー (動画) なのであって,「らせん (spiral)」のようにぐるぐる回りながら少しずつ動いていく,とイメージしてみるとよい (〈図0-3〉)。

中間まとめ　以上のことに注意しながら,さあ『はじめての』を読み始めよう。なお,以上の解説の続きは, Intermezzo II (202頁以下) で,より詳しく述べてある。

| 第1章 | **行政は誰が行うか**
~行政主体・行政機関~ |

1　行政主体とは？
2　行政機関とは？

● この章のあらまし ●

1 家庭から出るゴミの処理は市町村の仕事のようだ。これは行政活動と言ってよいだろう。けれども近くでは，市から許可をうけた民間会社もゴミを集めている。これも行政活動なのだろうか。そもそも，行政活動とそうでないものを区別する意味はどこにあるのだろうか（⇨16頁）。

2 市役所でもらう住民票は市長の名前で発行されている。でも，窓口で応対しているのは市の職員だ。学問上，この職員は「行政機関」と呼ばれるそうだ。行政機関は，比喩的に言えば，行政を行う主体（行政主体。ここでは市）の一構成要素とされるそうだが，構成要素である「行政機関」と「行政主体」との関係はどのようなものなのだろうか（行政機関⇨20頁）。

3 この職員は他方で「公務員」とも呼ばれているが，行政を行う主体（行政主体）の構成要素である「行政機関」と「公務員」との関係はどのようなものなのだろうか（行政機関と公務員との区別）。

15

また，公務員と言っても，一般市民（私人）がなっているのだろう
けれど，公務員と一般市民（私人）とは，どう違うのだろうか（公
務員と私人の区別⇨23頁）。

4 行政主体を構成している行政機関は，会社と同じように，それ
ぞれがさまざまな役割を担っているはずだ。命令・指示を出す人が
いれば，それに従って行動する人もいるだろう。そうした役割の違
いによって，行政機関を分類するとどうなるのだろう（行政機関の
分類⇨24頁）。

5 近頃，市民が地方公共団体を訴えるケースが増えている。現場
で仕事をしているのは行政機関として働いている職員だ。裁判にな
ったらその現場で働いている職員が被告席に座るのだろうか。行政
の仕事について裁判になった場合，誰が責任を負うのだろうか（⇨
26頁）。

以上のようなことを少し理論的に学んでいくと，行政活動を行う
主体，そしてその組織について理解できるだろう。

1 行政主体とは？

- case 1-1 -

　法律によれば，家庭から出るゴミ（一般廃棄物）の処理は市町村の
仕事とされており（廃棄物6条・6条の2），市町村が自ら収集・運搬
することが困難な場合には，市町村長が許可をして民間会社に行わせ
ている。

　A社は，P市から許可をうけて一般廃棄物の処理の仕事をしている
が，P市自らも一般廃棄物の処理を行っている。B社は，P市におけ
るゴミの処理が十分でないと判断し（ゴミの収集が週2回から1回にな

16　第1章　行政は誰が行うか

ってしまった），一般廃棄物処理業を行うことを計画して，法律に基づいて一般廃棄物処理業の許可を市長に申請した（法律では許可をするのは市長となっているから）。ところが，窓口で応対するのは市長ではないし，いろいろと細かい注文をつけてくるのも（いわゆる行政指導⇨109頁以下。許可に関係のない書類の提出も求められている），廃棄物処理課の「職員」だ。市の有力者が経営しているＡ社が処理業を行っているので，新規参入を認めにくいということが本当の理由のようだが，結局，不許可とされてしまった（不許可通知書は市長の名前で出されている。「申請に対する処分」の手続⇨101頁）。Ｂ社は不許可に納得できないので，裁判を起こしたが（取消訴訟や義務付け訴訟⇨第５章），裁判は時間がかかり一向に結論が出ない。業を煮やしたＢ社は，不許可になったことによって，「一般廃棄物処理業を始めていたら本来得られたであろう利益」（営業利益）を獲得しそこなったとして，その賠償を求めて裁判を起こすことにした（国家賠償請求訴訟⇨第６章）。

case
1-1

行政主体とは？

case 1-1 で，Ｐ市は一般廃棄物処理の仕事を行わなくてはならない。これは行政を行っていると考えてよいだろう。実は行政とは何かということはとても難しいことだが，ここでは常識的な理解によっておく（みんなのためになる仕事——道路や公園の建設・維持などを考えてほしい）。行政を行っているのは，case 1-1 ではＰ市ということになるが，このＰ市のように行政を行う主体のことをシンプルに「行政主体」と呼んでいる。ここでは，とりあえず，行政主体として国・地方公共団体（都道府県・市町村等）を考えておけばよい。

さて，行政を行うには人を雇ったり，物を買ったりしなくてはならないから，これらのことが「行政主体として」できなくてはならない。つまり，行政主体として，権利や義務を持てなければならない（物を買うには契約を結ばなくてはならない。契約を結べば，代金支払

1　行政主体とは？　**17**

義務を負うし，物を引き渡してもらう権利を持つ）。我々のような人と同じ資格を持っていなければならないということだ（難しく言うと，法人格を持っているということ）。こうして，権利・義務を持つことができる「行政法の表舞台の登場人物」として，行政主体と市民が取り出される。そして，行政法学は，この「行政主体と市民の関係」に第一の焦点を合わせて見ていくことになる。

なぜ行政主体を論じるのか？

行政主体を論じる意味は，どこにあるのか。少し考えてみよう。行政法の表舞台の登場人物を確定することだけにあるのではない。登場人物の間の関係をどのようなルールで見ていくかということを決める意味がある。行政主体には市民とは違った特別のルール（市民よりも厳しいルール）が適用されることになっているからだ。

例えば，法治主義の原理の重要な部分をなす「法律の留保の原則」（法律の根拠がなければ行政活動はできないという原則⇒38頁）は，行政主体にのみ適用される。市民は，禁止されていないことは何でもできるし，法律の根拠がないと活動できないということは原則的にはない。行政主体だからこそこんなルールが適用される。

また，case 1-1 で出てきた行政指導は行政が行うから「行政」指導なのだが，それを行うときにはさまざまなルールがある（行政指導の相手方から求められれば文書にしてきちんと説明しなければならないなど。行手35条1項）。行政主体に特別のルールが適用されるのは，その活動が行政活動であるからだ。このように特別のルールが必要だと考えられているのは，行政主体に行政活動を自由に行わせると市民の権利や利益が侵害されるおそれがあるからだ（⇒38頁）。

case 1-1 で，一般廃棄物の処理は，仕事の内容からみれば，A社の行っていることも，P市が行っていることも違いがない。けれ

18　第1章　行政は誰が行うか

ども，P市が行っていれば行政活動となる。なぜならP市が行政主体であるからだ。そして，特別のルールが適用される。

> 行政主体だけが行政を
> 行っているのか？

行政主体がどれであるかがわかれば，それが行っている活動は，行政活動で，それには特別のルールが適用されるとすれば大変わかりやすい。しかし，ことは決して簡単ではない。行政主体を定義することが難しい場合もあるからだ。例えば，行政主体と市民が協同で出資して運営する鉄道などは第三セクターと呼ばれるが，これらは行政主体なのだろうか（そもそも「公」でも「私」でもない第三のものだから第三セクターと言われる）。

このように，行政主体を判別することが困難な場合を別として，行政主体が明確にわかる多くの場合は，行政主体が行う活動が行政活動だとみて特別の規律を及ぼせばよい。ところがやっかいなことに，行政主体ではない主体が行っている活動を行政活動とみなければならない場合がある。例えば，近年よくみられるのだが，本来行政主体が行っていた，公的な試験や検査を民間団体（指定機関と呼ばれることが多い）に行わせることなどがそれである[注1]。これらの指定機関が行っている活動は行政と言えるだろうが（特別のルールは適用になる），指定機関自身を行政主体とはみないであろう（組織的には，指定機関は民間の機関である）。このようなことはどんどん増えていくだろう。これは，「行政主体」が行っているのは「行政」である，だから特別のルールが適用になる，という方程式が成立しないことが増えるということを意味している。

注1）　建物を建てるには原則として行政主体による建築確認というものが必要だが，この建築確認は行政主体から指定を受ければ民間団体でもできる（建基6条の2）。この民間団体を指定確認検査機関と呼んでいる。

1　行政主体とは？　19

Column ① 私人・人民・国民・住民・市民 ••••••••••••••••

　以前は国・地方公共団体を「行政主体」，その相手方を「行政客体」と呼んだ。同じ意味で，「私人」という用語も存在する。私人（行政客体）とは，「行政主体以外の一切の権利主体」という意味であり，会社などの法人も含まれる。

　行政法テキストでは，小早川『行政法(上)』に，「人民」という言葉が登場する。そこでは英独仏の Subject, Untertan, Sujet が「訳語」として添えられており，「人民」＝「国家の統治権に服する者」という意味だということが分かる。

　しかし一般には，むしろ「国民」という言葉が用いられる。

　次に，国に対する「国民」とパラレルな意味で，地方公共団体に対しては「住民」という言葉が用いられる。「住民」は，地方自治法上の用語（＝法令用語）でもある（自治10条1項）。

　もちろん，国民（人民）・住民は国・地方公共団体のパワーに「受動的」に服属するだけではなく，国政・県政・市政などに「能動的」に参加もする。

　この，後の意味を強調するために，昨今では「市民」という言葉も使われている（例えば，大橋『行政法Ⅰ』）。

　なお，『はじめての』では「国民」と「市民」は同じ意味で使っており，文脈に応じて使い分けている。

••• Level ① ••••••

2 行政機関とは？

① 「行政機関」は「行政主体」の構成要素

機関ってなに？

このようにいろいろ難しい問題があるが，行政主体には特別のルールが適用になるか

20　第1章　行政は誰が行うか

ら，行政主体を論ずるのは適用ルールを決める意味がある。行政主体を論じる意味は他にもある。

行政法の表舞台の登場人物の一人として取り出された行政主体は（もう一人の登場人物は市民），いわば観念的にとらえられたものである。それ自体は頭も手も足も持っていない。行政主体が行政を行うためには，行政主体のために実際に行政活動を行う「人」がいなくてはならない。行政主体を語ることは同時にこのような「人」がいることをも示している。行政法学はこのような「人」にも関心を注ぐ。行政主体と市民との関係にのみ注目するわけではない。次に，このような「人」について考えてみよう。

（case 1-1）をよく考えてみよう。一般廃棄物処理業の許可を行うのは，法律上は市長になっている。しかし，市長が行う許可はこれだけではないし，許可以外にも市長はたくさんの仕事をしている（市のホームページや，新聞の「市長の仕事」欄を見るとよくわかる）。そんな星の数ほどある仕事について，市長がすべての書類に目を通して，決定しているとはとても思えない。当然，市長の仕事を助ける人が必要なことがわかる（仕事を助ける方法はいろいろあるけれど，専決・代決[注2]という難しいテクニックは，代表的なものだ）。一般の会社でも同じだ。社長の名前でさまざまな文書が出されるけれど，全部社長が自分で書いているわけではない。部下が下書きをしてくれてそれに手を入れるだけだったりするし，極端には，部下の作った文章をそのまま採用することもある。会社は組織をなしていて，いろ

注2）　行政機関が他の行政機関に事務処理についての決定を委ねるが，外部に対しては本来の行政機関の名で表示させることをいう。対外的に本来権限を有する行政機関の名で表示され，責任も一切それに帰属するので，専決・代決は行政組織の内部だけの問題であり，補助の1つの形態とみるのが普通（補助機関⇨24頁）。

2　行政機関とは？　**21**

いろな人が会社のために働いているけれど，行政主体も同じように組織をなしていて，いろいろな人が行政主体のために働いている。これらが，人[注3]の頭や手足である器官に相当するもので，我々は，そうしたものを「行政機関」と呼んでいる（機関も器官も，英語ではorganで同じ）。 case 1-1 でいうと，「市長」も，廃棄物処理課の「職員」も，行政機関である。

行政機関の行為は誰の行為？

我々が誰かを殴ったときに，これは手の仕業ですから，私は知りませんと言ったら，あきれられるだろう。それは私の行為に他ならないからだ。同様に，行政機関の行為は行政主体の行為となる。だから，ある市長が市を代表して，ルールに従って契約を結んだときに，行政主体である市が，あれは市長が勝手に契約を結んだのであって，市は知りませんと言ったら，これは大問題である。もちろん，市長が，ルールに反して，自分の仕事でもないのに勝手に契約を結んだら話は別だ。行政機関（ここでは市長）の行為が行政主体の行為になるのは（この場合，「市長の結んだ契約」＝「市が結んだ契約」になるのは），あくまでも行政機関（市長）の仕事の範囲内でしかない（もっとも，契約には相手があり，市長がルールに反して結んだ契約は市が結んだことにならないというのであれば，おちおち市と契約を結んでいられない。相手の信頼に配慮して，ルールに反して市長が結んだ契約も場合によっては市が結んだ契約と認める必要がある。これは少し高度な問題だ）。なお，この行政機関の仕事のことを「権限」という。

注3) 権利義務の主体たる資格を持っているのは，「自然人」（人）と「法人」だけである。一定の要件を満たした団体や財産がその資格を与えられる場合，それらを「法人」と呼んでいる。

22　第1章　行政は誰が行うか

② 行政機関についている「人」はいろいろな顔を持つ（「公務員」そして「私人」）

行政機関と
公務員と私人

ここでもう少し考えてみよう。

たしかに，行政機関は「その仕事の範囲では」（権限の範囲では）行政主体の一部でしかなく，独立の主体ではない。でも，「いつも，行政主体から独立した主体ではない」とは言えない。なぜなら，行政機関と言っても実際には生身の人間がその立場で仕事をしているわけだから，その「生身の人間」が独立した主体ではないとすると，その人は働いているのに給与も休暇ももらえないことになるし（「体の一部」が，「私」に給料を請求するのは奇妙だ），仕事のない日にその人が自分の子どもと遊ぶのも行政主体の行為になってしまうからだ。では，どのように考えたらよいか。行政機関についている人は行政機関から離れた別の側面も持っていると理解すればよい。その側面とは，①「公務員としての側面」と，②公務員からさらに離れた「私人としての側面」である。これらの側面において，人は，行政主体とは独立の地位を持っており，行政主体に対して独立の主体として向き合うことになる。だから，給料や休暇を請求する行為は，彼が「公務員として」行政主体に対して行っているのであって，行政主体の行為ではない。同様に，市長が休みの日に自分の子どもと遊ぶ行為は，「私人として」の行為であって，行政主体の行為ではない。行政機関が行政主体の一部をなし，その行為が行政主体の行為そのものとなるのは，行政機関の仕事（行政活動）をしている限りにおいてなのである。

このように，行政機関の立場にある人の，公務員としての側面と，

2　行政機関とは？　23

私人としての側面を区別しなければ，どのような行為が「行政主体の行為」となるのかを判断することはできない。そして，「行政主体の行為」であると判断されたものについて，「特別なルール」が適用されることになるのである（この方程式があいまいになってきていることは前述した⇨19頁）。

③ 行政機関の分類

　人間の体が目や耳や手や足などのいろいろな器官からなっているように，行政主体もいろいろなパーツ（行政機関）からできている。人間の器官が，その仕事によって分類できるように，行政機関も，その仕事（権限）内容の違いから分類できる。

　　行政庁（＝脳・口）　最も重要な行政機関は，人間で言うならば，人間の意思などを決定して，そしてそれを外部に表現する，脳や口などの器官である。これが行政庁である（行政主体のために意思又は判断を決定してこれを外部に〔国民に対して〕表示する権限を持つもの〔特に国の機関を指す場合には「行政官庁」と言われる⇨国の場合で言えば，各省大臣が典型。総理大臣もそうだ。地方公共団体の場合は，都道府県知事や市町村長がそれに当たる〕）。

　　補助機関（＝脳・口の補助）　意思などを決定し，表現するにあたっては，脳や口が大変重要な働きをすることは言うまでもないが，脳や口だけで人体が活動できるわけではない。脳はさまざまな知識や情報がなくては決定を下せないであろう。脳にさまざまな情報を伝える感覚器が必要だし，脳に栄養を送る器官もいる。口が脳の考えたことを外部に示すには口を動かす筋肉もいる。またさらに，この部屋から出て行ってくれと脳が考え，口に出して言ったのに，出て行ってくれないときには，

24　　第1章　行政は誰が行うか

手をかけて出て行ってもらう必要がある。これらの体の部分はみんな，脳や口の仕事を手伝っているといってよいだろう。行政庁にもこのようにその活動を助力してくれる行政機関が存在する。これを「広義の補助機関」と呼ぶことができる。そして，広義の補助機関は，さらに3つに分類できる。

⑴　**狭義の補助機関**　　行政庁の権限行使を補佐することをその権限とする行政機関（国の場合，各省の事務次官，局長，課長，事務官など。地方公共団体の場合，副知事，副市長，会計管理者，部長，課長，その他の職員など）。

⑵　**諮問機関**　　行政庁が何か決定を行う前に他の機関の意見を聴くことがある（これを諮問という）。諮問に答えて意見を述べる（これを答申という）権限を有する行政機関をいう（各種の審議会など）。

⑶　**執行機関**　　行政庁の意思（例えば，税金を納めてほしいという意思。税金を納めるよう命じるとき，この意思は市民に対して表明される）を具体的に執行する（税金の取立てを実際に行うこと）権限を有する行政機関はこれに当たる（警察官や収税官吏など）。

　執行機関の活動を除くと，これらの行政機関の仕事は基本的に行政主体の内部で行われている。課長が市長の行う許可の事案の調査を行ったり，原案を作ったりする場面を考えてみよう。

　国民を不適切な行政活動から護るということが，行政法学の最も重要な任務であるといってよいから（⇨38頁），行政法学は行政主体が国民に働きかける場面を最も重視して考える。したがって，行政機関の分類においても，「意思又は判断を決定してこれを国民に対して表示する権限を持つ」行政庁が最も重視されることになる（執行機関も外部〔＝国民〕に働きかけるが，それは基本的に行政庁の意思などを実現するにとどまるから，二次的な意味を持つにすぎない）。

2　行政機関とは？　**25**

④ 裁判と行政機関

被告は誰か？

case 1-1 では，市長が許可の権限を持っている。この権限はさまざまな行政機関の助力によって行われている。窓口で書類を受け付けたり，書類を審査したり，許可の申請者に説明したりするのは市長ではなく補助機関であるが，最終的に市長の責任で決定が下される。かつて行政事件訴訟法では，市長などの「行政庁」が行政訴訟の被告となるものとされていたが，これは行政主体が被告になるのと何も変わらない（なぜなら，行政庁の行為は行政主体の行為に他ならないから）。2004（平成 16）年改正後の条文では原則として，国又は公共団体（行政主体）が被告とされている（行訴 11 条）。場合によっては，行政庁がどれか，を判断するのが難しいことがあるから，被告を行政庁にしようと行政主体にしようと実質的には何も変わらないのであれば，行政主体を被告にした方が国民にとってはわかりやすいだろう。

行政機関の行為と
行政主体の責任

行政庁が違法に不許可を行ったら相手方は争えるし，不許可によって損害が生じた場合には（許可を得て営業等を行ったら得られたであろう利益も，不許可によって失われたと言えるから損害と言ってよい），その損害を償ってもらえるはずである。ところが，ちょっと理屈っぽく考えてみると，行政庁が違法な行為を行った場合には，もはやそれは行政庁の権限を外れているので（違法な行為をする権限などないので），行政主体の行為ではないということになる。もしそうだとすると，行政庁の違法な行為については，行政主体が責任を負う必要はないのではないか，という疑問が出てくる。しかし実際は，行政庁の違法な行為についても，行政主体が責任を負うことになっ

26　第 1 章　行政は誰が行うか

ている。なぜなら，行政活動は誤って行われる可能性（危険）が常にあるので，職務として行われた違法な行為は，やはり行政主体の行為として行政主体が責任を負うのが妥当であると考えられているからだ（国家賠償法１条は，公務員の違法な行為について国又は公共団体〔行政主体〕が賠償責任を負うものとしているが，どんな場合でも行政主体が責任を負うわけではなく，「職務を行うについて」行われた行為についてのみ責任を負う。職員が休みの日に交通事故を起こして誰かに損害を与えたとしても，行政主体が責任を負ういわれがないのは当然だ。⇨第６章）。行政機関がちゃんと仕事をしたときは自分の（つまり，行政主体の）行為として認めるけれど，行政機関が仕事を間違って行ったとき（違法な行為をしたとき）は知らぬ顔（損害は償わない）というのでは，あまりにも都合がよすぎるというものだ。

もう一歩先へ　本章では，権限の内容の違いによって行政機関を分類し，「行政庁」を中心として，それ以外を「広義の補助機関」と位置づける説明をしてきた。このような行政機関概念は，機関のうちで最も重視される機関の名をとって「行政官庁（法）理論」に基づく機関概念と言われる。この機関概念は権限が与えられる小さな単位（これを帰属点と言おう。大臣・知事・局長・課長・審議会など）を行政機関としてとらえているところに特徴がある（⇨後述(1)）。他方，個々の権限の帰属点の集まり，言い換えれば組織体（省・委員会・庁。例えば，省には，大臣・局長・課長・課員が含まれている）を行政機関の単位としてとらえる考え方もあるので，注意が必要だ（⇨後述(2)）。図1-2（⇨31頁）でいうと，国土交通大臣や事務次官などをそれぞれ行政機関とみるか，国土交通省全体を行政機関とみるかの違いである。

(1)　一方で，行政官庁（法）理論に基づき，個別の権限の帰属点

2　行政機関とは？　　**27**

を行政機関としてとらえていると思われる条項が存在する。例えば，地方自治法が，普通地方公共団体の長を執行機関（25頁の(3)で見た行政機関の諸類型における執行機関とは異なり，立法機関である議会に対する表現で，行政を「執行」する機関という意味）とし（自治138条の2〜138条の4），副知事や副市長を補助機関と呼びそれらの権限について定めている（自治161条〜175条）のはこの例であるとされる。また，個別法律において，種々の権限を各省大臣あるいは大臣以外の職員に認めることは一般に行われているが（例えば，租税更正処分・決定処分〔課税処分〕が税務署長の権限とされること。税通24条・25条），このような規定は，行政官庁（法）理論でいう行政機関の概念を前提としているといってよい。

(2)　他方，個々の権限の帰属点の集まり（組織体）を行政機関としてとらえる法律もある。

国家行政組織法は，「行政組織のため置かれる国の行政機関は，省，委員会及び庁」（3条2項）とするものと定めている。例えば省は，その長たる大臣以下省に属している一切の行政機関（(1)の意味での行政機関）を含んだ「組織体」ないし「集合体」を意味しているが，国家行政組織法は，これを行政機関と呼んでいることがわかる（行手2条5号，自治156条1項の行政機関も同様の意味である）。すなわち，行政官庁（法）理論の立場からみた，行政庁，補助機関等の行政機関の集合体を行政機関と呼んでいるのである（委員会は少し特殊である⇒今村＝畠山『行政法入門』31〜32頁）。ここでいう行政機関概念は行政官庁（法）理論にいう行政機関とは異なっている。

(3)　このように，わが国の法律では，2つの異なった意味を持つ行政機関概念が使用されているので，注意が必要である。(1)の行政官庁（法）理論で言う行政機関概念は，わが国行政法学に多大の

影響を与えてきたドイツ流の概念であり，⑵の国家行政組織法で使用されているような行政機関概念は，戦後導入されたアメリカ流の行政機関概念であり，むしろ行政学的概念であるとされる。

図1-1 国の行政組織図

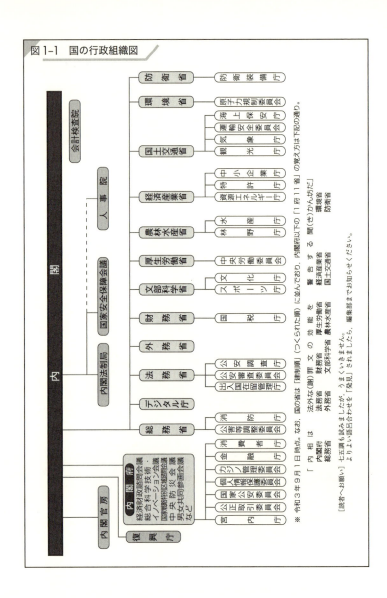

※ 令和3年9月1日時点。なお、国の省庁は「建制順(つくられた順)」に並んでおり、内閣府以下の「11府11省」の覚え方は下記の通り。

「内 相 は 法外な (謝)罪 文 の 効 能 を 響告 する 聞 (きょかん坊だ)
内閣府 法務省 財務省 文部科学省 厚生労働省 農林水産省 経済産業省 環境省
総務省 外務省 国土交通省 防衛省

[読者へお願い]
七走調も読みましたが、うまくいきません。
よりよい語呂合わせを「発見」されましたら、編集部までお知らせください。

30　第1章　行政は誰が行うか

図1-2 国土交通省の組織図

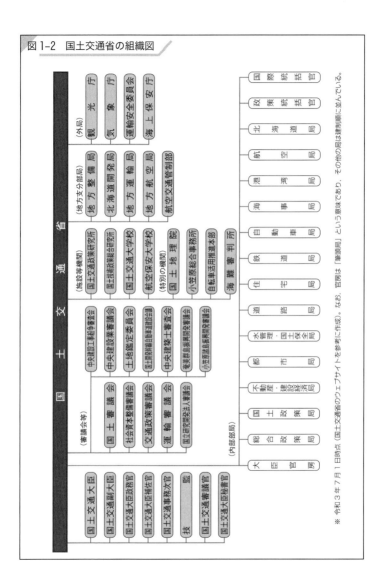

※令和3年7月1日時点（国土交通省のウェブサイトを参考に作成）。なお、官房は「筆頭局」という意味であり、その他の局は建制順に並んでいる。

2 行政機関とは？

図1-3 宮城県の行政組織図（知事部局）

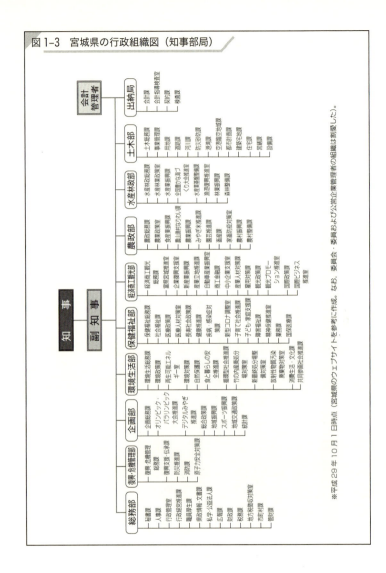

※平成29年10月1日時点（宮城県のウェブサイトを参考に作成。なお、委員会・委員および公営企業管理者の組織は割愛した。）

32　第1章　行政は誰が行うか

<table>
<tr><td>第2章</td><td>行政法の基本的な考え方
～行政作用の一般理論～</td></tr>
</table>

1　法治主義
2　さまざまなコントロールの方法

● この章のあらまし ●

1　この章では，続く第3章以下の章に対する関係で見て，やや総論的な意味を持つことがらを解説する。

　まず，行政法という法（行政法という名の法律があるわけではない〔⇨2頁〕。さらに，行政「法」には法律以外のルールもある）がなぜあるのかということを考えてみる。これは「法治主義」ということと関係する。行政活動は法律に基づかなくてはいけない（法律の根拠が必要），法律に違反してはならない，と言われる。

　我々市民は，法律の根拠がないと活動ができないわけではない。我々は禁止されていないことは何でもできるのが原則である。法律に，例えば，スポーツをしてよいと書いていなければできないということではないだろう。子どもに小遣いをやってよいと書いていなければやれないわけではないだろう。法治主義は行政活動だけの原則だ。法律に反してはならないのは市民の場合も同じだが，行政活動の場合には違反してはいけない特別なルールがある。なぜこんな

33

特別の扱いが必要かというと，行政活動は法によって抑えなければならない（危険である）と考えられているからだ（⇨38頁）。

2 行政活動を法律によって抑える（コントロールする）やり方はいろいろある。ここでは，行政活動を抑える1つの手段として，行政活動を行う際に，手続，手順を踏ませるというコントロール手段について見てみよう（適正手続⇨46頁）。

手続を踏ませることでどんなメリットがあるのか。まず，手続を経ることで，慎重な準備・検討がなされ，その結果，合理性のある行政活動が保障されることになる（〔予防的〕権利保護機能）。

また，手続を踏むことは，手続に関係する市民を行政活動のプロセスに参加させることを意味するが，それによって，行政活動がどのようになされたのかが明らかにされ，手続に関係した人の納得や同意も得やすくなるというメリットもある（参加機能）。そして，この参加機能は国民主権の実現という視点からも非常に重要である（市民参加⇨49頁）。

3 さて，市民参加が重要であるといっても，参加するためには，まず行政活動についての情報が必要となってくる。何も知らなければ，参加する気にもならないし，参加しても行政活動について意見も言えない。行政主体は市民参加を促進するためにも，自分が持っている情報を提供しなければならない。

また，行政活動は我々市民のために行われるものであり，行政主体は人為的に作り出されたものであるに過ぎない。だから，行政主体はいつも自分を正当化し，その活動について説明する必要がある。逆に，主権者である我々はそのような説明を受ける立場にある。その意味でも，行政主体は自分が持っている情報を主権者である市民に提供しなくてはならない。このような考え方に基づいて，行政主体が持っている情報を求めに応じて市民に開示する仕組み，つまり「情報公開制度」が設けられている（⇨56頁）。

34　第2章　行政法の基本的な考え方

4 主権者である我々市民は自律した個人として尊重され，意義ある生を送れなくてはならない（何が意義あることかは我々が決めることだが）。我々が意義ある生を送れるよう保障するのが行政活動，そして国家制度（行政活動もその一部）の究極の目的であると言ってよいであろう。そして，自律的な個人は自分についてのイメージをコントロールし，他の人間との関係の濃淡を決定できなくてはならない。そのためには自己についての情報を自分自身でコントロールできなくてはならないだろう。このような自己情報コントロール権によって基礎づけられる制度が「個人情報保護制度」である（⇨59頁）。

- case 2-1

Aは，P市市長が国立病院で診察を受け，ある疾病に罹っていることが判明したとの情報を得た。もしこのことが事実であれば，今度行われる市長選挙に際しての有権者の判断材料の1つになるので，公にしたいと考えたAは，情報公開制度に基づいて，国立病院に対し，市長の疾病に関する情報が記載されている市長のカルテの開示請求を行った。そうしたところ，そのような情報はあるともないとも言えません，という奇妙な答えが返ってきた。

- case 2-2

Bは，国営の国際空港が自分の住む市に建設されるという噂を聞いた。このような計画があるならば是非意見を言いたいと考えて調べたところ，建設計画について議論する審議会があることがわかった。そこで，情報公開法に基づいて，まだ続いているこの審議会の議事録の開示を求めた。しかし，開示が拒否された。なぜだろう。

国営の国際空港を作るなどといった国土の利用に関わる重要問題について，我々の意見を述べる機会はないのだろうか。計画が決定され，そのために必要な土地が行政主体の決定で強制的に取得される段階（土地収用）になってから住民の不満が噴出して大騒動になるよりも早

い段階で意見を聴いた方がいいのに……。

---

case 2-3

　国家公務員であるＣは，昇任時期を迎えようとしていた。純粋な問題意識を持ち，妥協することを潔しとしないＣは，納得がいかない上司の指示にはとことん説明を求め，場合によっては従わないこともあった。昇任時期を迎えて，自分がどう評価されているのか知りたいと思ったＣは，上司が書いた勤務評定書（名前は正確ではないが，存在するらしい）の記載内容の開示を，行政機関情報公開法に基づいて求めた（その当時，個人情報保護法がなかったので）。ところが，窓口の職員は，行政機関情報公開法によれば，個人が識別されてしまうような情報は開示できないとして，請求を取り下げるよう行政指導（一種のお願いに過ぎない⇨109頁）をしてきた。行政指導だから従う義務がないので（これは正しい），従わないで請求を続けていたら，不開示にするという決定がなされた。たしかに，行政機関情報公開法5条1号によればそうなりそうだが[注1]，この条項は個人のプライバシーの保護の見地から設けられているという。勤務評定書に記載されていることはＣ本人に関する情報なのに……。

　そうこうしているうちに，個人情報保護法ができた。この法律は個人の情報だからこそ情報を開示してくれるのだそうだ（Ｃの勤務評定書に書かれた情報はＣの情報だ）。Ｃは，行政機関情報公開法とは制度の目的が違うのだと納得して，開示請求をした。ところが，今度は，勤務評定書を開示するとその記載が客観的になされなくなり，それに基づいた人事がうまくできなくなるという理由で，開示されなかった。

注1)　現在の行政機関情報公開法5条1号は「個人に関する情報〔略〕であって，当該情報に含まれる氏名，生年月日その他の記述等〔略〕により特定の個人を識別することができるもの〔略〕」を不開示情報（⇨57頁）としている。

36　第2章　行政法の基本的な考え方

1 法 治 主 義

case
2-3

法治主義とは？

　　　　　　　　法治主義は，「行政活動は法律に基づかな
くてはいけない」，「法律に違反してはなら
ない」，ことを求める。

　ではなぜ法治主義という考え方が必要なのか。ここでは専制君主
時代の王様のことを考えてみよう。すべての権力を集め持っていた
王様は何でもできる。きまり（ルール）はあっても，自分で好きな
ようにルールを作れるし，変更もできる。当然，王様がルールを破
っても何のお咎めもない。王様の都合によっては，国民が思いもよ
らぬことで処罰される可能性（危険）もあるだろう。このように王
様は何をしても許されるという状況は，国民にとってあまりにも理
不尽である。安心して生活することなどできない。やはり，一人の
人間に多くの権力が集中するというのは，危険なことなのだ。そこ
で，王様の権力をいくつかに分散し，それぞれの権力を対立させる
ことによって，1つひとつの権力を弱め，国民に安心を与えようと
いう考え方が出てきた。これが権力分立の基本的な考え方である
（権力分立の例としてよく知られているのが，三権分立〔立法権―国会，司
法権―裁判所，行政権―内閣や大統領〕である）。

　さらにもう1つ重要な考えが加わる。国民が一番偉いのだという
国民主権の考えである。この考えに基づけば，三権の中で，国民の
代表からなる国会が一番偉いということになり，行政も司法も国会
が作る法律に従えということになる。そして，行政も司法も法律に
従って行われるということは，あらかじめ法律によって示された内

1　法治主義　　37

容に沿って行政・司法が個別・具体的に行われることを意味するのだから（どんな場合に，許可をもらわないと国民は活動ができないのか，他人の物を盗んだら懲役何年になるのか等は，法律で規定されている），難しく言えば，我々の予測可能性が確保されているということになる。これならば，専制君主の時代と違って見通しがつくし，安心して暮らせる。

法治主義の究極目的

三権のうち，王様の力の影響が最後まで残ったのは行政権である。行政活動が王様の意のままに行われると，我々の権利・利益が侵害される危険がある。国民の権利・利益が行政活動によって侵害されないように，国会で作られた法律によって行政活動を縛らなくてはならない，これが法治主義の究極目的だと言ってよい[注2]。

なお，各国における法治主義の思想の表れ方はいろいろだ。ドイツ流の法治主義の考えを「法律による行政の原理」と呼ぶが，これは，英米諸国における法治主義の思想——「法の支配」——とはやや異なる。わが国の法治主義は，「法律による行政の原理」をベースにしつつも，その充実・拡充へと向かい，「法の支配」の思想と実質的に接近してきている。

法律の留保の原則

では，法律によって行政を縛ることを目的とした「法治主義」（法律による行政の原理）を具体化した原則を2つ，ここで紹介しよう。まず，その1つは，行政活動を行うには法律の根拠が必要だとする「法律の留保の原

注2）　なお，ここでいう「法律」には，国会で制定される法律以外のルール（法律の委任〔許し〕によって定められ法律と同視できる政令・省令〔⇨117頁〕，地方版の法律である条例）も含まれる。また，憲法は当然行政活動を縛るものであるし，法律そのものを縛る特別の存在である。

則」である（ case 2-3 で取り上げた，開示・不開示の決定〔これも行政活動になる〕は，法律の根拠に基づいて行われる。開示・不開示の決定を行うのは「誰」で，「どのような場合」に開示するのか，ということが法律に書いてあるので，それに基づいて行政活動が行われるということである〔行機情公3条・5条・9条〕）。法律に「留保」されているとは，法律のみが決定できるということで，行政は法律なしには何もできないということを意味する。

どこまで法律に
「留保」するのか？

　どんな行政活動について法律の根拠が必要なのだろうか。ここには学説の争いがある。

　(1)　**侵害留保説**　我々にとって最も危険なこと，つまり国民の権利を奪ったり，国民に義務を課す侵害行政活動には根拠が必要であるとする立場である[注3]。 case 2-2 で，国際空港建設のために必要な土地が行政の決定（収用裁決という）によって強制的に取得できるのは，法律にそう書いてあるからだ。

　侵害留保説は，ある意味行政法の古典的な考えに忠実ではあるが，行政活動は我々の権利を奪ったり，我々に義務を課す活動ばかりではないので，不十分なようにも思える。つまり，我々は行政主体のいろいろなサービス活動（生活保護費や児童扶養手当の支給といった社会保障給付，補助金の交付など）に大きく依存しているので，そのような活動にも法律の根拠が必要なのではないかと考えられるからである（社会保障給付行政について法律の根拠を求める説〔社会留保説〕もある）。

注3)　ここで言う「侵害」は実力が行使されることばかりではない。観念的に何かを命じられることも侵害である（命ぜられるまでは自由だったのだから）。例えば，違法建築物を取り除けという命令（建基9条）。また，ここで言う「侵害」は法律に基づいて行われるのだから違法なことではない。

1　法　治　主　義　　**39**

(2)　**全部留保説**　　他方，議会の決定はつまるところ「国民」の決定なのだから，民主主義の見地から，行政活動は常に国民の決定に拘束されるべきだとして，すべての行政活動に根拠を求める説を全部留保説と呼んでいる。

ただし，全部留保説によって実際にすべての行政活動に根拠を求めることは難しい。

(3)　**権力留保説**　　現在比較的有力に説かれている説は，権力的行政活動には法律の根拠を求めるという権力留保説である。「権力」とは多義的な概念であるが，ここでは，一方的に国民の権利や義務に変動を及ぼすこと（変動がマイナスかプラスかを問わない）を意味している。国民の同意がないのに権利や義務が変わるのは自由な国民にとって重大なことだという考え方に基づいている。この立場に立てば，我々の権利や利益を奪ったり，制限したりする活動だけでなく，我々に権利や利益を与える行政活動にも法律の根拠が必要になる（情報開示請求に対する開示決定のような，我々に権利・利益を与えてくれる行政の行為も，行政側の一方的な判断によりなされているので，その意味では権力的な行為と言ってよい）。

(4)　**本質留保説**　　もう1つ注目されている説は，本質的な（重要な）決定は議会が行うべきであるという本質留保説である。ドイツで提唱された。

国民の権利・利益を侵害するのかしないのか，国民の権利や義務を一方的に変えるのかどうかを問わず，本質的な（重要な）決定は議会に留保される（法律で定められる）べきであるとするものである。この説によれば，民意に基づいた議会によって，「開かれた法律制定手続に則り決定されるべきことがらは何か」という見地から本質（重要）事項[注4)]が決められることになる。この立場からすると，

40　　第2章　行政法の基本的な考え方

case 2-2 にある国営の国際空港を造るなどといった国土の利用に関わる重要問題については，法律の根拠が必要となってくる。

> ### 法律の優位の原則

法治主義を具体化したもう1つの原則は，行政活動は法律に違反してはならないという「法律の優位の原則」である。

この原則によって，法律の根拠（誰が，どんな行政活動を，どんな場合にできるか〔しなくてはならないか〕を定めた法律＝根拠規範）がなくても行える行政活動であっても，法律に違反してはならないことになる。 case 2-3 にある勤務評定書の記載内容を開示してくれという請求を取り下げるよう求めた「行政指導」（⇨109頁）は，法律の根拠がなくても行える行政活動の典型例だ。たしかに，行政指導を行うには法律の根拠はいらないが（行政指導ができる，と書いた法律はいらない），といってもやりたい放題ではない。行政指導を行う際に違反してはならないルールはいろいろある。例えば，行政指導は行政機関の仕事の範囲を超えて行ってはならないし（行手2条6号・32条。国土交通省と経済産業省の仕事が異なるのは言うまでもないが，当然行政指導もそれぞれの仕事の範囲内でしかできない），行政指導を行うときには，趣旨，内容および責任者を明示しなくてはならない（行手35条）。

このように，行政活動を行うために法律の根拠がいらない場合でも，法律の優位の原則によって，行政活動はコントロールされているのである。

注4）　そのような事項として挙げられるものは，将来の社会生活のあり方についての決定（エネルギー政策，土地利用政策，雇用政策，国土開発計画），基幹的な補助金，行政組織の基本構造などである。

1　法　治　主　義　**41**

「法律の留保の原則」「法律の優位の原則」による行政のコントロール注5)

	法律の根拠なく行政活動が行われた場合	法律の根拠があるのにその根拠に反して行政活動が行われた場合
法律の根拠がなくては行えない行政活動 （例：許認可処分など）	× （法律の留保の原則違反） ＝憲法上の原則違反）	× （法律違反） ※法律の優位の原則による。
法律の根拠がなくても行える行政活動 （例：行政指導など）	○ （特に問題なし） ※ただし、法律の優位の原則により、組織規範・規制規範に違反してはならない。	—

2つの原則と
3つの規範

法治主義について，とりわけ，法律の留保の原則について理解するには，①組織規範，②根拠規範，③規制規範という規範（ルール）の区別を頭に入れるとわかりやすい。①組織規範とは，行政機関を設置し，その仕事（所掌事務）を定め，機関相互の関係を定める規範である。②根拠規範とは，誰が，どんな行政活動を，どんな場合にできるか（しなくてはならないか）を定めた規範である（行政活動の要件など⇨44頁）。③規制規範とは，ある行政活動を行政機関ができることを前提として（根拠がなくても行える行政活動も対象になる），それを規制する（適正に行わせる）規範である（手続を定めた規

注5) 法律の根拠がなければできない行政活動が，根拠なくして行われた場合には，法律がないのだから，法律違反ではなくて，法律の留保原則という憲法上の原則（一般に，法律の優位の原則とともに，憲法41条がこれを定めているとされる）に反することを意味する。

　また，法律の根拠がなければできない行政活動が，現にある根拠規範に違反して行われた場合には，法律に違反するといってよい（例えば，後にみるように，どんな場合に行政活動ができるかを定めたものを「要件」と言うが〔根拠規範の一部をなす〕，要件に違反して行政活動が行われた場合を考えればよい）。この場合，要件は法律の根拠だから，法律の根拠がないのに行政活動が行われた（法律の留保の原則違反）とも表現できるが，一般的にはそのようには言わない。

範〔手続規範〕や行政活動の目的を定めた規範〔目的規範〕などがこれに当たる）。

　法律の留保の原則によって必要とされる法律は前記②の根拠規範でなくてはならないとされている。だから，行政指導が「法律の根拠なくして行われる」というのは「根拠規範がなくても行える」という意味である。つまり，法律の根拠なしに行政指導を行っても法律の留保の原則には反しない。これに対して，法律の優位の原則においては，上記①～③いずれのタイプの法律にも違反してはならない，とされている。だから，法律の根拠なくして行われる行政指導でも，前頁で見たように，組織規範（行手2条6号・32条は組織規範による拘束があることを前提にする）や，規制規範（行手35条）による拘束は及ぶのである。

2 さまざまなコントロールの方法
——透明・公正な行政過程

1　法律を使った行政のコントロール

　これまで見てきた行政指導のような，法律に根拠がなくても行える行政活動については，当然に，法律の根拠を求めることによるコントロール以外のコントロールを考えなくてはならない。そうした場合，行政を勝手にさせないための方法としては，行政が違反してはいけないきまりを定める方法，法律の優位の原則によるコントロールがより意味がありそうだ。

　土地収用法20条では，国土交通大臣は，土地収用（公の事業のために土地の所有権を強制的に取り上げる行為）の前提となる「事業認

2　さまざまなコントロールの方法　43

定」という行政処分（⇨71頁）ができるとされている。この「事業認定」について定めた規定を素材にして，行政活動の効果的なコントロールのあり方をちょっと考えてみよう。

土地収用法第20条　国土交通大臣【…略…】は，申請に係る事業が左の各号のすべてに該当するときは，事業の認定をすることができる。

　1　事業が第3条各号の一に掲げるものに関するものであること【道路建設事業，空港建設事業，堤防建設事業など】。

　2　起業者【1号にあげる事業を行う者。国，地方公共団体のほか電力会社など民間事業者もこれに当たることがある】が当該事業を遂行する充分な意思と能力を有する者であること。

　3　事業計画が土地の適正且つ合理的な利用に寄与するものであること。

　4　土地を収用し，又は使用する公益上の必要があるものであること。　　　　　　　　　　　　　　　　　　　＊【　】内，筆者記。

　一般には「事業認定」は法律の根拠がないとできない行政活動だと解されているので（起業者は，一定の手続を経て土地収用をする権利を得る），もし法律に事業認定について何も書いていなければ（根拠規範がなければ），事業認定はできないことになる（法律の留保の原則）。もっとも，こんな場合に，事業認定が行われるということ自体あり得ないであろうが，実際には，上に掲げたように，法律の根拠はあるから，国土交通大臣は，事業認定について定めたこの20条1号〜4号（要件）に従って事業認定をすることになる。このように行政活動の要件を定めることによって，法律は行政活動をコントロールしている。要件が充たされていないのに事業認定をすれば法律違反であるから，これは法律の優位の原則の問題[注6]となる。しかし，「法律で要件を定めてコントロールする」というやり方が

44　第2章　行政法の基本的な考え方

うまくいくには，要件による行政活動の拘束がしっかりとできていなければならないのだが，それは容易なことではない。

case 2-2 で，空港建設のために土地収用が必要になったとしよう。土地収用をするにはまず事業認定が必要で，前頁の1号〜4号まですべての要件を充たさなくてはならないが，例えば，3号を見てみよう。「土地の適正且つ合理的な利用に寄与する」とあるが，何をもって「適正」「合理的」とするのか，判断は非常に難しい。対象となっている土地が，例えば室町時代特有の町並みを残した場所だとしたら？　あるいは珍しい鳥の生息地だとしたら？……当然，事情によって結論は異なってくるだろう。3号の要件を充たしているか否かの判断にあたっては，「土地を公の目的のために収用することによって失われる利益（収用で奪われる土地の所有権のみならず，上に述べたような景観等に関わる利益が失われることも含む）」と，「土地を収用し，公の目的のために用いることによってもたらされる利益（空港を建設することによってもたらされる利便性などの利益）」とを慎重に秤にかけなければならない。1件1件事情が異なり，考慮すべきことがらも異なるので，このような判断はとても微妙で難しい。あらかじめ，行政庁が判断するにあたっての基準を具体的に細かく法律で定めておけば，行政活動をしっかりと拘束することができるのだろうが，土地収用によって行う事業もさまざまで，土地収用の対象となる土地が置かれた状況もいろいろなのだから，そもそもこれは不可能だ。すると，各号の要件を充たすか否かについては行政庁の自由な判断にある程度委ねざるを得ないので（この自由な判断の余

注6）　42頁注5で述べたが，要件が充たされて初めて適法に事業認定ができるのだから，要件が充たされていないのに行われた事業認定は法律の根拠がないのに行われたとも言える。

2　さまざまなコントロールの方法　　**45**

地を裁量という⇒82頁），行政庁へのコントロールは緩くなってしまう。

　そうなるとやはり，法律の根拠を求め，行政活動の要件を法律で詳細に書くこと（「根拠規範」＋「法律の優位の原則」）によるだけでなく，「法律を定めることによる」という意味では同じでも，またこれとは異なった方法（「規制規範」＋「法律の優位の原則」）[注7]でも行政をコントロールする必要がありそうだ。

②　手続による行政のコントロール

┌──────────────┐
│　手続による　　　　│
│　コントロール　　　│
└──────────────┘

　では，要件を詳細化することによるコントロールとは別の方法として，どのようなものがあるのだろうか。

　土地収用法は，事業認定をする行政庁の判断のプロセスにさまざまな意見を反映させて，行政庁が適切な判断をするための条件を整えている（21条〔土地の管理者及び関係行政機関の意見の聴取〕，22条〔専門的学識及び経験を有する者の意見の聴取〕，23条〔公聴会〕，25条〔利害関係人の意見書の提出〕，25条の2〔社会資本整備審議会等の意見の聴取〕）。

　このように関係者を参加させる手順を踏むことは，20条各号の要件を充たすか否かの判断をする行政庁（国土交通大臣）の判断のプロセスを適切なものとし，法律そのもの（事業認定の要件＝20条の各号）を詳細化するよりも効果的に事業認定をコントロールしている。これらは手続によるコントロールと言ってよい（「規制規範」〔⇒42頁〕によるコントロールということになる）。

───────────────

注7）「法律を定めることによる」コントロールをすべて最終的に支えるのは，「法律の優位の原則」である。

手続の機能

一定の行為を行うために，一定の時間の流れの中でなされる人間の活動を手続と呼ぶならば（難しく書いたが，例えば，今日家族で食事をするレストランをお母さんが決めるときに，家族の意見を普通は聞くだろう。この意見聴取が手続である），行政の活動にもこのような手続を想定することができる。結果としての行為がよければそれでよい（お母さんが決めたレストランはとても美味しい，雰囲気のよいところだった），と考えるならば，手続などはどうでもよいであろう。しかし経験的に我々は，手続を踏むことには意味があることを知っている（お父さんがレストランについての新しい情報を持っているかもしれない。子どもだって家族の一員なのだから，一人前に意見を言わせてもらえば，好きではないレストランでも不平を言わずに行くかもしれない）。手続にはどんな効能，機能があるのだろうか。

例えば，事業認定からはじまる収用手続によって土地を収用されることになる人が手続に参加するときには（収用25条〔利害関係人の意見書の提出〕），その手続はそれらの人の権利・利益の保護という機能をより強く持っている。うまくいけば合意も調達できるだろう。土地収用法25条の2（社会資本整備審議会等の意見の聴取）は，専門的な意見を取り入れて決定を適正なものとすることにより（いわゆる審議会の主要な役割はここにある），事業認定の相手方の権利・利益の保護が結果としてもたらされる。土地収用法23条に基づく公聴会の開催は，事業認定の決定の過程を公開し，関係者の合意を取り付ける意味を持っている。もちろん，このプロセスを経ることにより，適切な決定に至る可能性は高くなる。

まとめてみると，手続には以下の2つの機能がある（上に見たように，個々の手続は大なり小なりどちらの機能も持っている）。

2　さまざまなコントロールの方法　　47

(1) **(予防的)権利保護機能**　決定の慎重さや合理性を担保する機能（手続への市民の参与は決定過程を真摯なものとするだろうし，手続過程でもたらされる情報は決定の公正さや合理性を担保する。さらに，付随的に，その過程でなされる情報の収集は新たな問題発見へと繋がることがある）。

(2) **参加機能**　決定過程を公開し，市民の合意を調達する機能（説得機能）。

　わが国には，行政手続について一般的に定めた行政手続法という法律がある。この法律は，行政手続法の適用がないとされたり，特別の手続がとられることが規定されていない限り，行政手続について適用されることになる（行政手続に関する一般法⇨99頁）。行政手続法を例にとって，手続の機能を少し確認してみよう。

> 行政手続法が定める
> 手続の機能

わが国の行政手続法は，行政と行政によって働きかけられる国民が1対1で向き合う局面を念頭に置いた手続を主としており，これらの手続は（予防的）権利保護機能をより強く持っている。例えば，事業認定をする際の手続は行政手続法に則って行われることになっているが（行手第2章〔申請に対する処分〕），この手続は申請してきた人と行政庁との間で進められる（ただし，同10条〔公聴会の開催等〕は，第三者[注8]の意見を考慮する手続についての規定である）。

　他方で，行政手続法は，申請に対する処分の手続の一環として事業認定の要件を充たすかどうかを審査するときの具体的な基準（審

注8)　関係者の間に権利や義務が成立しているとき（「法律関係」があるという。例えば，2人の人の間に契約が結ばれている場合など），その関係者（当事者）以外の者。ここでは，申請者と，相手方である行政主体（行政庁が直接の相手方だが，真の相手は行政主体である⇨第1章）以外の者。

査基準という。事業認定の要件をもっと詳しく書いたもの）を行政自身が定めるよう求めているが（同5条・2条8号。行政自身が定めるから当然法律ではない），この基準を定める際には広く我々の意見がたずねられることになっている（意見公募手続[注9]）。この手順は，上記(2)の参加機能をより強く持ったものである。この手続は次のようなものである。多くの市民に関係がある政令・省令・審査基準等を制定する場合には，行政機関は，その案と，その案を理解するために必要な資料とを添付して，市民の意見を広く求める。行政機関は，寄せられた意見を検討して，当初の案を修正し，あるいは取り入れない意見についてはその理由をとりまとめて公表し，最終的に政令・省令等を確定する（最終的に政令・省令等を制定しないこともできる）。

　この制度が，寄せられた市民の意見に対して応答する義務を行政機関に課していることは，説明責任（アカウンタビリティ）の観点からも注目される。また，この制度は，政令・省令等の制定を念頭に置いているが，行政改革会議の最終報告（1997〔平成9〕年12月3日）は，基本的な政策の樹立・変更や多数者の権利・義務に影響を及ぼす事業等の計画策定・変更についてもこのような制度を設けることを提案している。

　　いろいろな参加手続　）　行政改革会議の報告でも触れられているように，多数の人の権利・義務に影響を及ぼす事業等の計画の策定，そして，その変更は我々市民にとって極めて重要なものである。現在，計画策定手続（計画を作っていく手続）

注9）　行政手続法の中に，「意見公募手続等」として規定されている（⇨122頁）。38条〜45条。政令・省令等は，法律と同様に多くの市民に関係がある定めを行政が作るものとして，行政「立法」と呼ばれている（⇨116頁）。したがって，「意見公募手続」は，行政立法手続と呼ぶことができる。

2　さまざまなコントロールの方法　　49

について一般的に定めた法律はないが，個別の法律では積極的に市民参加を進めるものがある[注10]。また，一定規模以上の事業（道路の建設，鉄道の建設，空港の建設など）を行う場合には，事業者は環境影響評価（環境アセスメント）をしなくてはならないが[注11]，環境影響評価法は，環境影響評価を行う項目とその評価の方法等を記した「環境影響評価方法書」について，環境保全の見地から意見を有する者の意見を求める手続を設けている。また，事業者が行った環境影響評価の後作成される「環境影響評価準備書」については，住民への説明会の開催，環境保全の見地から意見を有する者の意見を求める手続を設けている[注12]。

地方公共団体における参加手続

(1) 直接請求　参加の仕組みには他にもいろいろなものがある。例えば，地方自治法には直接請求の制度が定められている[注13]。これは，地方公共団体にかかわる選挙の有権者が，条例の制定・改廃の請求などをすることができる制度で，その意味では直接民主的な制度である。しかし，請求には一定数（条例の制定・改廃の請求の場合，有権者総数の50分の1以上）の署名が必要で，大都市ではほぼ実現不可能である。また，例えば，地方税，公共施設の使

注10)　河川整備計画に対して学識経験者，住民，地方公共団体の長の意見を聴取する手続が定められている（河16条の2第3項～5項）。また，都市計画に関する住民・利害関係者の意見聴取について都計16条以下が定めている。

注11)　環境への影響が大きいとされる事業について免許等を行う行政庁は，環境の保全について適正な配慮がなされているか審査した上で免許等を行う（環境影響評価33条）。

注12)　環境影響評価8条・17条・18条。「準備」書というのは，環境保全の見地から意見を有する者の意見を聴くための準備として作成されるからそう呼ばれる。

注13)　条例の制定改廃請求（12条1項），事務の監査請求（12条2項），議会の解散請求（13条1項），主要公務員の解職請求（13条2項・3項）。

50　　第2章　行政法の基本的な考え方

用料等に関する条例は請求の対象外とされており，議会の解散は議会の選挙等の日から1年は請求ができないとされているなど，あくまで，代表民主制を補うものとしてしか位置づけられていない。

(2)　**住民投票**　　最近の地方公共団体では，一定の施策について，条例に基づいて住民投票を行い，その結果をもとに決定するしくみを採用するところが増えてきている[注14]。原子力発電所の誘致など地方公共団体のあり方に大きな影響を及ぼすことがらについてよく行われている。しかし，憲法と地方自治法が代表民主制を基調としていること（住民が，知事や市長などと議会を直接選挙し，それらの機関を通して意思を反映させることになっていること）との調整，投票の結果に知事や市長，議会などが拘束される住民投票を条例によって導入できるか，住民投票の対象となるにふさわしいことがらは何か，など，いろいろ検討点はある。

参加は早めに

case 2-2 に出てきた国際空港の建設のような大規模公共事業計画についてはその策定手続が定められて住民等の充分な参加が認められるべきだろう。そして慎重で適切な参加手続をきちんと踏んで計画が決定したあとは，計画を争うことは禁止し，淡々と計画を実行すべきである。たしかに，計画の実現のために最終的に土地が収用される段階では，いろいろと手続が設けられていて，参加が確保されているが（「事業認定」の手続⇨47頁），これより前に，計画を作る段階で参加させることが望ましい。土地収用を行うのは計画の実現の最終段階であ

注14)　ちなみに，特定の地方公共団体にのみ適用になる法律を制定するには住民投票が必要である（憲95条）。これは憲法に基づく住民投票である。現在，地方自治法は，この憲法95条に基づくものを除いて住民投票について定めていない。

2　さまざまなコントロールの方法　**51**

る。この段階に至って裁判等で争われるのは事業を進める側にとっても住民にとっても決して望ましいことではない。

Column ② 公共事業と法

　今や国も地方公共団体も財政難に陥り，従来の公共事業の手法は，大きな転換期を迎え，公正・透明かつ効率的に行政を行うための手法が導入されている。

　1つめにPFI法，すなわち「民間資金等の活用による公共施設等の整備等の促進に関する法律」が施行されている。PFIとはPrivate Finance Initiative（民間資金主導）の略で，道路・公共施設などインフラの整備を，「官」ではなく民間の企業・団体の資金を用いて行うことを指す。例えば，東京霞が関の「中央合同庁舎第7号館」（文部科学省，会計検査院，金融庁）や，栃木県さくら市喜連川の刑務所（社会復帰促進センター）がPFI手法で建てられ，注目を集めた。

　2つめに，PI（Public Involvement）制度がある。すなわち，市民参加手法の1つとして，構想段階から幅広く意見を聴く機会を設け，道路などの新たな長期計画に反映させる方式を指す。国の「第12次道路整備5カ年計画」（1998〔平成10年〕）にPI方式が採り入れられており，地方公共団体でも同様である。

　3つめに，公正・透明かつ効率的に行政が行われたかどうか，その成果を問う動きが注目に値する。すなわち，政策評価法（行政機関が行う政策の評価に関する法律）によって，政策に関して厳格な事前評価と事後評価が行われるようになっている。

　4つめに，国の各府省や地方公共団体では，「入札監視委員会」と呼ばれる組織が設けられ，外部有識者を交えて，公共事業や公共調達が適正に行われているかに目を光らせている。

　5つめに，2009（平成21）年の政権交代後に行われた「事業仕分け」の中では，公共事業とその発注の仕方が論議され現在でも「行政事業レビュー」として続いている。

Level 2

③ 情報の収集・管理・使用

> 国民は主権者

ところで，行政活動への参加（行政手続も参加の機能を持つ⇨48頁）が正当化されるのはなぜだろうか。

それは国民が国家活動（「国家」は文脈によっては地方公共団体も含む。ここではそういう意味である）を正当化する存在であり（国民主権），行政活動がなされる局面においても，その立場は最大限に尊重されなければならないからである。国家活動を正当化する存在である我々は常に，国家活動について説明を受け，それを監視し，意見を言える立場になければならない。したがって，国家は，その活動について説明する責務（アカウンタビリティ）を果たさなくてはならないし，国民は，国家活動を監視し意見を述べ，さらには参加をするために必要な情報を可能な限り提供されなくてはならない。情報公開制度が必要とされるのは，このような理由からである（ただし，情報公開制度は開示請求の理由・目的を問わないので，商業目的の利用も可能であるし，入手した情報を私人間の紛争を有利に導くために用いることもできる。副次的効果）。

他方，国民が行政活動を監視し，行政活動に参加するために必要な情報に限らず，行政主体には国民の情報が膨大に集積されている。このような情報について，その収集，管理，使用が適正に行われることを確保するのが（行政機関における）個人情報保護制度である。この制度は，自己情報コントロール権[注15]によって基礎づけられる。

注15）　自己の管理下にある自己の情報の収集・利用・伝達をコントロールする権利，さらには，他者の（とりわけ公の）管理下にある自己情報について，自己への開示，訂正・削除を求める権利までも含むものとして理解されている。

2　さまざまなコントロールの方法　**53**

情報公開の対象となる情報，個人情報保護の対象となる情報はいずれも公文書に記載される。だから，それらの制度が正常に機能するには，公文書がきちんと作成され管理されなければならない。

　2009（平成21）年6月24日に公文書等の管理に関する法律（公文書管理法）が成立し，情報公開や個人情報保護の仕組みの前提となる公文書の作成と保存に関して，国の各省共通のルールを定めている（⇒60頁）。

もう一歩先へ　情報公開制度と個人情報保護制度の違いについては本文で簡単に説明した。

　①行政機関の保有する情報の公開に関する法律（行政機関情報公開法）は，一般の行政機関の情報公開制度について定め，②独立行政法人等の保有する情報の公開に関する法律は，独立行政法人等の情報公開制度について定めている。単に「情報公開法」というときには前者（①）を指すことが多い。

　独立行政法人とは，業務の効率的な遂行のために，各府省の行政活動から政策の実施部門の中の一定の業務を分離し，独立の法人格を与えたものである（例えば，独立行政法人大学入試センター，独立行政法人造幣局，国立研究開発法人土木研究所など）。 case 2-1 の国立病院は，独立行政法人国立病院機構の施設であり，情報公開請求に対する決定はこの独立行政法人が行う。

　①と②は基本的に同じ内容の情報公開の仕組みを規定している。

　①は，25条で，地方公共団体は，情報公開法の趣旨に則って，保有する情報の公開に関して必要な施策を定め実施するよう努めるべきことを定めているが，情報公開制度はむしろ地方公共団体が先行して作った（1982〔昭和57〕年に山形県金山町と神奈川県が条例を制定した）。①・②と各地方公共団体の情報公開条例はほぼ同じよう

な内容になっている。

2021（令和3）年以前は，③個人情報の保護に関する法律は，「公私を通じた個人情報保護の基本法制」とともに「民間部門についての個人情報保護法制」を定めており，④行政機関の保有する個人情報の保護に関する法律（行政機関個人情報保護法）と⑤独立行政法人等の保有する個人情報の保護に関する法律（内容は④とほぼ同じ）は，公的部門についての個人情報保護法制を定めていた。③の5条は，地方公共団体は，個人情報保護法の趣旨に則り，当該地方公共団体の区域の特性に応じて，個人情報の適正な取扱いを確保するために必要な施策を定め実施することを規定し，11条は，地方公共団体が保有する個人情報の適正な取扱いを確保するよう求めている。これを承けて，地方公共団体の条例が個人情報保護についても規定し，民間部門の個人情報保護については，基本的に行政指導にとどまる定めを置き，それらと行政における個人情報保護についての定めを一緒にしている。

④・⑤と各地方公共団体の個人情報保護条例の行政における個人情報保護についての部分はほぼ同じような内容になっている。

このように，国と地方そして民間における個人情報保護法制は複雑な体系をなしていたところ，2021年に，個人情報保護法，行政機関個人情報保護法，独立行政法人等個人情報保護法の3本の法律が1本の法律に統合され，所管も個人情報保護委員会に一元化された。地方公共団体の個人情報保護制度についても，条例による必要最小限の独自の保護措置を条例で定めることは許容して，統合後の新・個人情報保護法において全国的な共通ルールを規定することとした。

上に述べたように，個人情報保護については法律が統合されたが，

2　さまざまなコントロールの方法　　55

情報公開に関しては，いくつか法律があり，各地方公共団体には条例もあるが，以下，本文では，行政機関情報公開法と新・個人情報保護法の行政機関個人情報保護制度の部分について解説する。これにより，国，地方公共団体を問わず，行政における情報公開と個人情報保護の仕組みの大まかな内容は理解できるだろう。

さらに，この2つの制度を文書管理の観点から支える公文書管理制度についても簡単に解説する。

④ 情報公開制度

情報公開の仕組み

(1) 請求する人・される人　行政機関情報公開法は，誰でも開示請求ができるとしている（3条）。請求の相手方となる行政機関の長（例えば，総務省の長である総務大臣。この「行政機関」ということばの意味は，28頁(2)参照）は，開示か不開示かの決定を行うことになるが，警察機関も含めて広い範囲の行政機関が対象機関とされている（2条1項・4条）。

(2) 請求できる情報　情報は，どんなものでも開示してもらえるわけではない。情報は一定の形になっていなければならない。行政機関情報公開法は，開示の対象を「行政文書」と呼び，「行政機関の職員が職務上作成し，又は取得した文書，図画及び電磁的記録……であって，<u>当該行政機関の職員が組織的に用いるものとして，当該行政機関が保有しているものをいう</u>」（2条2項〔下線筆者〕）と定義している。下線部に注意してほしい。職員の個人的な検討段階にある下書き文書やデートの約束を記したメモなどは含まれないが，行政文書にするために，文書を正式に役所の文書とする行政内部の手続（決裁・供覧手続という）を行う必要はない。役所のものとして実際に使っていればよいのである。このような文書を「組織共用文

56　第2章　行政法の基本的な考え方

書」と呼んでいる。

(3) **不開示情報**　「組織共用文書」であれば，どんな内容の文書でも開示されるかと言えば，そうではない。まだ，もう1つバリアがある。不開示情報である（5条各号）。

　行政にはさまざまな情報が集積している。学校（国・公立）の成績も残っている（開示されればプライバシーの侵害だ。5条1号。個人情報）。場合によっては，企業の特許，ノウハウもある（開示されたら企業の利益を侵害する。5条2号。法人等情報）。また，開示されると行政が行えなくなる情報だってある（司法試験の実施前に試験問題が開示されたら困る。5条6号。行政執行情報）。行政活動が決定されるプロセスはできるだけ透明にされるべきだといっても，あまりに早期に意思決定過程の情報を開示することは，場合によっては社会に大きな影響を及ぼすことがある。 case 2-2 において，空港建設計画の開示は地価の騰貴を引き起こし，国による土地の買収ができなくなることもある（5条6号。行政執行情報）。空港建設に反対する人たちの運動によって，審議会の意思決定の中立性が損なわれる可能性もある（5条5号。意思形成過程情報）。これらの情報は「不開示情報」（5条各号。上に見た情報以外に，公にすると国の安全等が害される可能性がある国等安全情報，公にすると公共の安全と秩序の維持に支障を及ぼす可能性がある犯罪等予防情報などがある。5条3号・4号）となり，開示請求があっても，開示されない。逆に，請求の対象が不開示情報に当たらない限り，開示しなくてはならない。

　なお，不開示情報であっても「公益上特に必要があると認めるときは」開示される（7条。公益上の理由による裁量的開示）。

(4) **文書の存否も聞けない情報**　さて，情報の開示が求められた場合，行政機関の長は，請求に対応する文書の存否を明らかにし，

その上で開示・不開示の決定を行う。出せない情報だったら不開示決定を行えばよい。普通はこれで問題はない。が，文書によっては，文書の存否が明らかになるだけで，不開示情報を定めることによって保護しようとしている利益が侵害される場合がある。例えば，case 2-1 の場合がそれに当たる。ある人を名指しにして，カルテの開示請求が行われた場合，カルテはあるが，個人情報であるから開示できないとした場合（その判断は正しい），そのことのみで，その人が当該病院にかかっていたことが明らかになり，プライバシー侵害となる。このような場合に，文書の存否を明らかにしないで開示請求を拒否できることを定めた規定がある（8条。存否応答拒否──グローマー拒否[注16]）。case 2-1 のような答えは全く正当だ。このような事態は，不開示情報のいずれに関しても生じ得る（国家試験の前に，「情報公開をテーマとした試験問題」と特定して開示請求をした場合を考えよ。あるけど不開示だと決定すると──行政執行情報。この判断は正しい──，そうした問題が出ることがわかってしまう。あるともないとも言えない）。

(5) **第三者に関する情報の取扱い**　開示請求に係る行政文書に第三者に関する情報が含まれているときは（例えば，ある企業が情報開示請求をしたとき，対象文書にライバル企業の経営戦略についての情報が含まれている場合），行政機関の長は，開示・不開示の決定等をするにあたって，その第三者に対し，意見書を提出する機会を与えることができる（特定の場合には意見書を提出する機会を与えることが義務づけられる。13条）。

注16）　アメリカの情報公開訴訟において，探査船グローマーエクスプローラー号に関する文書の存否を明らかにしないで開示請求を拒否することを，裁判所が認めたことにちなんでこう呼ばれる。

⑤ 個人情報保護制度

行政機関における
個人情報保護のしくみ

以下，2022（令和4）年に施行される予定の新・個人情報保護法によって解説する。

⑴ 保護される情報 個人情報保護法は，行政機関が持っている「個人情報」（生きている人に関する情報であって，氏名などで個人が識別されるものなどを指す。2条1項）の適切な収集，管理，利用について定めている（いわゆるビッグデータについても匿名加工情報としてその利活用を定めている）。

⑵ 自己情報コントロール権 この法律の第5章第4節は，個人情報についてのコントロール権を認めている。すなわち，誰でも・・・自分の個人情報の開示を求めることができる（76条）。また，個人情報の内容が事実でないと考えるときは，その個人情報の訂正（追加又は削除を含む）を請求することができる（90条）。さらに，個人情報が，適法に取得されたものでない場合などには，その情報の利用の停止又は消去などを請求することができる（98条）。

 case 2-3 のCが個人情報保護法に基づいて勤務評定書の開示請求ができるのは当然で，記載の訂正や利用停止の請求もできることになる。

⑶ 不開示情報 自分の個人情報であっても開示されない場合もある。行政機関情報公開法の規定の仕方に倣った定めが置かれている（78条。個人情報，法人等情報，意思形成過程情報，行政執行情報など注17)）。例えば， case 2-3 で，勤務評定書を開示すると人事がうまくいかなくなるとされたのは，78条7号の行政執行情報に当たる（「人事管理に係る事務に関し，公正かつ円滑な人事の確保に支障を及ぼすおそれ」〔同号ヘ〕がある）ということであろう。さらに，不開示

2 さまざまなコントロールの方法　**59**

情報であっても，個人の権利利益を保護するため特に必要があると認めるときは，開示することができる（80条。裁量的開示）。

(4) **第三者に関する情報の取扱い**　行政機関情報公開法と同様に，開示請求の対象になった個人情報に第三者に関する情報が含まれているときなどは，その第三者に意見書を提出する機会を与えることができる（場合によっては義務となる。86条）。

⑥　公文書管理制度

> 公文書管理の必要性

上で情報公開制度の説明をした。開示対象文書（いわゆる組織共用文書）であれば幅広く開示請求の対象となり，不開示情報でない限り文書は開示される。しかし，論理的に考えれば，対象となる文書は存在していなければならない。まちがって文書を廃棄してしまった場合や，作成すべき文書が作成されてない場合，廃棄したり，作成しなかった公務員の責任問題は起こるが，ないものはないのであって，その文書の開示請求がされても，開示はできない。また，個人情報の開示請求や訂正請求が適切に処理されるためにも文書が適正に管理されていないといけないだろう。だから，情報公開制度や個人情報保護制度がきちんと機能するためには，前提として，文書の作成のルール，整理・保管のルール，廃棄のルールなどが定まっていなければならない。このことは，まず，現に使用している文書（「現用文書」）の管理体制の問題である。また，国等にある文書には，現に行政活動に

注17)　行政機関情報公開法との違いは，①個人情報を開示すると本人の生命・健康・生活・財産を害するおそれがある場合には開示されない点，②個人の情報であるとして開示されないのは，請求者以外の個人情報であるときである点（請求者は自分の個人情報であるからこそ開示してもらえるのだから）である。78条1号・2号。

60　第2章　行政法の基本的な考え方

おいて使用はしていないが，歴史的に価値のある文書も含まれている。例えば，明治の条約改正に関する外交交渉の記録文書などは現に使用してはいないが，歴史的資料として後世に伝えるべきものだろう。そうした文書（歴史的価値がある「非現用文書」）はこうした観点から保存し，活用しなければならない。ところが，これまでは，現用文書の管理と歴史的価値がある公文書等の管理は別になされ，その管理体制も十分ではなかったことから，文書の作成から廃棄までの文書のライフスタイル全体を規律するために，2009（平成21）年に公文書管理法が制定されることになった。

　以下，公文書管理法の概要について説明する。

| 公文書管理法の内容 |

(1)　**現用文書**　行政機関の現用文書の管理について，文書の作成，整理，保存について規定している。まず，行政機関における①意思決定と②事務および事業の実績についての文書の作成義務が明記された（4条）。このような文書があれば，行政機関でどのような意思決定がなされたのか，行政機関の行った仕事の実績はどうなのか，評価，検証することができるだろう。行政機関が行政文書を作成し，または取得したときは，当該行政文書について分類し，名称を付けて，保存期間，保存期間の満了する日を設定することを求めている（5条）。相互に密接な関連を有する行政文書を原則として「行政文書ファイル」にまとめることを求め，これらの行政文書ファイル等について適切な保存（6条），および行政文書ファイル等を整理して記録した行政文書ファイル管理簿の整備を求めている（7条）。さらに，保存期間が満了した行政文書ファイル等についてルールを定めて，国立公文書館等に移管し，または廃棄しなければならないことを定めている（5条5項・8条）。各省の大臣等は，行政文書の管理の状況について，

2　さまざまなコントロールの方法　**61**

毎年度，内閣総理大臣に報告しなければならないこと，各省の大臣等は，行政文書を適正に管理するために，「行政文書管理規則」を定めることを求めている（10条）。

(2) **歴史的価値がある公文書等**　　歴史公文書等（歴史資料として重要な公文書等）の保存利用等については，まず，行政機関以外の国の機関（立法機関，司法機関）が保有する歴史公文書等の保存および移管について規定している（14条）。保存期間が満了した行政文書ファイル等で，国立公文書館等に移管されたものを「特定歴史公文書等」と呼んでいるが，これらは原則として永久に保存しなければならない（15条）。国立公文書館等の長は，当該国立公文書館等において保存されている特定歴史公文書等に対して利用の請求があった場合には，例外的な場合を除いて（情報公開法の不開示情報に相当するものなどが規定されている），これを利用させなければならないことになっている（16条）。利用が認められなかった場合には，審査請求ができて，審査請求がなされた場合には，公文書管理委員会に諮問がなされる（21条・22条。この委員会は，特定歴史公文書等の廃棄の際などにも諮問を受けるなど，この法律の施行に関する重要事項に関わる）。特定歴史公文書等についても保存，利用および廃棄に関する「利用等規則」を設けることが義務づけられている（27条）。

独立行政法人等の文書の管理についても規定があるが省略する（第3章）。

7　救 済 制 度
——情報公開・個人情報保護・公文書管理まとめて

(1) **情報公開・個人情報保護**　　開示・不開示（部分開示も含む），訂正・訂正拒否等の決定が行われた場合（行われようとしている場合），

請求者や第三者は必ずしもそのことに満足するわけではない。例えば，開示請求や訂正・利用停止の請求をしたのに認められなかった場合には，請求者は満足しないだろう。また，ある企業の持っているノウハウが記載された文書について開示決定がなされたら困るので，この企業は，ライバル企業が開示請求をした場合には，開示決定がなされないように（なされたとしたら，その決定を）争えないと困るだろう。そのような場合を想定して，救済制度が用意されている。

救済の方法は2種類である。①訴訟（⇨165頁）と，②行政機関の長に対する行政不服申立て（⇨155頁）である（まず不服の申立てをし，裁決を得てから取消訴訟を提起しても，不服申立てをすることなく取消訴訟を提起してもよい。自由選択主義。行訴8条⇨193頁）。

②の場合に，行政不服申立て（この場合は審査請求）を受けた行政機関の長はもう一度自分の決定（例えば，不開示決定）を見直すことになるが，このときに行政機関の長から諮問を受けて（一定の場合を除いて，諮問は必ししなくてはならない。行機情公19条，個情105条）意見を述べるのが「情報公開・個人情報保護審査会」（情報公開・個人情報保護審査会設置法）である。審査会の答申を尊重して，行政機関の長は，審査請求に対する返事をすることになる。

審査会の意見には行政機関の長を拘束する力はないが，審査会の意見はほとんど従われていて，行政機関の長が当初の決定を改めることも多い。そこまで審査会の意見が尊重されるのは，審査会が第三者機関であり，公平な判断をするからであるが，加えて，審査会の判断を説得力あるものとする仕組みがあるからでもある。つまり，審査会は自ら開示請求の対象となった文書を見て（当然，開示請求者自身は見られない）判断をすることができるのである（イン・カメラ審理：カメラとはこの場合裁判官室を意味する。イン・カメラとは「裁判

官室で」ということ）。裁判に関しては今のところ裁判官のみが文書を見て判断するということは一般的には認められていない[注18]。このこともあって，行政機関の長による開示・不開示の決定に対する裁判所の判断と審査会の判断が異なることもある。

(2) **公文書管理**　　国立公文書館等の長が特定歴史公文書等に対する利用の請求を拒否した場合などには，請求者等は，情報公開，個人情報保護の場合と同様に①訴訟と②行政不服申立て（この場合は審査請求⇨156頁）によって争える（自由選択主義の適用がある）。審査請求がなされた場合には，原則として公文書管理委員会に諮問がなされて，その判断を経て国立公文書館等の長は審査請求に対する裁決を行うことになっている。公文書管理委員会が諮問を受けて審理をする際には，同様にイン・カメラ審理ができる（21条・22条）。

注18)　一方の当事者に文書を見せないのは，裁判の公開の原則あるいはその当事者に対する手続保障の見地から問題があるという議論があるため。ただし，文書提出命令についての民事訴訟法223条6項はイン・カメラ審理を取り入れている。

Column ③　行政による情報の収集・管理

「デジタル社会の形成」（本書あとがき参照）の本格的開幕に伴い，「情報」を行政法理論体系のどこにどのように位置づけるか，論者は頭を悩ませている。

例えば，塩野『行政法Ⅰ』では「行政上の一般的制度」の部の「行政手続」の章の後で「行政情報管理」を，小早川『行政法(上)』では「行政の機構と過程」の節で「行政情報の取扱原則」を，また大橋『行政法Ⅰ』では「市民対話の仕組み」の部で「行政情報へのアクセス」と「情報管理の仕組み」をそれぞれ扱う。

類書の中ではこのテーマに最もスペースを割いていると思われる宇賀『行政法概説Ⅰ』では「行政情報の収集・管理・利用」と題して，実に約80頁を費やしている（同書第3部）。

さて，『はじめての』ではこのテーマをどのように処理しているだろうか。それは，読者のみなさん自らの目で確かめていただきたい。

Level ①

2　さまざまなコントロールの方法　65

第3章 行政はどのように行われるか
～行政の行為形式～

1 行政処分
2 行政指導
3 その他の行為形式

● この章のあらまし ●

1 国や地方公共団体は，さまざまな分野の行政を，いろいろな法律に従って行っている。外交や防衛，警察，消防，教育，社会保障，災害対策，道路や河川の管理，土地利用規制，経済活動規制，消費者保護，環境保護，公衆衛生保持，租税徴収など，例を挙げればきりがない。もう少し大きな枠で整理すると，市民の権利を制限したり義務を課したりする侵害行政（⇨39頁。警察や租税徴収など）と，市民にさまざまなサービスを提供する給付行政（⇨39頁。社会保障など）との区別や，行政活動に必要な手段を入手する準備行政（調達行政。租税徴収はこの例にも含められる），市民と同様の立場で行う経済活動（私経済行政〔作用〕⇨210頁，252頁。事務用品の購入など）といった分類もできる。この章では，行政活動を法的に分類していくのだが，行政活動の分類というと，上で見たような行政分野の違いをイメージするかもしれない。

ところが，『はじめての』を読んでも，行政分野の違いを意識す

ることは多くないだろう。なぜならば，行政法の学習を始めるにあたり，まず重視すべき分類は，行政が市民に対し，どのような「形」で働きかけるのか，どのような「形」で市民の権利や義務に関わるのか，といったことだからである。

　例えば，行政が市民の権利や義務を決定したのか，単にアドバイスをしただけなのか。一方的に命令したのか，市民の同意を得たうえで約束を交わしたのか。ルールや計画の策定と，それらを特定の誰かに適用する決定という区別もできる。このように，市民に対して行政は，さまざまな「形」で働きかける。この「形」のことを，「行政の行為形式」という。

2　いくつかある「行政の行為形式」のうち，これまでの行政法学は，「（行政）処分」を最重視してきた。その詳しい定義は本章1①に譲るが，さしあたり，「法律や条例に基づいて，ある特定の市民に対し，その権利・義務を一方的に決定する行為」としておこう。そのうえで，この行政処分を中心に行政過程（行政の活動プロセス）を三段階に分解するモデル（三段階構造モデル）を紹介しておく。これは，藤田宙靖先生が提示したモデルである。

　ア）第一段階　法律や条例の存在
　イ）第二段階　法律や条例を適用する行政処分の発動
　ウ）第三段階　行政処分の内容を強制的に実現

　このうち，ア）は，ルールが存在するという段階である。例えば，税金関係の法律は，一定額の収入を得た市民に対し，収入額に応じた額の税金を納める義務を課している。しかし，ルールの存在だけでは，特定の人に特定額の納税義務が発生しないこともある。

　税金の種類によっては，税務署長などが，市民に対し，具体的な額の納税を命じることで（課税処分），はじめて納税義務が発生する（例えば， case 4-2 の固定資産税の場合）。現実にはこれほどシンプルではないのだが，このように，行政機関（⇨20頁）が，あ

68　第3章　行政はどのように行われるか

る特定の市民に対してルールを適用し，その人の権利や義務を具体的に決定する，これが イ）の行政処分である。

　行政処分で具体的な義務を課したといっても，それは紙の上でのことに過ぎない。それだけで当然に，義務の内容が現実のものとなるわけではない。行政処分の相手方が素直に従えばともかく，その人が処分に従わなかったらどうなるか。例えば，課税処分を受けた人が納税しなかった場合，どうなるのだろうか。税務署は，その人から強制的に金員を取り上げることができる（強制徴収⇨145頁）。このようにして，行政処分の内容が現実のものとなる。これがウ）の段階である（⇨第４章）。

　以上の三段階のうち，イ）の行政処分が，この章で説明する「行政の行為形式」の一つである。

　このような三段階構造モデルは，典型的な行政過程について，大まかな骨格を示すものに過ぎない。しかし，この骨格を頭に入れておくことが，複雑な行政過程を理解するための手助けとなるだろう。

3　行政過程には，行政処分の他に，以下のような「行政の行為形式」が登場する。

　(1)　「行政立法（行政基準）」　　行政機関が条文形式でルールを定めるという行為形式である（⇨116頁①）。ルールを「定める」行為だから，ルールを「適用する」行政処分とは異なる。ルールを定めるのは行政機関だから，国会や地方議会によるルール（法律・条例）の制定とも区別される。「行政立法」は，「法規命令」と「行政規則」に分類される（⇨117頁）。

　最近では，「行政立法」ではなく，「行政基準」という表現も使われる（宇賀『行政法概説Ⅰ』や大橋『行政法Ⅰ』を参照）。しかし，『はじめての』では，まだ多くの論者が用いる「行政立法」を使うことにしよう。

　「行政立法」「行政基準」「法規命令」「行政規則」といった言葉は，

69

法律のどこを探しても見つからない。いずれも学問上の用語（講学上の概念）である。

(2)　「**行政計画**」　行政機関が将来の目標を立て，その目標を達成するための手順や手段（プラン，プログラム）を策定するという行為形式である（⇨123頁2）。条文形式ではないから，(1)の「行政立法」とは異なる。ある特定の市民に対する具体的な決定でもないから，イ）の「行政処分」とも区別される。これも学問上の用語であり，法律のどこにも登場しない。

(3)　「**行政指導**」　行政機関が市民に助言をしたり，勧告をするという行為形式である（行手2条6号⇨109頁**2**）。イ）の「行政処分」が一方的決定であるのに対し，「行政指導」は，市民への助言や勧告，希望・期待の表明であって，一方的なものではなく，決定でもない。いわば，行政から市民へのアドバイスに過ぎないのだが，その現実における機能は無視できない。なお，かつての「行政指導」は学問上の用語であったが，1993（平成5）年に成立した行政手続法によって，法律上のものとなった。

(4)　「**行政契約**」　行政が市民と契約を結ぶという行為形式である（⇨126頁3）。契約である以上，行政と市民が対等な立場で交渉し，互いに合意して成立する。一方的になされるイ）の「行政処分」とは異なる。これも学問上の用語であり，法律のどこにも登場しない。

(1)行政立法と(2)行政計画は，三段階構造モデルのア）とイ）の中間段階に，(3)行政指導と(4)行政契約は，個別具体の行為として，イ）の行政処分と同じ段階に，それぞれ位置づけられる。

4　本章では，以上のような諸々の行為形式につき，それぞれの法的な特色を説明するのだが，説明の中心は「行政処分」である。なぜならば，行政法関係の裁判は，行政事件訴訟法の（処分）取消訴訟（行訴3条2項⇨175頁）で争われることが多く，『はじめて

の』読者には，まずはこの取消訴訟になじんでもらわなければならないのだが，この取消訴訟で争うことができるのは，「（行政）処分」だけだからである（⇨183頁）。「行政処分」以外の行為形式を取消訴訟で争っても，裁判所は相手にしてくれず，門前払いの却下判決が下される（⇨199頁）。

1 行 政 処 分

① 行政処分とは？

（処分）取消訴訟で争うためには，具体のケースにおいて，どの行為が（行政）処分（行訴3条2項）であるのか，見破ることができなければならない。次の2つのケースで考えてみよう。

---

case 3-1

かねてから繁華街での客引き行為が問題にされてきたP県で，「客引き規制条例」が制定された。次のような内容である。

・県公安委員会が定める規則で，客引きを規制する地域（規制地域）を指定する。

・規制地域内では，人につきまとったり，その身体に触れての勧誘（不当勧誘）が禁止される。

・県公安委員会は，従業員に不当勧誘をさせた飲食店などに対し，営業停止命令を下すことができる。

・営業停止命令に従わないものは，100万円以下の罰金に処する。

この条例に基づき，P県公安委員会が規則を定め，その中で，いくつかの地域を規制地域に指定した。しかし，キャバクラA店は，同規則の制定後も，規制地域内で従業員にしつこい勧誘をさせている。P県警は，たびたびA店に注意・指導したが，いっこうに改まらない。ついにP県公安委員会は，A店に対し，営業停止命令を下した。

---

1 行 政 処 分　**71**

Q1 この営業停止命令に，A店は不満である。「P県客引き規制条例」は，営業の自由を保障した憲法22条1項に反すると考えた。P県を相手に取消訴訟を起こしたい。では，一連のプロセスのうち，どの行為を「（行政）処分」として，その取消しを求めることになるのか？

case 3-2

自分の土地に自分の家を建てる場合でも，自分の好きなように建ててよいわけではない。建築を開始する前に，例えば県庁（場合によっては市役所）の建築主事から，「これなら建ててもよい」とのおスミ付き（建築確認）をもらわなければならない（民間団体でも建築確認をすることができる⇨19頁）。このことは，建築基準法という法律で定められている（建基6条1項）。建築確認がないまま建築すると，役所から，除却や修繕，使用禁止を命ぜられるかもしれない（建基9条1項）。この命令に従わなければ，建築主に代わって，役所が除却や修繕をするかもしれないし（建基9条12項）（代執行⇨143頁），刑事罰が科されるかもしれない（建基98条1項1号）（行政刑罰⇨143頁）。このような建築基準法の定めに加え，地方公共団体が独自のルールを設けることもある。次のような例である。

Q市では，高層マンションによる日照被害をめぐり，住民と建築主との間でトラブルが絶えない。そこでQ市は，次のような内容の「中高層建築物の建築に係る指導等に関する要綱」を定めた。

・一定以上の高さのマンションを建築する場合，建築主は，事前に予定地周辺住民と協議する。

・住民の合意が得られないまま完成したマンションには，水道の給水を拒否することがある。

Q市内で高層マンションの建築を計画したBが，Q市役所で建築確認の申請をしたところ，建築主事Cは，Bに対し，上記の要綱を示して，周辺住民らと協議するよう指示し，協議がまとまるまでは建築確認を出さないと説明した。やむなくBは，周辺住民との協議を始めた。しかし協議がまとまらないまま2か月が経過する。建築を

72 第3章 行政はどのように行われるか

これ以上遅らせたくないＢは，Ｃに対し，建築確認を出すよう要求した。Ｂの建築確認申請に対する応答期限は 35 日以内だから（建基 6 条 4 項），当然に建築確認が出ると思っていたら，Ｃは，協議不調を理由に，さらに先延ばしにすると言う。怒ったＢが，Ｑ市を相手に訴訟を提起した。その 1 か月後，判決を待つことなく，Ｃが建築確認を出してきた。

周辺住民らは，協議がまとまらないまま建築確認が出たので不満である。他方，Ｂは，マンションを完成させた後，自らその一室に入居し，Ｑ市に水道の供給を申し込んだ。ところが，Ｑ市水道局が，Ｂの要綱違反を理由に給水を拒否したため，やはり不満である。

Q2 周辺住民らは，Ｑ市を相手に取消訴訟を起こしたい。一連のプロセスのうち，どの行為を「（行政）処分」として，その取消しを求めることになるのか？

Q3 Ｂが，Ｑ市を相手に取消訴訟を起こすとしたら，一連のプロセスのうち，どの行為を「（行政）処分」として，その取消しを求めることになるのか？

「この章のあらまし」では，行政処分を，「法律や条例に基づいて，ある特定の市民に対し，その権利・義務を一方的に決定する行為」と説明した（⇨68 頁）。しかし，これだけでは，case 3-1 と case 3-2 で，どの行為が行政処分に当たるのか，見破ることは難しい。そこで，行政処分の特性を，もう少し詳しく見てみたい。そのうえで，**Q1** 〜 **Q3** に立ち帰ってみよう（⇨79〜80 頁）。

行政処分の特性は，権力性，法的効果性，個別具体性，外部性の 4 つに表われる。

行政処分は「権力的」

(1) 「権力」とは？[注1]　ここでいう「権力」とは，「相手の同意がなくても，一方的に命令したり強制できる力」，あるいは，「法律関係の内容を一方的に決定できる力」を意味する（⇨40 頁）。このような「権力」を

1　行 政 処 分　**73**

市民が市民に対して行使する，こんなことは原則として認められない。法の世界では，市民と市民の関係は対等な関係と見なければならず，一方が他方に対して優位に立ち，一方的に命令を下したり，義務を課したりすることは，許されないのが基本だからである。

　ところが，行政であれば，市民に対して権力をふるうことが広く認められている。この違いを，次の例で考えてみよう。

---

case 3-3

　DはEから100万円を借りることに成功。1か月後までに返済することを約束した。

---

case 3-4

　Fのところに税務署から，1か月後までに100万円の税金を納めるよう求める通知が来た。

　DにもFにも，「1か月後までに100万円を支払う義務」がある。しかし，義務が発生した理由は，まったく質が異なる。

　Dに支払（返済）義務があるのは，期限が来たら返済することを，Eと約束したからである。期日までに100万円を返済するという契約，これを結ぶことにDが同意した，だからこそ，Dに返済義務が発生したのである。市民と市民の間において，同意してもいないのに何らかの義務を一方的に押しつけられる，こんなことは，原則としてあり得ない（契約自由の原則，私的自治の原則）。

　これに対し，Fに支払（納税）義務があるのは，Fが同意したからではない。一定の収入がある者について，相応の税金を納めるよ

注1）　法的効果を発生させない行為（事実行為⇨77頁）にも「権力的」なものはあるが，法的効果がないものは，原則として行政処分から除かれるため（⇨77頁），ここでは，法的効果がある行為に対象を絞った説明となる。

う法律が義務づけており，そのような法律に従って，つまり，Ｆの意向とは無関係に，税務署長が納税を命じる行政処分をした，だからＦに納税義務が発生したのである。このように，行政庁（⇨24頁）は，法律や条例に従い，行政処分によって，市民の権利や義務を一方的に決定できる。

それだけではない。Ｆが期限までに納税しなければ，税務署長は，Ｆの財産を差し押さえることができる（強制徴収⇨145頁）。行政庁が一方的に決定した行政処分の内容を，行政庁自ら実現できるのである（直接的強制⇨第4章④）。さらに，Ｆは，脱税の罪で刑事罰を科されるかもしれない（行政刑罰⇨143頁）。制裁を受けたくなければ，素直に義務を果たせというわけである（間接的強制⇨第4章③）。

このような強制システムの存在は，税金関係の行政だけに見られる特色ではない。さまざまな行政分野において，行政庁は，市民に対し，行政処分によって，強制手段を伴う義務を一方的に課すことができる。市民と市民の関係ではあり得ない「権力」の行使であり，ここに行政処分の「権力性」を指摘できる。

⑵ **行政指導や行政契約は「非」権力的**　　行政指導は，相手が任意に応じることを求めるアドバイスである（⇨109頁①）。市民の権利や義務を，行政が「一方的に」決めるものではない。行政契約も契約だから，市民と市民が結ぶ契約と同じく，両当事者間の合意によって成立する（⇨126頁③）。行政が「一方的」にするものではない。いずれについても「権力性」は見出せない。

⑶ **「権力的に」利益を与える？**　　（行政）処分というと，違法な行為をした者へのペナルティを連想するかもしれない。 case 3-1 の営業停止命令とか，食中毒を発生させた飲食店への営業許可取消し（食品衛生60条1項）などである。マスコミの報道では，このよ

1　行政処分　**75**

うなニュアンスで使用されることが多いだろう。しかし、行政法の世界には、運転免許交付のように、相手に利益を与える行政処分もある（⇨81頁 *Column* ④）。しかし、運転免許の申請者が、免許交付に同意しないはずはない。それなのになぜ、運転免許の交付は「一方的」で「権力的」なのだろうか。

　この場合は、運転免許のシステム全体に目を向けなければならない。「免許を取らなければ自動車を運転できない」、これが運転免許の仕組みである。そもそも市民は、自転車であれ自動車であれ、誰でも自由に運転できるはずなのだが（移動の自由）、だからといって、誰もが自由に自動車を運転できるとすると、大量の交通事故が発生するだろう。そこで道路交通法は、一定の条件をクリアした人にだけ自動車の運転を許し、無免許運転を刑事罰の対象にすることとした（道交84条以下・117条の3の2第1号）。これが運転免許制度である。本来は自由であるはずの運転を、強制力を伴う形で一方的に、つまりは「権力的に」禁止するが、道路交通法の定める条件をクリアした者であれば、この禁止を解除し、本来の自由を回復させるという仕組みである。このように、運転免許の仕組み全体が「権力的」だから、免許交付も「権力」行使の一局面となる。行政庁が、免許の内容を「一方的に」決定する点でも、免許交付の「権力」性が語られる。

　以上の説明は、運転免許に限らず、建築確認（建基6条1項）などのさまざまな許認可に共通する。

> **行政処分は「法的効果」を発生させる**

「法的効果がある」とは、「権利や義務を発生させたり、変動させたり、消滅させたりする」という意味である。契約の締結・変更・解約が、「法的効果がある」行為の代表例だろう。行政処分の

76　第3章　行政はどのように行われるか

「法的効果」は，市民の権利を制限したり，義務を課す，あるいは，権利を付与したり，義務を免除するといったことになる。運転免許交付の「法的効果」は「運転禁止義務の解除」であり，営業停止命令のそれは「営業中止義務の賦課」である。

　行政が行う行為には，「法的効果」を発生させないものもたくさんある。行政法学では，このような行為のことを，「事実行為」と呼ぶ。道路や橋の建設といった公共工事の他，行政指導（⇨109頁①）や行政調査（行政機関が行政目的で実施する調査⇨147頁 *Column* ⑥）などである。行政指導は単なるアドバイスであり，従うかどうかは相手の選択に委ねられるから，それだけでは何の義務も生じさせない。行政調査の場合，例えば保健所の職員が，ある市民の家で水質調査をしても，それだけでは誰の権利や義務にも影響はない。

行政処分は「個別具体的」
な法的効果を直接に課す

議会によるルール（法律・条例）の制定，あるいは，行政立法（⇨116頁①）や行政計画（⇨123頁②）も，ある程度の法的効果を発生させる。しかし，その適用対象は市民一般である。特定の誰かに対し，「個別具体的」な影響を直接に与えるものではない。例えば case 3-1 で，規制地域を指定する公安委員会規則が制定されれば（行政立法），その地域内での不当勧誘禁止が義務づけられる。しかし，この段階でのその義務は，A店だけでなく，現実にはおそらく全く影響がない人々も含め，あらゆる市民に等しく及ぶ。特定の誰かに対し，「個別具体的」な義務が直接に課せられたわけではない。その効果は，法律や条例の場合と同じく，市民個人にとっては一般抽象的な規律にとどまる。

　行政処分とは，一般抽象的な規律を，特定の誰かに対し，個別具体的に適用する行為である。例えば，A店店員が規制地域で不当勧

1　行政処分　**77**

誘をしたら，P県公安委員会は，A店に営業停止を命じることができる。この命令は，A店に対して「個別」的に，営業中止という「具体的」な義務を直接に課す。これが行政処分である[注2]。

行政処分は「外部」
の市民に向けたもの

行政処分といえるのは，行政主体（⇨16頁）の外にいる市民に向けた行為に限られる。例えば case 3-2 で，Cは当初，Bの申請を放置したが（建築確認の留保），C独自の判断によるのではなく，上司である係長や課長，ひょっとしたらQ市長直々の命令に従って留保したのかもしれない。行政組織において，部下は上司の職務命令に従わなければならないが（国公98条1項，地公32条），職務命令が法的な拘束力を持つのは，あくまで行政組織内部の者に対してだけである。「外部」にいる市民に直接の関係はない。上司から部下への職務命令は，この意味で行政処分に当たらない（東京都教職員国旗国歌訴訟：最判平24・2・9⇨171頁）。

なお，公務員に対する上司の行為であっても，免職や降任のような決定は行政処分とされる（国公92条の2，地公51条の2）。これらの決定は，行政主体とは別の権利義務主体である公務員に対し（⇨23頁），その権利を制限したり不利益を課したりするものだから，その法的効果は「外部」的である。

---
caseから「行政処分」
を読み取ろう

行政がする行為のうち，権力性・法的効果性・個別具体性・外部性という，4つの特性をすべて兼ね備えたものだけが，行政処

注2）ただし，行政計画の中には，同時に（行政）処分とされるものも少なくない（⇨124頁）。行政立法にもそのような例があり（最判平14・1・17），条例制定行為が（行政）処分とされることもある（最判平21・11・26⇨168頁）。

78　第3章　行政はどのように行われるか

分とされる。「法律や条例に基づき（⇨80頁），権力的に（⇨73頁），個別具体的な（⇨77頁）法的効果を（⇨76頁），行政外部の市民に向けて（⇨78頁）直接に発生させる行為形式」，このような行政処分を，最高裁は次のように定義する。「公権力の主体たる国または公共団体が行う行為のうち，その行為によって，直接国民の権利義務を形成しまたはその範囲を確定することが法律上認められているもの」（ごみ焼却場事件：最判昭39・10・29⇨184頁）。行政処分の特性4つは，この定義のどこに埋め込まれているだろうか。各自，考えてみてほしい。

　ここで**Q1**（⇨72頁）を考えてみる。 case 3-1 において，A店が（処分）取消訴訟（⇨175頁）で争うことができる行為形式，つまり行政処分は，営業停止命令だけだろう。この取消訴訟において（被告はP県⇨191頁），A店は，客引き規制条例が違憲である，だからそれに基づく営業停止命令も違法だ，このように主張すると考えられる。他方，客引き規制条例そのものの取消しを求めても，法的効果が「個別具体性」を欠くことを理由に，条例制定の処分性（行政処分としての性質）が否定され，却下判決（⇨199頁）が下されるに違いない。規制地域を指定する公安委員会規則の制定も同じ理由から（行政立法），P県警による注意・指導は「権力性」と「法的効果性」を欠くとして（行政指導），いずれも処分性が否定されるだろう。

　Q2（⇨73頁）ではどうだろう。建築確認が行政処分であることは明らかだから（⇨76頁）， case 3-2 の周辺住民らは，Bに対する建築確認の取消訴訟を提起することになる（被告はQ市⇨191頁）。

　Q3（⇨73頁）ではどうか。Bが建築確認の取消訴訟をするはずはない。かなり遅くなったとはいえ，Bは建築確認を受けているから，その取消しを求める訴訟に意味はない（訴えの利益なし⇨190頁）。

1　行政処分　**79**

では，給水拒否はどうだろう。Ｑ市水道局は，「一方的」にＢの申込みを拒否したのだから，一見すると行政処分のようにも思える。しかし，行政契約の締結拒否として，「権力性」の欠如を理由に，処分性は否定されるだろう。給水拒否を争うのなら，取消訴訟ではなく，実質的当事者訴訟（行訴4条後段⇨171頁）か民事訴訟を使うことになる（⇨128頁）。その他，「中高層建築物の建築に係る指導等に関する要綱」の制定は行政立法であり，ＣからＢへの指示は行政指導であって，いずれも行政処分とはいいにくい。

> もう一歩先へ

許認可の申請を拒否する決定は行政処分だが，給水申込みの拒否は行政処分ではない。しかし，ここまでの説明から，この違いを読み取ることは難しい。説明が不足しているからなのだが，『はじめての』読者が，そこまで詳しい知識を持つ必要はないだろう。「権力性」の基本的な意味を理解したうえで，それだけでは完璧ではないと，さしあたり認識しておけば十分である。

> もう一歩先へ

最高裁は，行政処分の根拠規範（⇨42頁）が，法律（または条例）にあることを求める（前述のごみ焼却場事件）。これは，行政処分を争う訴訟は取消訴訟だけというのが原則なのだが（⇨90頁，183頁），取消訴訟が行政有利・市民不利の構造である以上（⇨93頁），行政のある行為が行政処分であるとの判断は，立法者である国会（または地方議会）によって明らかにされなければならないからである。

> 同じ行政処分で内容が異なることも

同じ法律の同じ条文に基づく行政処分でも，常に内容が同じというわけではない。例えば，近視の人が持っている運転免許証には，視力が良い人のそれとは異なり，「免許の条件等」として，「眼鏡

80　第3章　行政はどのように行われるか

等」と記載されている。これは、「運転するときは眼鏡等を使用せよ」という意味であり、「車を運転できる」という運転免許交付処分の内容に、「眼鏡使用」義務が付け加えられているのである。このように、行政処分の内容を一部制限する付加のことを、行政処分の「附款（付款）」という。「眼鏡等」のように特別の義務を課すもののほかには、処分の効力発生に条件や期限を付すものなどがある。

Column ④ 「処分」の意味とその分類

　日常用語で「処分を受けた」というと、「制裁」「非難」の意味合いが強い。ところが、法令用語の「処分」（行手2条2号、行審1条2項、行訴3条2項）には、「不利益処分」の他に、行政が国民に利益を与える処分も含まれてくることに注意したい（⇒76頁）。

　さて、処分は、さまざまな観点からの分類・区分が可能である。目的があって分類がされるわけなので、それぞれの分類の「目的は何か」ということを明確に意識しながら、文章を読む必要がある。

　処分に関して、最もベーシックで意味のある分類は、行政手続法が採用する「申請に対する処分」（行手第2章）と「不利益処分」（行手第3章）である。これは、利益を与えるか不利益を与えるか。言葉を換えると、許認可を与える（行手第2章）のか、それとも奪う（行手第3章）のか、という観点からの分類である。どちらに分類されるかによって、適用される手続が異なってくる（⇒100頁）。

　行手法制定以前には、「授益的行為（処分）」「侵益（侵害）的行為（処分）」という言葉も理論的には使われたが、現在では「申請に対する処分」「不利益処分」という法令用語に取って代わられた。

　かつては、民法の法律行為論の影響を受けた「法律行為的行政行為」「準法律行為的行政行為」という分類が意味を持っていたが、理論的な難点が指摘され（詳しくは、藤田『行政法Ⅰ』を参照）、衰退した。

　現在では、それにかえて命令行為・形成行為・確定行為という分類が提唱されている（例えば、塩野『行政法Ⅰ』）。これは一方では、現在のドイツで一般に承認されている行政行為の区分であるとともに、民事訴訟の三区分（給付訴訟・形成訴訟・確認訴訟）とも対応し、

1　行政処分　**81**

理論的にも意味を持つ分類である。

　ところで，行手法は「処分」を定義して，「行政庁の処分その他公権力の行使に当たる行為をいう」，としている（行手2条2号）。処分の定義に同じ言葉（＝「処分」）が登場しているので，同語反復（トートロジー）なのではあるが，ともあれ「処分」は手続3法（行手法・行審法・行訴法）を貫く団子のクシのようなものである（⇨10頁）。

　なお，今の段階では，法令上の「行政処分」は理論上の行政行為とほぼ同じ意味であると理解しておけば足りる。

◆◆◆◆◆◆◆◆◆◆◆◆◆◆◆◆◆◆◆◆◆◆◆◆◆◆◆◆◆◆◆ Level 1 ◆◆◆◆◆◆

2　行政処分はどのように分類されるか

　行政処分は，いくつかの類型に分類できる。分類の仕方もいろいろだが（*Column* ④参照），ここでは，裁量の有無による分類を説明する。

法を機械的に
執行する処分

どのような場合に処分がされるのか，その要件を定める規定の文言が一義的に明確であれば，処分をするかしないかについて，行政庁に選択の余地はない。客観的事実の存在から，自動的に処分をすることになる。このように，行政庁に選択の余地がなく，客観的事実から条文を機械的に執行してなされる処分のことを，「羈束（きそく）処分」という。

行政庁に選択の
余地がある処分

処分をするかしないかを決定するプロセスは，いくつかの局面に分解できる。多くの場合，それらの各局面において，行政庁に選択の余地が一定程度まで認められている。このような場合，行政法学では，法律や条例によって，行政庁に「裁量」が認められていると表現する。

82　第3章　行政はどのように行われるか

例えば，case 3-1 の営業停止命令であれば，A店の勧誘が不当勧誘といえるかどうか，いえるとして注意・指導にとどめるか，それとも正式な営業停止処分とするのか，停止処分をするとして停止期間はどのくらいにするのか，いつ停止処分をするのか[注3]，これらのことは，P県客引き規制条例から機械的に決まるものではない。P県公安委員会の選択，つまりはその裁量に委ねられる。

このように，行政庁の判断プロセスにおいて選択の余地が認められる処分のことを，「裁量処分」という。

法治主義の考え方（⇨37頁**1**）からすれば，あらゆる行政処分を「羈束処分」とすべきかもしれない。だが，そのような法制度を現実に構築することは不可能だし，かつ望ましくもない。立法者が全知全能の神ではなく，将来のことをすべては予測できない以上，ある程度の裁量を行政庁に認めておいて，立法時には想定できなかった事態に対し，柔軟に対応できるようにしておくべきだからである。

なお，ここでは行政処分の分類を説明する中で裁量を扱っているが，行政処分以外の行為形式についても，さまざまな法律が，行政の裁量をいろいろな形で認めていることにも注意してほしい。

行政裁量に対する裁判所のチェック

裁量が認められている場合でも，行政の好き勝手な判断は許されない。そこで，どのような場合であれば，行政の裁量判断が違法となるのか，裁判所によるチェック（裁量統制）のあり方が重要となる。

注3) 処分をする理由があるかどうかについての裁量を「要件裁量」といい，処分をするかどうか，するとしてどのような処分をするかについての裁量を「効果裁量」という。処分を「いつ」するのかについての裁量は「時の裁量」といわれ，羈束処分についても，若干ながら認められる。

1 行政処分 **83**

(1)　**実体的判断代置審査と裁量権の逸脱・濫用の審査**　　羈束処分についてであれば，取消訴訟の裁判官は，自分がその処分の行政庁（処分庁）ならばどのような処分をしたか，その判断結果が，争われている処分と同じかどうか，このような発想で違法かどうかを審査する（実体的判断代置審査）。

　裁量判断についても，基本的には，実体的判断代置審査がされなければならない。しかし，裁判所が踏み込んだ審査をしにくい，あるいは，すべきではないこともある。例えば，裁量判断が，学術教育上の専門技術的判断（教科書検定など），科学技術的専門知識を要する判断（原子炉設置許可など），経済政策的判断（鉄道やタクシーの運賃認可など），政治的判断（外国人の在留期間更新拒否など）などに及ぶ場合，政策的・政治的に妥当かどうか（当不当）を論ずることはできても，適法か違法かの判断は難しい[注4]。事案ごとに諸事情を総合考慮して判断することが求められる処分にも，同様のものがあるだろう（公物〔⇨224頁〕の利用許可など）。このような場合，裁量判断が違法とされるのは，裁量権の範囲を超えたり（逸脱），その濫用があった場合に限られる（行訴30条⇨168頁）。裁判所による審査の密度が，実体的判断代置審査よりも低いのである[注5]。

　かつての学説は，行政庁に認められる裁量を，実体的判断代置審

注4）　裁判官は違法か適法かの審査しかできないから，処分を取り消すことができるのは，処分を違法と判断した場合だけである。「不当だが違法とまでは断じきれない」処分を取り消すことはできない。これに対し，行政不服審査であれば，司法審査ではなく，行政機関による判断であるから，処分違法の場合だけでなく，「違法とまでは断じきれないが不当であるとはいえる」場合でも処分を取り消すことができる（⇨163頁）。

注5）　裁量の有無は，処分全体についてではなく，処分決定プロセスの局面ごとに判定される。実体的判断代置審査の可否についても同じである。その意味で，行政事件訴訟法30条の文言は誤解を招きやすい。

査の対象となる法規裁量と，裁量権の逸脱・濫用の有無しか審査されない自由裁量とに区別していた。最近では，行政に裁量が認められる場合一般については，対法律裁量あるいは対立法裁量があると説明し，裁量権の逸脱・濫用の有無だけが審査対象となる場合については，対司法裁量が認められていると表現するものもある。

　裁判所は，裁量という言葉を，対司法裁量の意味で使うことが多い。問題は，対司法裁量が認められる場合に，裁判所が，裁量権の逸脱・濫用の有無を，どのようにして審査しているかである。

　⑵　**裁量権の逸脱・濫用が認められる場合**　　最高裁の判決には，外国人の在留期間更新不許可処分につき，裁量権の逸脱・濫用が認められる場合を，①《ア) 事実誤認があった場合》，または，(a)「事実に対する評価が明白に合理性を欠く」などにより，②《社会通念に照らして著しく妥当性を欠くことが明らかである場合》に限定したものがある（マクリーン事件：最大判昭53・10・4)。行政庁の判断を基本的に尊重する考え方といえるだろう。それでも，一般的には，以下の ア) 〜エ) の場合に，裁量権の逸脱・濫用が認められると説明されている。

　　ア)　事実誤認があった。
　　　　例： case 3-1 で，不当勧誘をしていたのが別の店であったり，
　　　　　　規制地域外での勧誘だったのに，A店に対して営業停止命令。
　　イ)　不公正な目的・動機で行政処分がなされた。
　　　　例： case 3-1 で，A店の経営者が，現市長の政敵を支持していることを真の理由として，A店に対して営業停止命令。
　　　　　　裁判例では，特定の個室付浴場の営業を阻止するために慌ててなされた児童遊園設置認可について，「行政権の著しい濫用」があるとして，同浴場の営業を禁止する効力を否定したものがある（最判昭53・5・26)。

1　行政処分　**85**

ウ）著しい不平等があった（平等原則違反）。

　　例：(case 3-1)で，不当勧誘をする店は多数あったのに，A店だ
　　　けをねらい打ちにして営業停止命令。

エ）原因と結果との間に著しいアンバランスがあった（比例原則違反）。

　　例：(case 3-1)で，不当勧誘が1回だけだったのに，すぐに営業
　　　停止命令。

　エ）が問題となりやすいのは，公務員の懲戒処分である。最高裁は，
懲戒事由がある場合に，懲戒処分をするかどうか，するとしてどの処分
を選ぶか（国公82条1項，地公29条1項）という判断につき，裁量権の
逸脱・濫用が認められるのは，社会観念上著しく妥当を欠く場合に限ら
れるとする（神戸税関事件：最判昭52・12・20）。これでは，比例原則違
反が認められる余地はほとんどないようにも見えるが，この点を厳しく
チェックする例もある（東京都教職員国旗国歌訴訟：最判平24・1・16）。

(3)　**判断過程審査**　　上記の ア）〜エ）は，処分の結果に着目し
て，裁量権の逸脱・濫用があると判定される場合の例である。これ
に対し，最近の最高裁は，処分の結果よりも，そこに至るまでのプ
ロセスに着目し，その合理性を審査する傾向にある。裁量判断のプ
ロセスに怪しい点があれば，その結果として出てきた処分も問題だ，
このような発想に基づく。判断過程審査といわれる審査手法である。

　例えば，裁量権の逸脱・濫用が認められるのは，①《ア）事実誤
認があった場合》または②《社会通念に照らして著しく妥当性を欠
くものと認められる場合》に限られるとしつつ（前述のマクリーン事
件），②にあたる例として，前述の(a)「事実に対する評価が明白に
合理性を欠く」場合に加え，(b)「考慮すべき事情を（十分に）考慮
しなかった場合」（考慮遺脱・考慮不尽），(c)「重視すべきでない事情
を重視した場合」（過大考慮），(d)「考慮すべきではない事情を考慮
した場合」（他事考慮）を挙げる例が目立つ。(b)〜(d)の審査が判断過

86　　第3章　行政はどのように行われるか

程を問題としているのだが、マクリーン事件の考えを土台としながら、②が認められる場合を多様にすることで、審査密度を高めている点が重要だろう。このような審査手法を採用した例として、高等専門学校の原級留置・退学処分を違法としたもの（「エホバの証人」剣道実技拒否事件：最判平8・3・8）、地方自治法に基づく学校施設使用不許可を違法としたもの（最判平18・2・7）、都市計画法に基づく鉄道事業認可を適法としたもの（小田急線高架化訴訟：最判平18・11・2）、海岸法に基づく一般公共海岸区域占用不許可を違法としたもの（最判平19・12・7）などがある。

その他、最高裁は、原子炉設置許可につき、原子炉安全専門審査会の具体的審査基準が合理的な内容であったか、そして、同審査会の調査審議や判断過程に見逃すことのできない落ち度がなかったか、これらの点を審査して処分適法とした（伊方原発訴訟：最判平4・10・29）。行政庁の裁量が特に広いタイプの処分について、そこに関与した第三者機関の判断過程を審査したのである。教科書検定についても、同様の手法が採用されている（最判平5・3・16）。第三者機関が関与しない公有水面埋立承認について、この判断過程審査を用いた例もある（辺野古事件：最判平28・12・20）。

③　行政処分にはどのような効力があるか

違法なものには効果がなく（無効）、誰も拘束されない。これが法の世界における大原則である。しかし、行政処分にはこの例外が認められている。次の例で考えてみよう。

---
case 3-5

返済期日が過ぎたので、EがDに返済を催促した。しかし、Dは、100万円は借りたのではなく、もらったのだと主張し、応じようと

しない。E はどうしたらよいか（⇨ case 3-3 ）。

case 3-6
　納税期限が過ぎたのに，F は税金を納めていない。税務署はどのような措置をとることになるか（⇨ case 3-4 ）。

(1)　**市民と市民の関係の場合**　case 3-5 において，自分は正しいと信じる E が，D の所に押しかけて，100 万円相当の財産を差し押さえ，借金が返済された状況を作り出す。これは原則として許されない。D と E との関係は，市民同士の対等なものでなければならないから（⇨74 頁），一方の主張だけが一方的にまかり通る，そんなことは基本的に認められない[注6]。

　では，E はどうしたらよいか。D との話合いがつかなければ，D を被告として，100 万円の返済を求める民事訴訟を起こし，勝訴するしかない。これを D から見ると，自分が正しいと信じるのなら，あるいは，ホントは自分に非があるけれど言い逃れできる自信があるならば，E から訴訟を起こされるまで放置しておけばよい。

　E が裁判を起こし，勝訴したとする。つまり，D に対し，100 万円を E に返済するよう命ずる判決が下され，確定した。それでも D は返済しない。確定判決という問答無用のおスミ付きがある以上，今度こそ E は D の所に押しかけ，100 万円相当の財産を差し押さえることができるだろうか。これも許されない。この場合は，裁判所が D の財産を差し押さえ（強制執行），それを競売にかけて金銭に換価し，そこから 100 万円を E に配当する。こうしてようやく，E は自己の権利を実現できる。

注6）　例外は，公証人作成の執行証書がある場合（民執 22 条 5 号）などに限られる。

88　第 3 章　行政はどのように行われるか

このように，市民と市民の間では，当事者間で話合いがつかなければ，どちらが正しいのか，第三者である裁判所に決めてもらうしかない。権利の具体的実現にも，第三者である裁判所の力を借りなければならない。当事者の一方が他方に対し，自ら物理的強制力を行使してその権利を実現する，そんなことは許されない。これが，市民間の法律関係における原則である（自力救済の禁止）。

(2) 行政と市民の関係の場合　　 case 3-6 の税務署も，Fから税金を徴収するには，Eと同様に，訴訟を提起して勝訴しなければならないのだろうか。裁判所の強制執行によらなければ，100万円の税金をFから徴収できないのだろうか。もしそうだとしたら，国や地方公共団体の徴税事務は，たちどころに停滞するだろう。

そこで国税徴収法は，税務署自ら未納者の財産を差し押さえることができるとしている（強制徴収⇨69頁，145頁）。当事者の一方（行政）が他方（市民）に対し，第三者である裁判所の力を借りることなく，自ら物理的強制力を行使できるわけで，市民間には原則として見られない特権を，法律が行政に与えているのである（⇨75頁）。

では，どのような条件がそろっていれば，税務署は強制徴収ができるのだろうか。 case 3-5 の場合，裁判所が強制執行をするためには，Eの勝訴判決が確定していなければならない。これに対し， case 3-6 の場合，税務署長は，課税処分を適法とする判決が出ていなくても，課税処分という行政処分が「存在」していれば，それだけで強制徴収に着手できる。課税処分が「適法に存在」している必要もない。本当は違法でも，正式に取り消されていなければ有効に存在し，強制徴収の障害とはならない。「存在」するだけで適法とみなされ，Fから見れば違法な処分であっても，Fはその存在に拘束される。その結果，次のような説明となる。

1　行政処分　**89**

> ┌─ STEP 1 ─┐
> 　行政処分は，たとえ違法であっても，さしあたり有効なものとして
> 通用し，誰もがその存在に拘束される。

行政処分を争う訴訟は 取消訴訟だけ

　なぜ，このような例外（⇨87頁）が認められるのだろうか。 case 3-6 の場合，税務署長の課税処分は行政処分なのだが（⇨68頁），行政事件訴訟法は，行政処分を争う訴訟手段として，取消訴訟という特別の訴訟を用意する（行訴3条2項⇨175頁）。このことは，《行政処分の効力を争うことができる訴訟は取消訴訟だけ》との意味を含むと理解されている。その結果，取消訴訟以外の訴訟で行政処分が争われても，その訴訟の裁判官は，行政処分の効力を問題にすることができない。《行政処分の効力を否定できる裁判官は，取消訴訟の裁判官だけ》，これが原則である（取消訴訟の排他的管轄）。

　例えば， case 3-6 で，税務署がFの財産を差し押さえた後，Fが100万円の返還を求める訴訟を提起し（不当利得の返還を求める実質的当事者訴訟⇨171頁），課税処分は違法無効だ，だから強制徴収した100万円を返還せよ，このように主張したとする。この主張が認められる可能性は極めて低い。なぜならば，この訴訟が取消訴訟ではない以上，その裁判官は，たとえ課税処分が違法だと思っても，原則としてその効力を否定することができず，その有効を前提とした判決を下さなければならないからである（例外については⇨95頁）。

　《行政処分の効力を争うことができる訴訟は取消訴訟だけ》であり，《行政処分の効力を否定できる裁判官は，取消訴訟の裁判官だけ》（取消訴訟の排他的管轄）である以上，行政機関や市民も，行政処分の存在に拘束される。 case 3-6 のFは，課税処分が違法だ

と考えても，その有効を前提としなければならない。これを税務署長から見れば，課税処分が存在さえしていれば，たとえそれが違法であっても，強制徴収に着手できることになる。

行政処分は取消訴訟で
取り消されない限り有効

case 3-5 のＤは，自分が正しいと自信があれば，Ｅから訴訟を起こされるまで放置しておけばよかった（⇨88頁）。

これに対し， case 3-6 の場合，Ｆが何もしないでいると，税務署長が強制徴収手続を発動するかもしれない。では，課税処分を違法と考えるＦが，強制徴収を免れるにはどうすればよいのだろうか。課税処分の取消訴訟を提起して勝訴する，つまり，裁判所に取り消してもらうしかない。取消訴訟で課税処分が取り消されれば，課税処分はなかったことになるから，強制徴収の前提が失われる。

　このような法の仕組みは，税金関係だけの特徴ではない。

case 3-1 で，営業停止命令を受けたＡ店がそのまま営業を続ければ，たとえその命令が違法でも，Ａ店は刑事訴追の対象となる注7)。Ａ店がそれを避けるには，取消訴訟を提起し，営業停止命令を取り消してもらうしかない。 case 3-2 の事例において，仮にＢに対して建築確認拒否の処分が出たとして，にもかかわらずＢがマンションを建築したら，マンション除却の命令が発せられた後，Ｑ市役所がＢに代わって除却することも考えられる（代執行

注7)　ただし，刑事訴訟の裁判官は，行政処分の有効を前提としなくてもよい。行政処分に違反したとして起訴された被告人に対し，その処分が取消訴訟で取り消されていなくても，処分違法として無罪判決を下すことができる。処分違法を理由に国家賠償（⇨209頁Ⅰ）を求める民事訴訟の裁判官も同じである。その処分が取消訴訟で取り消されていなくても，処分違法とすることに支障はない（最判平22・6・3）。これらの訴訟は，処分の効力を問題にするものではないからである。

1　行政処分　**91**

⇨143頁）。Bがこれらの事態を防ぐには，建築確認拒否の取消訴訟で勝訴するしかない。

　以上のように，取消訴訟という特別な訴訟制度の存在から，「取消訴訟の排他的管轄」というルールが導かれ，そこから，行政処分の特質が次のように説明される。

> ┌─ STEP 2 ─
> 　行政処分は，たとえ違法であっても，<u>取消訴訟の裁判官が取り消さない限り有効なものとして通用し</u>，誰もがその存在に拘束される。

　処分のこのような特質を，学説は，「公定力」と表現する。

公定力は法律のどこに
書いてある？

case 3-5 のように，市民と市民の関係では，「権利があると主張する方」が訴訟を提起して，自己の権利を実現する。これに対し，case 3-6 のように，行政処分をめぐる関係では，「義務がないと主張する市民」が訴訟を起こし，自分の権利を防御しなければ，自己に不利な手続が次々と進められてしまう。

　このように，公定力のシステムは，行政側に極めて有利な仕組みである。なぜ，そのような仕組みが行政処分に認められているのだろうか。たしかに，税金未納者から税を徴収する際，case 3-5 のEと同じ手続が必要だとすると，今よりもずっと大量の時間，マンパワー，そして費用がかかるだろう。税務署自ら強制徴収できるという仕組みが，不要の法制度であるとは言いにくい。

　だが，現実の必要性だけで，公定力を認めるわけにはいかない。法治国家においては，公定力の法的根拠が説明されなければならない。しかし，公定力という言葉は，法律のどこにも書いていない。

　かつては，「行政処分は国家機関の判断だから，当然に適法性が推定される」と考えられていた。「おカミがやることだから正しい」

というわけである。このような発想が，今の時代に通用するはずがない。今日では，次のように説明される。「行政事件訴訟法は『取消訴訟の排他的管轄』という仕組みを採用した。その結果として，行政処分に公定力が備わることになる」。

> 取消訴訟は
> 時間制限が厳しい

公定力は行政に特権を認める仕組みだが，そもそも取消訴訟自体，行政に有利な，つまりは市民不利の構造になっている。市民にとって最大の制約は，出訴期間の制限だろう（⇨192頁）。取消訴訟ができるのは，原則として，処分があったことを「知った日から」6か月以内である（行訴14条1項）。また，「処分の日から」1年を過ぎると，原則として取消訴訟は提起できない（同2項）。市民と市民が争う民事訴訟には見られない，極めて厳しい時間制限である。

出訴期間経過後に取消訴訟を起こしても，門前払いの却下判決（⇨199頁）が下される。取消訴訟で争うことができないという意味で，出訴期間経過により「不可争力」が発生したと表現される。

> どんな場合にも公定力と
> 不可争力があるのか？

公定力も不可争力も，行政処分をめぐる法関係を早期に確定させるためのシステムなのだが，極めて行政有利の仕組みである。しかし，まったくデタラメな行政処分にまで，この仕組みを貫く必要はない。そうした行政処分は，取消訴訟で取り消されるまでもなく，当然にその効力を否定される（無効の行政処分）。

ただ，無効といえるためには，デタラメの程度が相当なものでなければならない。一般には，重大な違法であって，しかも，それが誰の目にも明らかであること（重大かつ明白な瑕疵・違法）が求められている（最大判昭31・7・18）。

1 行政処分　93

無効とは効力がないという意味だから，無効な行政処分の相手方は，その処分が取消訴訟で取り消されていなくても，その存在を無視してかまわない。ムチャクチャな課税処分なら，たとえ存在していても，強制徴収の発動要件とはならない。 case 3-1 において，A店は，営業停止命令に重大かつ明白な違法があると考えれば，そんな命令は下されていないという前提で，営業を続ければよい。その結果，次のような説明となる。

> STEP 3
>
> 　行政処分は，たとえ違法であっても，その違法が重大かつ明白で無効といえなければ，取消訴訟の裁判官が取り消さない限り有効なものとして通用し，誰もがその存在に拘束される。

　とはいえ，このような説明だけでは現実味に欠ける。 case 3-1 で，A店が営業停止命令は無効と思って営業を続けても，P県公安委員会が適法有効と考えれば，刑事訴追を受けかねない。 case 3-6 で，Fが課税処分は無効と信じても，税務署が有効と思えば強制徴収に移行する。現実には，市民が処分を無効と考えても，その存在を無視することは難しい。では，「重大かつ明白な違法があって無効の行政処分」と「違法だが有効な処分」との区別には，一体どのような意味があるのだろうか。

処分の無効を
争う訴訟は？

　最も重要な点は，訴訟手段の違いである。行政処分の「重大かつ明白とまではいえない違法」は，取消訴訟（行訴3条2項）でしか争えないが，「重大かつ明白な違法」は，「無効等確認訴訟」（行訴3条4項）という別の訴訟でも争うことができる。この無効等確認訴訟には，取消訴訟と違って，出訴期間の制限がない（行訴38条）。つまり，取消訴訟の出訴期間が経過した後でも，無効等確認

94　　第3章　行政はどのように行われるか

訴訟であれば，行政処分の無効を争うことができる。無効とは効力がないという意味だから，公定力も不可争力も発生しない，このような説明も可能だろう。

ただし，取消訴訟では，問題となった処分が違法ならば原告勝訴となるが，無効等確認訴訟では，問題となった処分の違法が重大かつ明白とまでいえなければ，勝訴できない。時間制限がない分，勝つためのハードルが高いのである。

もう一歩先へ　　　　無効の行政処分には，取消訴訟の排他的管轄（⇨90頁）という原則が及ばない。したがって，行政処分の無効を争う訴訟手段は他にもある。実質的当事者訴訟（⇨171頁）の裁判官も，行政処分が無効だと考えれば，その存在を無視して事件を審理できる。民事訴訟の裁判官も同様で，そのような民事訴訟は「争点訴訟」と言われる（⇨178頁）。

もう一歩先へ
——違法性の承継

処分αについての出訴期間は経過したが，処分αの存在を前提として下された処分βについては，その出訴期間がまだ過ぎていないとしよう。この場合に，βの取消訴訟の原告が，αは無効とまではいえないかもしれない，でも違法だ，そうであればβも違法で取り消されなければならない，このように主張したとする。裁判所は，この主張をβの取消訴訟で審理できるだろうか。

「取消訴訟の排他的管轄」の原則を貫くならば許されない。これを認めると，処分αの出訴期間制限が無意味になってしまう（⇨93頁，192頁）。「処分の違法を争うことができるのは，『その』処分の取消訴訟だけ」なのである。

しかし，判例や学説は，一定の場合に限ってだが，βの取消訴訟において，αの違法も審理できることを認めてきた。先行処分の違

1　行政処分　　**95**

法が，後続処分に承継されるというわけである（違法性の承継）。最高裁の判決には，建築安全条例に基づく安全認定（先行処分）の違法性が，建築基準法に基づく建築確認（後続処分）に承継されるとしたものがある（最判平 21・12・17）。

行政庁も処分の効力を消滅させることができる

《行政処分の効力を否定できる裁判官は，取消訴訟の裁判官だけ》（取消訴訟の排他的管轄）（⇨90 頁）だとしても，訴訟以外の局面にも目を向ければ，行政処分を取り消すことができる機関は他にもある。

その第一は，処分に対する不服申立てを審査する行政庁（不服申立庁）である（⇨155 頁 *1*）。取消訴訟の裁判官や不服申立庁による取消しは，市民による訴訟提起や不服申立てをきっかけとすることから，学問上，「争訟取消し」といわれる。

次に，行政処分をした行政庁（処分庁）や，その上位機関（上級監督庁）にも，処分取消権がある。この権限は，「取り消すことができる」と法律が定めていなくても認められる。法治主義の原理（⇨37 頁 *1*）に従えば，処分違法の状態は，適法な状態に是正されなければならず，したがって，違法な処分を行政が自ら取り消すべきことは当然だからである。このような取消しは，行政庁がその職権を発動して行うことから，学問上，「職権取消し」といわれる。

以上のことから，最終的に，次のように説明される。

> ┌─ LAST STEP ─
> 　行政処分は，たとえ違法であっても，その違法が重大かつ明白で無効といえなければ，取消権限を有する機関（処分庁，上級監督庁，不服申立庁，そして取消訴訟の裁判官）が取り消さない限り有効なものとして通用し，誰もがその存在に拘束される（ごみ焼却場事件⇨79 頁）。

(1) **職権取消し**　「職権取消し」も，行政処分として下される（取消処分）。①相手に不利益を及ぼす処分（ case 3-1 の営業停止命令など）の「職権取消し」であれば，相手に利益を与える処分となり，②相手に利益を与える処分（ case 3-2 の建築確認など）の「職権取消し」は，相手に不利益を及ぼす処分となる。②のような「取消処分」をする場合，行政庁は，原則として，事前に，行政手続法の定める不利益処分手続を経なければならない（⇨104頁）。

行政処分が職権で取り消されると，その処分は，原則として，最初からなかったものとして扱われる（遡及効。争訟取消しの場合も同じ）。例えば，営業許可処分が取り消されると，過去の営業は，すべて無許可営業となる。しかし，この原則をあらゆる場合に貫くと，あまりに酷なことがあるかもしれない。場合によっては，取消しの効果を過去には及ぼさず，取消処分の時以降に限定すべきこともあるだろう（将来効）。

(2) **撤　回**　「職権取消し」は，「処分成立時の違法」を理由として，「違法に成立」した処分の効力を消滅させる。これに対し，「処分成立後の事実」を理由として，「適法に成立」した処分の効力を消滅させる行為もある。これは，学問上，「撤回」と呼ばれる。

法律が「取消し」と定めていても，(1)の「職権取消し」に当たるとは限らない。例えば，運転免許「取消し」は（道交103条），スピード違反のような「処分成立後の事実」を理由として，「適法に成立」した免許を取り上げるものだから，「職権取消し」ではなく，「撤回」に当たる。このように，法律が「取消し」とネーミングしていても，その性質が「撤回」であることは少なくない。食中毒患者を出したレストランに対する営業許可取消し（食品衛生60条1項）や，副作用被害を理由とする薬品製造許可取消し（医薬75条1項）

1　行政処分　**97**

などもその例である。

　これら「撤回」も行政処分として下される（撤回処分）。相手に不利益を与える「撤回」の場合，行政庁は，原則として，事前に，行政手続法の定める不利益処分手続を経なければならない（⇨104頁）。

　「撤回」の効果は，「争訟取消し」・「職権取消し」の場合と異なり，原則として，将来効に限定される。例えば，営業許可処分が「撤回」されても，過去の営業が無許可営業となるわけではない。

　「撤回」をめぐっては，法律に根拠がなくてもできるかどうかが問題になる。

> **もう一歩先へ──職権取消し・撤回の制限**
>
> 職権取消しや撤回をすると，相手方の信頼を著しく損ねてしまうことがある。場合によっては，取消し・撤回事由があっても，その発動を制限すべきことがあるだろう。

　さらに，そもそも職権取消しや撤回が許されないこともある。行政庁が，市民からの紛争解決の申し出を受け，所定の手続を経て下す処分の場合で（争訟裁断行為），職権取消しや撤回ができないという意味で，「不可変更力」があると表現される。

　例えば，組合活動に対する不当な扱い（不当労働行為）を会社から受けたと考える労働組合は，都道府県庁の労働委員会に救済の申立てができる。労働委員会は，必要があれば，救済命令という行政処分をするのだが（労組27条の12），この処分は，訴訟に似た手続（準司法手続）を経て下される。裁判所が，いったん下した判決を取り消すことはできないのと同様に，労働委員会も，救済命令を職権で取り消したり，撤回することは許されない。そのことを法律が明らかにしているわけではないのだが，事柄の性質上，そのように理解されている。

98　第3章　行政はどのように行われるか

④　どのような手続を経て行政処分が下されるか

例えば，__case 3-1__ で，P県公安委員会が，A店に営業停止命令を下すためには，事前にA店の意見を聴かなければならない。このように，行政庁が何らかの決定をするにあたり，前もって（あるいは同時に）踏むことが求められる手順（事前手続）のことを，「行政手続」という（⇨46頁）。

行政手続の一般ルールは，行政手続法が定める。同法の目的は，行政処分，届出，行政指導，そして行政立法の手続を整備して，行政運営の公正確保と行政プロセスの透明化とを図り，そのことを通じて，市民の権利や利益を守ることにある（行手1条1項）。

> 行政手続法と
> 他の法律との関係

行政手続法が用意するルールは，事前手続についてのものに限られる。どのような場合にどのようなことを行政はできるのか，しなければならないのか，これらについてのルール（根拠規範⇨42頁）は，別の法律に存在する。例えば，建築確認がどのような場合に出され，除却命令はどのような建築物に発せられるのか，これらのことは建築基準法が定める。行政手続法が定めるのは，これら処分を実施する際の事前手続についてだけである（規制規範⇨42頁）。

行政手続法は，行政手続についての一般法だが，同法が使われないこともある。次のような場合である。

ア）行政手続法自身，同法が適用されない場合を列挙する（行手3条）。

イ）根拠規範を定める法律が，行政手続法の適用を除外することもある（生活保護29条の2，戸127条，税通74条の14など）。

ウ）根拠規範を定める法律が独自の手続を定めていれば（道交

1　行政処分　**99**

104条・104条の2など），そちらが優先される（行手1条2項）。

これら ア）〜ウ）以外の場合に，行政手続法が登場する。注意しなければならないのは，根拠規範を定める法律に，「この処分の手続は行政手続法の定めに従う」といったような定めがなくても，その処分には行政手続法が適用されることである。

ここでは，行政処分と届出の手続について，行政手続法の内容を説明する（行政指導⇨115頁 ④，行政立法の制定手続⇨122頁）。なお，case 3-1 の営業停止命令のように，処分の根拠規範を定めるのが条例である場合は，行政手続法ではなく，各地方公共団体の行政手続条例が適用される（届出の場合も同様。行手3条3項）。今日では，ほぼすべての地方公共団体に行政手続条例があり（行手46条参照），少なくとも処分と届出については，おおむね行政手続法にならった内容となっている。

| 行政処分の手続 |

行政手続法は，（行政）処分を「申請に対する処分」と「不利益処分」とに分け（⇨81頁 *Column* ④），それぞれについて別の手続を用意する。

⑴ 「申請に対する処分」　市民からの申請（行手2条3号）に対し，それへの応答としてなされる処分である。例えば，建築確認や運転免許といったさまざまな許認可の他，情報開示（行機情公9条⇨56頁），個人情報の本人開示（個情82条⇨59頁），さらには，これらを認めない決定などである。

⑵ 「不利益処分」　申請への応答としてではなく，行政庁が職権でアクションを起こして，ある特定の市民に対して不利益を与える処分である（行手2条4号）。例えば，case 3-1 の営業停止命令の他，建築物除却命令，種々の許認可取消し，不法滞在外国人の退去強制（入管24条）などである。

不許可や情報不開示決定のように，申請を拒否する処分も相手に
不利益を与える。しかし，行政手続法では，「不利益処分」ではな
く，「申請に対する処分」として扱われる。申請に対して応答する
処分だからである。

以下の4つが重要である。

「申請に対する処分」
の手続

(1)　**審査基準の設定・公開**　どのような
申請ならば認められ，あるいは拒否される
のか，その要件は各処分の根拠法律が定める。しかし，法律の文言
は抽象的なことが多い。例えば，行政機関情報公開法5条は不開示
情報を列挙するが（⇨57頁），5条の各号を読んだだけで，どんな情
報が不開示となるのか，具体的にイメージすることは難しい。この
ように，法律の定めが抽象的なこともあるのは，さまざまな申請へ
の対応を柔軟にするためなのだが，反面，行政庁の裁量が広くなり
（⇨82頁），それだけ不透明さが高まることは否めない。

　そこで行政手続法5条は，詳細で具体的な「審査基準」（行手2条
8号ロ）を定めること（行手5条1項・2項⇨48頁），そして，原則と
してそれを公にすること（行手5条3項）を行政庁の義務とした。
行政庁自身に裁量の基準（⇨119頁）を明らかにさせることで，行
政庁の恣意的な，つまりは好き勝手な判断を予防し，あわせて申請
者の予測可能性を確保しようというわけである。

　なお，審査基準は行政規則で定める（⇨119頁）。

(2)　**標準処理期間の設定・公開**　　case 3-2　において，建築
主事Cは，Bの建築確認申請を放置した（建築確認の留保）。時折見
られる行政手法だが，適正な処理とはいいにくい。建築基準法は，
申請を迅速に処理させるため，申請から処分までの最長期間を定め
ているが（⇨73頁），このような申請処理期間を定める法律はそれ

1　行政処分　**101**

ほど多くない（他には行機情公10条以下など）。しかし，申請の迅速な処理は，あらゆる処分に等しく要請されることだろう。そこで，行政手続法6条が，申請から処分までに通常かかる日数（標準処理期間）をできるだけ設定すべきとし（努力義務），設定した場合は必ず公にするものとした。

標準処理期間も，行政規則で定める（⇨119頁）。

(3) **申請に対する審査応答義務**　市民からの申請が役所に「到達」したら，行政庁は審査を開始し，申請を認めるか否かを決めなければならない。当然のことだろう。この当然のことが，1993（平成5）年成立の行政手続法でわざわざ定められた（7条）。次のような行政実務が問題とされたからである。

「到達」した申請を「受付」した職員は，申請書をざっとチェックし（事前審査），問題がないと判断したら正式に「受理」する。この場合の「受理」は「正式審査の開始」を意味し，その後，最終的な許可・不許可の決定が下される。他方，事前審査の結果，問題があるとされた場合には，「受付はしたが受理しない（不受理）」として，申請書を受理せず申請者に返却する（不受理返戻）。このような処理は，少なくともかつては珍しくなかった。

しかし，受付と受理の区別や，不受理返戻といった処理は，決して許されるものではない。なぜだろうか。申請書が返戻されると申請はなかったことになる，だから不許可処分もあるはずがない，これが行政側の理解である。このような処理が威力を発揮するのは，法律に従えば許可をしなければならないが，何らかの理由で許可をしたくない，このように行政庁が考えた場合だろう。不許可にすると裁判で確実に敗訴する，それは避けたいから，申請自体がなかったことにするのである。これでは，申請があったかどうかを，行政

102　第3章　行政はどのように行われるか

が決めてしまうことになる。これはおかしい。申請の有無を行政が決められるのであれば，一定のハードルをクリアすれば許可が得られると，わざわざ法律で定める意味がない。法治主義の原理（⇨37頁**1**）からすれば，申請の有無を決めることができるのは，申請者自身だけのはずである。

役所に「到達」した申請は，すべて審査されなければならず，行政庁の応答には，許可と不許可しかない。これが行政手続法7条の趣旨であり，そのねらいは，申請の「不受理」とか「受付と受理の区別」といった扱いの防止にある[注8]。

(4)　**理由提示（理由附記）**　行政庁は，申請拒否の処分をする場合，原則として，処分をすると同時に，その理由を示さなければならない（行手8条1項）。

この手続は，1993（平成5）年の行政手続法制定以前から，さまざまな処分につき，個別の法律で制度化されていたが，行政手続法により，申請拒否処分全般に求められることとなった（示すべき理由の内容と程度については，不利益処分の理由提示とあわせて後述⇨106頁）。

なお，申請に対する処分のうち，理由提示が求められるのは，申請を「拒否」する処分に限られる。申請を全面的に認める処分の場合，理由を提示する必要はない。

注8)　法令の定めが，申請を「受理」するとか，「受理することができない」という表現を使うこともある。例えば，建築基準法6条3項は，建築士法に違反する建築確認申請を「受理することができない」と定める。しかし，この場合の「受理しない」は，申請をなかったことにするものではない。建築確認申請を正式に拒否する「確認拒否」処分を意味する。他方，建築確認申請は，「受理」した日から一定の日数内に審査を終了しなければならない（建基6条4項）。この場合の「受理」は，「受付」あるいは申請「到達」（行手7条）を意味する。

1　行　政　処　分　　**103**

| 「不利益処分」の手続 |

以下の3つが重要である。

(1) 処分基準の設定・公開　行政庁は，不利益処分の基準（処分基準。行手2条8号ハ）を設定する（行手12条）。「申請に対する処分」の審査基準（⇨101頁）と同趣旨の制度だが，審査基準の場合，その設定・公開は行政庁の義務であるのに対し，処分基準については可能な限りでよい（努力義務）。

　努力義務にとどめられたのは，不利益処分の場合，実際に発動された実績が少ないものもあることに加え，とりわけ公開については，そのことが違法行為を助長しかねないからである。例えば，〔case 3-1〕において，不当勧誘1回で指導，2回で厳重注意（以上は行政指導〔⇨109頁〕としてなされる），3回で停止命令，といった処分基準が考えられるが，これを公にすると，2回までは不当勧誘を平然と続ける悪質な業者が登場しかねない。これでは逆効果だろう。

　なお，処分基準も，審査基準や標準処理期間と同じく，行政規則で定める（⇨119頁）。

(2) 意見陳述　不利益処分をしようとする行政庁は，いくつかの例外を除き（行手13条2項），処分をする前に，処分が予定されている相手方（名あて人予定者）の意見を聴かなければならない。これには，「聴聞」と「弁明の機会の付与」の2つがある。許認可取消しなど，重大な不利益処分をする場合は「聴聞」を，〔case 3-1〕の営業停止命令のように，そこまで重大ではない不利益処分ならば「弁明の機会の付与」を，それぞれ経ることになる（行手13条1項）。

　いずれにおいても，行政庁は，あらかじめ，一定の事項を名あて人予定者に通知する。通知事項は，不利益処分の原因となる事実，聴聞の期日・場所，あるいは，弁明書の提出先・提出期限などである。なお，通知から聴聞開始日・弁明書提出期限までの間に，相当

程度の期間をおかなければならない（行手15条・30条）。名あて人予定者に意見陳述の準備をさせるためである。

ア）聴聞（行手13条1項1号）　聴聞の通知を受けた者（当事者）と行政庁の職員とが口頭でやり合う手続で（行手20条），聴聞主宰者による議事進行の下で実施される（行手19条）。当事者は代理人をたてることができ（行手16条），当事者やその代理人は，行政庁が持っている資料を見ることができる（文書閲覧。行手18条）。

聴聞終了後，聴聞主宰者は，聴聞調書と報告書を作成し，行政庁に提出する（行手24条）。行政庁は，処分をするかどうかを決定するにあたり，聴聞主宰者が報告書に記載した意見を十分に参酌しなければならないが（行手26条），その意見に必ず従う必要はない。

イ）弁明の機会の付与（弁明手続。行手13条1項2号）　名あて人予定者が，自分の意見を記載した書面（弁明書）を提出する手続である（行手29条）。聴聞とは異なり，口頭での意見陳述は原則として実施されない。名あて人予定者は，代理人をたてることはできるが，文書閲覧の請求はできない（行手31条）。

(3)　理由提示（理由附記）　行政庁は，「不利益処分」をする際，その理由を示さなければならない。処分と同時に示すのが原則だが，緊急時には，処分後の相当期間内に提示すればよい（行手14条1項ただし書・2項）。

この手続は，申請拒否処分についてと同じく（⇨103頁），行政手続法制定以前から，さまざまな法律で制度化されていたが，同法により，不利益処分全般に求められることとなった。

理由提示においては，処分の原因となる事実を示すことになる。その内容は，聴聞・弁明手続についての通知で示されていた処分原因事実に含まれていたものでなければならない。例えば（case 3-1）

1　行　政　処　分

において，事前の通知では，「〇月〇日にA店の従業員Gがした不当勧誘」を処分原因事実としていた場合に，営業停止命令の理由として，「×月×日にA店の従業員Hがした不当勧誘」を提示することは許されない。Hの勧誘を理由に処分をするためには，もう一度，通知からやり直すことになる。事前に通知された事実とは異なる事実を理由に処分ができるのならば，聴聞や弁明手続といった意見陳述を経ることに意味はない。

> **理由提示の内容・程度**

申請拒否処分（⇨103頁）と不利益処分のいずれについても，理由提示において，理由の内容をどの程度まで明らかにすべきかが問題となる。この点については，理由提示制度の目的を参照しなければならない。最高裁は以下の2点を挙げる（最判昭60・1・22，最判平23・6・7）。

ア） 処分をする行政庁（処分庁）の判断の慎重・合理性を担保し，その恣意を抑制すること。

イ） 処分の相手方による不服申立て（⇨155頁**1**）や取消訴訟（⇨175頁）に便宜を与えること。

これらの目的は，処分の根拠となる法律の条文を示しただけでは達成されない。どのような事実にどの条文を適用して処分をしたのか，そこまで明らかにすることが求められる（前述の最判昭60・1・22）。建築確認拒否の場合であれば，申請のどの部分が，建築基準法のどの条文を，なぜクリアしないのか，具体的に示さなければならない。

以上に加えて，申請拒否処分の場合であれば，どの審査基準（⇨101頁）を使ったのか，不利益処分の場合であれば，どの処分基準（⇨104頁）を適用したのか，これらの点も明らかにされるべきか否かが問題となる。この点は，1993（平成5）年に行政手続法が

106 第3章 行政はどのように行われるか

制定されるまでは問題となりにくかったが，同法が，審査基準や処分基準の制度を一般化したことで，新たな論点として登場した。

最高裁は，一級建築士免許の取消しという不利益処分が問題となった事件において，提示すべき理由の内容・程度は，処分の根拠法令の規定内容，処分基準の存否・内容や公表（公開）の有無，処分の性質・内容，処分の原因となる事実関係の内容などを総合考慮して決すべき（ケースバイケース）とした。そのうえで，一級建築士免許の取消しについては，それが重大な処分であることと，公表されていた処分基準の内容が複雑であることとを重視し，処分基準の適用関係も明らかにしなければ，理由提示として不十分であるとする（前述の最判平 23・6・7）。

> **もう一歩先へ**　　③で見たように（⇨87 頁以下），行政処分，そして取消訴訟の仕組みは，極めて行政有利の構造になっている。だからこそ行政手続法は，できるだけ間違った処分がされないよう，慎重な手続を経ることを行政庁に求めたのである（予防的権利保護機能⇨48 頁(1)）。

ところで，取消訴訟の原告は，処分違法の理由として，根拠規範違反に加えて，手続違反も主張できるのだが，ここに難しい問題がある。例えば case 3-1 で，P 県公安委員会が，A 店に対し，弁明手続を経ずに営業停止命令を下したが，A 店が不当勧誘をさせていたことは明らかで，停止命令の内容自体は，P 県の「客引き規制条例」に違反していなかったとする。この場合に裁判所は，手続違反だけを理由として，この停止命令処分を取り消すべきだろうか。行政庁が行政手続法・条例の定める手続を守らずに処分をしたが，結果的にその処分は正しいという場合，取消訴訟の裁判官はどのような判決を下すべきだろうか。

1　行 政 処 分　**107**

最高裁は，理由提示義務違反の場合はそれだけで処分を取り消す（前述の最判昭 60・1・22 や最判平 23・6・7）。これに対し，意見陳述手続違反を理由に処分を取り消すのは，処分やり直しによって，取り消された処分とは異なる処分が下される可能性のある場合だけだとする判決がある（個人タクシー事件：最判昭 46・10・28，群馬中央バス事件：最判昭 50・5・29）。しかし，これらの判決は，1993（平成 5）年に行政手続法が制定される以前のものである。今日でも，最高裁は同様に判断するだろうか。今後の動向が注目される。

> 処分実施請求

2014（平成 26）年改正の行政手続法は，誰でも，行政庁に対し，処分をするよう請求できるという制度を新設した（行手 36 条の 3）。ただし，請求対象は，法令違反の事実を是正するための処分に限られる（同条 1 項）。「申請に対する処分」は含まれない。

処分実施を請求する者は，行政庁に対し，一定の事項を記載した書面によって，処分がされるべきことを申し出る（行手 36 条の 3 第 2 項）。申出を受けた行政庁は，必要な調査を行い，必要があると認めたときは，求められた処分をしなければならない（同条 3 項）。もっとも，調査結果について，申出者に連絡や通知をする必要はない。処分実施請求に応答する義務はないのである。

> 届出の手続

(1) **申請と届出**　申請（⇨101 頁）も届出も，市民から行政に向けたアクションだが，申請は，行政庁による諾否の応答（許可か不許可かの判断）を求める行為であるのに対し（行手 2 条 3 号），届出には，このような応答が想定されていない。届出とは，市民が行政に対し，事実を通知するだけのものである（行手 2 条 7 号）。例えば，火薬類の製造を許可された者は，火薬事故を起こした場合，その事実を警察官などに

届け出なければならないが（火薬46条1項），この届出に対し，事故発生を認めるとか認めないとかといった，行政側からの応答があるわけではない。

(2) **不受理返戻の禁止**　　形式の整った届出が役所の窓口に到達したら，それで届出は済んだことになる（行手37条）。つまり，記載事項のすべてが記載され，必要書類もすべてそろった届出であれば，行政は必ず「受付」をしなければならない。申請の場合と同じく，不受理返戻は許されない（⇨102頁）。

なお，届出が「到達」しても，その形式が不十分であれば，届出がされたことにはならない。届出義務を果たさないと，刑事罰の対象となることがある（例：火薬事故届をしなかった場合。火薬61条4号）。

行政手続法以外の
一般的手続規定

行政庁は，行政処分をする際，不服申立てや取消訴訟についての情報を「教示」しなければならない（行審82条⇨160頁，行訴46条⇨193頁）。

2　行　政　指　導

① 　行政指導とは？

行政指導とは，行政から市民への助言や勧告，希望・期待の表明であって，一方的ではなく，決定でもない行為形式である（行手2条6号⇨70頁）。行政から市民へのアドバイスであって，受け入れるかどうかが市民の選択に委ねられる，つまりは，従うことを強制さ

れないものを意味する。かつては学問上の用語であったが，1993
（平成 5）年に成立した行政手続法によって，特定の者を対象とする
ものに限ってではあるが，法律上のものとなった。

| 行政処分との違い | 行政指導はアドバイスであって，一方的な |

行政指導はアドバイスであって，一方的なものではない。したがって，非権力的である（⇨75 頁(2)）。相手の権利や義務に関わらないから，法的効果も認められない（事実行為⇨77 頁）。以上の点で，行政処分と区別される。

侵害留保説や権力留保説であれば（⇨40 頁），行政処分の場合とは異なり（⇨80 頁），法律や条例に根拠は必要ない[注9]。行政規則（⇨119 頁）にしか根拠がなくても（⇨121 頁），あるいは根拠規範（⇨42 頁）が全くなくても，受け入れるかどうかが相手の選択に委ねられている限り，法的な問題は生まれない（⇨43 頁）。

| 法定行政指導 | 法律に根拠のある行政指導も存在する（法 |

法律に根拠のある行政指導も存在する（法定行政指導）。この場合は，指示とか勧告，勧奨，要請，要求といった言葉が使われる（国土利用 24 条 1 項，災害基 60 条，医療 30 条の 11，新型インフル 31 条の 6 第 1 項・45 条 1 項，税通 74 条の 11 第 3 項など）。行政手続法も，「指導，勧告，助言その他」を行政指導とする（行手 2 条 6 号）。

ただし，行政指導かどうかは，法律によるネーミングに左右されるわけではない。法律がどのような内容の措置としているかで決まる。例えば，「指示」に従わない者が，刑事罰の対象とされることもある（特定商取引 71 条 2 号，道交 121 条 1 項 4 号，労安衛 120 条 2 号など）。そうである以上，この場合の「指示」は，法律で強制力を付与された権力的なものであり，服従義務という法的効果も発生させ

注9）　全部留保説であれば，行政指導についても，法律や条例に根拠が必要である（⇨40 頁）。

第 3 章　行政はどのように行われるか

る。行政指導とは言えない。「指示」という名の行政処分である。

| 行政指導の種類 | 行政指導は，行政の現場で広く利用されている。ア）市民の活動を規制するもの（規制的行政指導）ばかりでなく，イ）市民の活動を手助けしたり（助成的行政指導），ウ）市民間の紛争を予防・解決するためのものもある（調整的行政指導）。

case 3–1 の注意・指導はア）であり，case 3–2 の協議指示は，ア）でありウ）でもある。法的な問題が生じやすいのは，ア）とウ）だろう。

② 行政指導の長所と短所，そして限界

| 行政指導の長所 | 行政指導は，法律や条例に根拠がなくてもできるから，臨機応変で柔軟な行政の実現に貢献する。

ソフトな行政手段という面も見逃せない。例えば，違法建築物に対し，行政庁はいきなり除却命令の手続に入るだろうか。そうではなく，違法建築物であると事前に警告し，できれば自ら除却するよう助言して，それでも除却しなければ命令する，これが通常の行政実務だろう。相手方にしてみても，何の前触れもなくいきなり命令されるよりも，事前に指導があることを望むのではないだろうか。

| 行政指導の短所 | 法律や条例に根拠がなくてもよいだけに，行政指導にはどうしても不透明さがつきまとう。おカミには弱いのが民衆の常だから，行政指導に従う市民は多いだろう。とはいえ，指導の内容が常に正しいとは限らない。本当は除却する必要がない建築物に，違法な指導がソフトにされているかもしれない。

最も問題なのは，事実上の強制力を伴う行政指導である。例えば，case 3-2 では，Q市の要綱が，協議指示に従わなければ給水を拒否すると定める。この協議指示について，法律や条例に根拠はないから，Q市の要綱は，行政指導指針（行手2条8号ニ⇨120頁）を定める行政規則に過ぎない。行政規則は，それだけで市民を拘束できるルールではないから（⇨120頁），要綱にしか根拠のない協議指示が強制力を持ってはならないのだが，給水拒否が事実上の強制措置として機能してしまう[注10]。

また，Cは当初，Bの建築確認申請を放置した（建築確認の留保）。建築確認が欲しいBは，イヤでも協議指示に従わざるを得ない。申請の不受理返戻も（⇨102頁），申請者を行政指導にムリヤリ従わせる巧妙な手段となる。

行政指導の限界

行政指導が法律や条例に根拠がなくてもできるのは，それがあくまでアドバイスに過ぎず，強制力を伴わない非権力的な事実行為だからである。法律や条例に根拠がないにもかかわらず，事実上の強制を伴うものになっていれば，行政指導の限界を超え，法治主義の原理（⇨37頁*1*）に反する違法な措置ということになる。

なお，行政手続法7条（⇨103頁）は，申請の取下げや変更を求める行政指導を禁じるものではない。同条に反して許されないのは，不受理返戻という手段によって，行政指導に従うよう強制することである。

注10) 要綱にしか根拠がない協議指示への不服従というだけでは，給水拒否に「正当の理由」（水道15条1項）があるとはいえないだろう（⇨127頁）。

③　行政指導を裁判で争う手段は？

取消訴訟で争う

　行政指導を取消訴訟（⇨175頁）で争うことができるのならば、 case 3–2 のBは、協議指示の取消しを求める訴えを起こすことになる。しかし、いかに事実上の強制力があるとしても、それが「法律や条例」で予定された「法的効果」だとはいいにくい（⇨76頁）。一般的には、たとえ事実上の強制を伴う行政指導でも、取消訴訟の対象たる行政処分にはあたらないと理解されている注11)。

実質的当事者訴訟で争う

　2004（平成16）年改正の行政事件訴訟法は、実質的当事者訴訟としての「公法上の法律関係に関する確認の訴え」（確認訴訟）が可能であることを明記した（行訴4条後段）。この訴訟は、行政処分以外の行為形式を争うために活用することが期待されている（⇨171頁）。「行政指導に従う義務がないことの確認訴訟」、「指導を拒否しても不利益を受けないことの確認訴訟」などが考えられよう。

国家賠償訴訟で争う

　行政指導を争う訴訟で多いのは、国家賠償法1条1項に基づき（⇨209頁①）、行政指導によって被った損害の賠償を求める訴えである。 case 3–2 のBならば、Q市を被告として、Cの協議指示と建築確認留保のせいでマンション建築が遅れたと主張し、遅れによって生じた損害の賠償を求めることになる。

　国家賠償の裁判では、どのような行政指導が違法とされているのだろうか。有名な最高裁判決を2つ紹介しておく。 case 3–2 は、

注11)　ただし、医療法に基づく勧告について、行政指導であるとしつつ、処分性を肯定した最高裁判決（最判平17・7・15）がある（⇨186頁）。

2　行政指導　**113**

この2つの事件を素材としている。

(1) **品川マンション事件**（最判昭60・7・16）　住民との協議がまとまらないことを理由に，東京都が建築確認を留保したのに対し，建築確認申請者が，留保したままでの指導には従えないとの意思を明らかにしたら，その1か月後に建築確認が出された。そこで，この申請者が，建築工事開始の遅れを理由に損害賠償を求めたという事件である。

最高裁は，申請者が指導不服従の意思を「真摯かつ明確に」表明している場合，「行政指導が行われているとの理由だけで確認処分を留保すること」は違法であるとした。もっとも，行政指導への不服従について，「社会通念上正義の観念に反するものといえるような特段の事情が存在」すれば，指導を理由とする確認留保の継続は許されるともしている。この事件では，「特段の事情」がなかったとして，原告の請求が認容されたのだが，では，どのような場合であれば「特段の事情」があるといえるだろうか。難しい問題である。

(2) **武蔵野マンション事件**（最判平5・2・18）　市の指導要綱が，マンションを建築しようとする者は市に教育施設負担金を納めるものと定め，かつ，未納者には給水拒否があり得るとしていたところ，マンション建築を企画していた市民が，市から負担金を納付するよう強圧的に要請され，しぶしぶ納めたもののやはり納得できず，損害賠償を求めたという事件である。

最高裁は，要綱が指導不服従者への給水拒否を定めていたこと，担当職員の態度が強圧的だったことなどから，負担金納付の要請は「行政指導の限界を超える」違法なものであったとし，請求を認容した。

④ 行政手続法の定め

行政手続法は，行政指導についてもいろいろな定めを用意する。

ア） 行政指導は，法律が担当者に認めた権限の範囲内で行わなければならない（行手32条1項）。組織規範（⇨42頁）の定める守備範囲でしか，行政指導はできないということである。

イ） 行政指導の内容は，相手方の協力によってはじめて実現する（行手32条1項）。行政指導の担当者は，指導に従わないことを理由に，相手方を不利益に取り扱ってはならない（同2項）。

ウ） 相手方が指導に従う意思のないことを明らかにすれば，それ以降，指導の継続などにより，その者の権利行使を妨害することは許されない（行手33条）。この定めは，品川マンション事件最高裁判決をベースにしている。ただし，同最判の言う「特段の事情」がある場合の例外には触れていない。しかし，例外の余地を否定する趣旨ではないだろう。

エ） 行政指導の担当者は，指導の内容を強制できるかのような態度をとってはならない（行手34条）。この定めは，武蔵野マンション事件最高裁判決をヒントにしている。

オ） 行政指導の担当者は，指導の相手方に対し，指導の趣旨や内容，責任者を明らかにしなければならない（行手35条1項）。これらの事項につき，相手方が書面にするよう求めた場合，担当者は，原則としてそれに応じなければならない（同3項）。

カ） 行政指導の担当者が，指導をする際に，許認可をする権限や，許認可に基づく処分（許認可の取消しなど）をする権限を，行使できると示すことがある。この場合，その担当者は，①権限の根拠となる法令の条文を明らかにし，②その条文が定めるどの

2 行政指導　115

要件が，③なぜ満たされるのか，明らかにしなければならない（行手35条2項）。相手方が書面にするよう求めた場合の対応は，**オ）** の場合と同じである。

キ） 法令に違反する行為（不作為を含む）の是正を求める行政指導であって，かつ，法律に根拠のあるもの（法定行政指導⇨111頁）の相手方は，その行政指導を中止することなどを請求できる（行政指導中止請求。行手36条の2第1項）。

ク） 法令違反の事実を是正するための行政指導であって，かつ，法律に根拠のあるもの（法定行政指導）であれば，誰でもその実施を請求できる（行政指導実施請求。行手36条の3第1項）。

カ）〜ク） は，2014（平成26）年改正の行政手続法で新設された。**カ）** と **キ）** の請求についての手続や，請求を受けた行政機関の義務は，処分実施請求の場合と同様である（⇨108頁）。

なお，行政指導に関する行政手続法の定めは，国の行政指導にしか適用されない。地方公共団体の行政指導には，行政手続条例が適用される（行手3条3項）。

3 その他の行為形式

① 行 政 立 法（行政基準）

行政立法とは，行政機関が条文形式でルールを定めるという行為形式である。法律には登場しない，学問上の用語である（⇨69頁）。行政機関が策定したルールそのものを意味することも多い。

> **どのような行政方法が
> あるのか？**

行政立法は2種類に分類される。市民の権利や義務に直接関わるもので，行政機関がルール制定権限を法律・条例から委任されて定める「法規命令」と，そうではない「行政規則」とである。これらも学問上の用語である（⇨69頁）。

case 3-1 の規制地域を指定する規則は，客引き規制条例から委任されてP県公安委員会が定めたものだから，法規命令に該当する。 case 3-2 のQ市「中高層建築物の建築に係る指導等に関する要綱」は，このようなルールの制定を予定する条文が法律や条例にないため，行政規則に分類される。

> **法規命令**

(1) **法律による委任とは？**　例えば，行政機関情報公開法16条1項は，開示請求をする者に対し，開示請求手数料を納めるよう求めるが，その額は「政令で定める額」としている。「政令」を制定するのは内閣だから（⇨後述(2)），この定めによって国会が，手数料額の決定を，内閣という行政機関に委任したわけである。この委任を受けて内閣は，「行政機関の保有する情報の公開に関する法律施行令」という名の「政令」を定め，その中で，具体的な開示手数料額を決めている（同施行令13条1項1号）。

なお，行政手続法は，審査基準・標準処理期間・処分基準の設定を求めているが（行手5条1項・6条・12条1項），これらの定めは，法規命令の制定を委任するものではない。審査基準その他は行政規則で定められる（⇨101頁以下，104頁）。

(2) **どのような法規命令があるのか？**

ア）制定機関による分類　法規命令は，制定する機関によって，いくつかに分類される。内閣が定める「政令」（憲73条6号，内25

3　その他の行為形式　**117**

条3項），内閣府の長としての内閣総理大臣が定める「府令」（内閣府7条3項），各省大臣が定める「省令」（行組12条1項），庁の長官や委員会，都道府県知事や市町村長が定める「規則」（行組13条1項，警12条，自治15条1項など）である。

イ）内容による分類　法規命令は，その内容によって，二種類に区分される。①市民の権利や義務の内容を具体的に規律する「委任命令」と，②法律や条例の実施（執行）に必要な細かい事柄（申請書の記載事項など）を定める「執行命令」とである。法律による委任は，①については個別具体的なものが必要だが，②については包括的委任でかまわない。「この法律の実施のために必要な事項は，政令で定める」（行審86条，個情175条など）といった定めが，包括的委任の例である（内25条3項，行組12条1項，内閣府7条3項も参照）。①「委任命令」も②「執行命令」も学問上の用語である。

　⑶　**法規命令違反は違法？**　　法規命令は，法律や条例の委任を受けて定められるから，法律や条例と同じく，市民の権利や義務に直接関わるルール（法規）として，裁判所が適法・違法を判断するための基準となる。つまり，法規命令違反も「違法」である。市民も行政も，法律・条例に加えて，法規命令も守らなければならない。そのため，法規命令は必ず公表されなければならない。

　⑷　**法規命令で決められることは？**　　行政機関は，法規命令において，法律・条例から委任されていないことや，委任の趣旨に反する内容を定めてはならない（行手38条1項）。

　例えば，薬のインターネット販売を規制していない（旧）薬事法のもとで，インターネット販売を一部の薬品にしか認めない（旧）薬事法施行規則（省令）につき，最高裁は，法律による委任の範囲を逸脱した違法無効のものとしている（最判平25・1・11）[注12]。

他方，銃砲刀剣類所持等取締法は，刀剣の所持を原則として禁止するが，例外として，「美術品として価値のある」刀剣については，登録をすれば所持できるものとし，登録できる刀剣の鑑定基準を省令に委任する（銃刀14条5項）。この委任を受けて，日本刀だけを「美術品として価値のある」刀剣と定めた省令につき，最高裁は，登録制度の制定経緯などを考慮したうえで，「美術品として文化財的価値を有する日本刀」への限定も，法律の委任を逸脱しない適法なものとした（最判平2・2・1）。

| 行 政 規 則 | 行政規則は，通達や訓令，要綱などの形式で定められる。 |

(1)　行政規則はどんなことを決めている？　　法治主義（⇨37頁1）とはいっても，法律や条例，さらには委任命令（⇨118頁）でさえ，その定めは抽象的な内容のものが多く，それらだけで実際に行政を運営するのは難しい。そこで，行政庁は，法律・条例の抽象的な定めの使い方，つまりは裁量（⇨82頁）の運用ルール（裁量基準）を，行政規則で定めることになる。行政手続法の審査基準や処分基準もその例である（⇨101頁，104頁）。

　例えば case 3-1 において，P県公安委員会は，条例による委任がなくても，どのような勧誘が「不当勧誘」に当たるのか，具体的に決めた通達を策定するだろう。これは，P県行政手続条例が設定

注12)　（旧）薬事法は，2013（平成25）年の改正で，法律名が，「医薬品，医療機器等の品質，有効性及び安全性の確保等に関する法律」に変わった。同法36条の6第1項は，薬局や店舗でしか販売できない，つまりは，インターネット販売が禁止される薬品を，要指導医薬品に指定されたものに限定する。同法4条5項3号は，要指導医薬品の指定条件を定め，その一部につき省令に委任しているところ，これを受けて，同法施行規則という省令の7条の2が詳細な指定条件を定める。

3　その他の行為形式　**119**

を指示する処分基準にあたる。

その他，ある法律の条文につき解釈が分かれている場合に，いずれの見解を採用するのか，行政組織内で統一するための行政規則もある（解釈基準）。行政指導の基準を定める（指導）要綱（行政指導指針⇨112頁）や，申請に対する処分の標準処理期間も行政規則で定める（⇨101頁）。

(2)　行政規則はどんな働きをする？　　行政規則は，法律・条例・委任命令の運用手引きであり，役所の業務マニュアルとイメージすればよい。現に行政を動かしているのは行政規則，なかでも通達であることから，「通達による行政」とさえ言われる。

実務の現場で重要な機能を果たす行政規則だが，法律や条例から委任されて定めるものではない。行政機関がいわば独自の判断で策定したルールである。したがって，法治主義原則のもとでは（⇨37頁），法規としての性質を認めることはできない。市民や裁判所には直接の関係がなく，それが通用するのは，行政組織内に限られる。その結果，裁判所が，行政規則「だけ」をものさしとして，違法かどうかを判断することはない。また，法律が特に求める場合（例えば行手5条3項⇨101頁）を除き，公にする必要はない。

(3)　行政規則違反は違法？　　行政規則は法規ではない。行政の内部基準に過ぎない。しかし，その大半は，法律・条例・委任命令の運用マニュアルである。現実には，その存在を市民が無視することは難しい。

例えば case 3-1 で，P県公安委員会の通達が例示する不当勧誘行為をA店店員がしたとして，A店に営業停止命令が下されたとする。A店がこの処分の取消訴訟（⇨175頁）を提起し，その中で，「通達違反の勧誘はしたが，条例違反の勧誘はしていない」と主張

120　第3章　行政はどのように行われるか

しても，おそらく処分を違法とする判決は得られない。通達の内容が条例に違反していると言えない限り，通達に定める不当勧誘は，同時に条例上の不当勧誘になるからである。

このように，市民が行政規則に違反することをしたら，結果的に，法律・条例違反となることが多いだろう（行政規則の外部化）。

他方，行政が行政規則に反することをしても，法治主義原則からすると，それだけで違法とされることはない。しかし学説は，公にされた行政規則であり，その内容が法律・条例に合致している場合において，行政がこの行政規則から外れたことをしたら，それは原則として違法であると主張してきた（自己拘束論）。この考え方を採用した最高裁判決もある（最判平27・3・3）。

(4) 行政規則と行政指導　　行政規則の内容が，法律・条例・委任命令の定めを詳細にしたものである場合，行政が市民に対し，行政規則を守るよう命じることは，その行政規則の内容が違法といえない限り，法律・条例・委任命令を守るよう求めることに等しい。

他方， case 3-2 の「中高層建築物の建築に係る指導等に関する要綱」や，case 4-1 の「P市町並み保存要綱」は，法律や条例に定めがない事項についての行政規則である。これらに違反する行為が，それだけで同時に，法律や条例に違反した違法なものとされることはない。その結果，行政は，このような要綱の内容を，市民に強制することができない。行政ができることは，強制力のないアドバイス，つまり，要綱に従うよう求める行政指導に限られる（⇨109頁）。

行政立法を
裁判で争う手段は？

行政立法には一定の法的効果が認められる。しかし，その取消しを求める訴訟を起こしても，個別具体性を欠くことを理由に

3　その他の行為形式　**121**

(⇨77頁），処分性を否定されることが多いだろう。行政規則であれ
ば，外部性もない（⇨78頁）。もっとも，処分性を否定された場合
でも，実質的当事者訴訟（行訴4条後段）で争える場合はあるだろ
う（⇨171頁。最判平25・1・11の事件がその例⇨118頁）。

行政立法の手続
（意見公募手続）

　行政手続法は，行政立法の手続として，意
見公募手続（いわゆる「パブリック・コメン
ト」）を用意する。

(1)　**意見公募手続の対象**　　意見公募手続の対象となるのは，国
の行政機関が定める行政立法のうち，法規命令（⇨117頁。行手2条
8号イは「法律に基づく命令」とする）のほか，行政規則のうち，審査
基準（⇨101頁）や処分基準（⇨104頁），行政指導指針（⇨120頁）を
定めるものである。

　行政手続法は，以上をまとめて「命令等」とし（行手2条8号），
これら命令等を制定する場合は，原則として，意見公募手続を経な
ければならないとする（行手39条1項）。例外は，緊急の必要があ
る場合などである（同条4項）。

　行政手続法が定める意見公募手続は，地方公共団体の行政機関が
定める行政立法には適用されない（行手3条3項）。ただし，相当数
の地方公共団体は，行政手続条例（⇨100頁）その他の条例で，行
政手続法の意見公募手続に類似した手続を整備している。

(2)　**意見公募手続の内容**　　命令等を定める行政機関（命令等制
定機関。行手38条1項）は，以下のような手続で命令等を定める。

①　命令等の案とその関連資料を公示する（行手39条1項）。命令
　等の案は，具体的かつ明確な内容のものでなければならない
　（同条2項）。

②　一定の期間（意見提出期間），広く一般の意見を求める（同条1

項)。意見提出期間は 30 日以上である（同条 3 項）。

③ 提出された意見を十分に考慮して命令等を定める（行手 42 条）。

④ 原則として，成立した命令等を公布するのと同時期に，どのような提出意見があり，それらをどのように考慮したのかなどを公示する（行手 43 条 1 項〜3 項）。

以上の手続は，インターネットなどを用いて実施される（行手 45 条 1 項）。なお，意見公募手続を実施したのに命令等を定めなかった場合はそのことを（行手 43 条 4 項），意見公募手続を実施しないで命令等を定めた場合（行手 39 条 4 項）はその理由などを，それぞれ公示しなければならない（行手 43 条 5 項）。

② 行政計画

行政計画とは，行政が将来の目標を設定し，その目標を実現するためのさまざまな手順や手段（プラン，プログラム）を策定するという行為形式である。この言葉も学問上の用語であり，法律のどこにも登場しない（⇨70 頁）。

> どのような行政計画があるのか？

例えば，建築確認の申請が認められるための条件は，建築予定場所によって異なる。都市計画法は，都市部において都市計画を定めることとし（都計 6 条の 2 以下），この計画では，各地域の利用方法を行政が指定することになっているのだが（都計 5 条以下），そのうち例えば，低層住居専用地域とか近隣商業地域，工業専用地域といった用途地域（都計 8 条 1 項 1 号）ごとに，建築規制の内容が異なるからである[注13]。都市計画や用途地域は，まちづくりの構想を

注 13）建築基準法は，さまざまな用途地域ごとに，建築できない建築物・できる建築物などを定めている（⇨131 頁）。

3 その他の行為形式　**123**

行政が大まかに描いたプランであり，これらが行政計画の例である。その他，空家等対策計画（空家対策推進6条），男女共同参画基本計画（男女参画基13条），原子力災害からの福島の復興と再生を推進するために福島県知事が作成する計画（福島復興再生特別措置法7条1項）などの例がある。

　行政計画が市民に与える影響の程度はさまざまである。例えば，都市計画が決定されたり，用途地域が指定されると，関係地域内における一定の建築行為が禁止される。このように，市民の権利を一方的に制限する行政計画であれば，法律の留保の範囲を最も狭く考える侵害留保説（⇨39頁）でも，法律か条例に根拠が必要だろう。他方，男女共同参画基本計画は，行政の方針をおおまかに決めるだけのものである。それだけでは，市民の権利や義務に具体的な影響は生まれない。侵害留保説や権力留保説（⇨40頁）であれば，法律や条例に根拠がなくても策定可能である。

(1)　行政計画を取消訴訟で争えるか？

> 行政計画を
> 裁判で争う手段は？

例えば，市街地再開発事業計画（都開51条1項）では，土地の強制収用（土地収用⇨43頁，232頁）を予定することが可能である。不満を持つ市民が登場するのも当然だろう。行政計画の取消しを求める訴訟は少なくない。では，行政計画は，同時に（行政）処分でもあるとして，取消訴訟（⇨175頁）の対象となるのだろうか。

　例えば，最高裁は，用途地域指定につき，この指定に基づく建築制限は，不特定多数の者に対する一般的抽象的な効果に過ぎないとして（個別具体性の欠如⇨77頁），処分性を否定する（最判昭57・4・22⇨184頁）。他方，市街地再開発事業計画については，これによって市町村が土地収用権限を取得することを重視し，「土地の所有者

124　　第3章　行政はどのように行われるか

等の法的地位に直接的な影響を及ぼす」として，処分性を肯定した（最判平4・11・26）。つまり，処分としての性質を併せ持った行政計画もあれば，そうではないものもあり，この点は法律の内容次第なのである。

最高裁の考えが変わることもある。土地区画整理事業計画決定（区画整理6条）につき，かつての最高裁は，事業の青写真たる一般的抽象的な決定であって，特定個人に直接向けられた具体的なものではないとして，処分性を否定していた（青写真判決：最大判昭41・2・23）。しかし，その42年後，最高裁は判例を変更し，処分性を肯定する（浜松市事件：最大判平20・9・10⇨185頁）。その理由は，①土地区画整理事業計画が決定されると，対象地区内に宅地を所有する者は，建築制限を受けつつ，土地を変更する処分（換地処分）を受けるべき地位に立つから，その法的地位に直接的な影響を受けるといえること，②計画が進んで換地処分がなされた後，その取消訴訟を提起し，その中で計画の違法を争うことも可能だが，この訴訟の判決が出る頃には，事業がかなりの程度まで進行しているため，換地処分を取り消すと事業全体が著しく混乱するとして，事情判決（⇨199頁）が下る可能性が高いことである。

なお，処分性を否定される行政計画でも，実質的当事者訴訟（行訴4条後段）で争える場合があるかもしれない（⇨171頁）。

(2)　**計画変更によって生じた損害は賠償されるか？**　行政計画はプランでありプログラムだから，計画を策定した後でも，情況の変化に応じて，内容を変更したり，場合によっては実施を中止すべきこともあるだろう。

しかし，行政の策定した計画を信頼し，計画実現を前提に行動していた市民がいる場合，問題は複雑になる。計画中止そのものは適

法でも，計画中止により著しい損害を被った市民には，信義誠実の原則に照らし（民1条2項），その損害を賠償すべきこともあるだろう。工場誘致計画を信頼して一定の投資をした企業が，誘致を撤回した地方公共団体に損害賠償を求めた事案において，その請求を認めた最高裁判決がある（宜野座村事件：最判昭56・1・27）。

③　行　政　契　約

> どのような行政契約
> があるのか？

新しい住居に住む場合，電気やガス，水道の供給を申し込む。電気・ガスの場合，申込先は，通例であれば電力会社やガス会社，つまりは民間企業である[注14]。申込みが受諾されれば，民法上の契約が成立し，それに従って電気・ガスが供給される。これに対し，水道の場合，相手は市町村の水道局，つまり行政であることが多いのだが[注15]，「市民と水道局」の関係が，「市民と電気・ガス会社」の関係と，特に異なるわけではないだろう。いずれも契約によって関係が成立する。このように，行政と市民の間で取り交わされる契約が行政契約である。この言葉も学問上の用語であり，法律のどこにも登場しない（⇨70頁）。

行政契約の例はたくさんある。役所がパソコンを買うために販売業者と売買契約を結んだり，庁舎建設にあたり建設業者と建築請負契約を交わすなど，ごく当たり前の現象だろう。公共事業に必要な土地の取得は，土地収用法に基づく強制収用でも実現できるが（⇨43頁，232頁），たいていは売買契約で確保される。文化事業に

注14）　電気・ガス事業は，地方公共団体も行うことができる（地公企2条1項）。
注15）　水道事業は市町村が行うのが原則だが，都道府県の他，民間企業でも実施できる（水道6条2項）。

対する奨励金交付の決定も，贈与契約の締結行為と構成できるだろう。地方公共団体が，地域の生活環境を守るために，工場などと結ぶ公害防止協定も行政契約の例である（最判平 21・7・10）。

> **行政契約に対する
> 法の規制は？**

行政契約も契約だから，行政が市民と対等な立場で交渉し，その同意を得て締結する。市民の権利や義務に対し，「権力的に」影響を与えるものではない。この点で，行政処分とは性質が異なる（⇨75 頁(2)）。侵害留保説や権力留保説に従えば（⇨39 頁以下），法律・条例に根拠がなくても活用できる。市民間で結ばれる契約と同様，契約自由の原則をベースとする。

それでも，当事者の一方は行政だし，その多くは公金支出を伴う。市民間での契約と全く同じルールに服するというわけにはいかない。他の行為形式と同様，公正・平等であることが求められ，その限りで契約の自由が制限されなければならない。

法律の定めが一定の枠をはめることもある。例えば，水道法 15 条 1 項は，水道の給水契約申込みに対し，「正当の理由がなければ，これを拒んではならない」と定める。水道がライフラインであることを考えれば，「正当の理由」とは，水道事業者たる市町村が，正常な企業努力をしても給水契約を拒まざるを得ないほどの理由でなければならない。著しい水不足とか，配水管が未敷設の地区からの申込みであることなどに限定されよう。 case 3-2 の B のように，社会のルールを守らない者であれ（B が非常識かどうかはともかく），反社会的集団の事務所であれ，それだけを理由とした給水拒否は許されない（武蔵野マンション事件：最決平元・11・8）。

なお，最高裁は，将来の水不足を理由とした給水拒否につき，一定の条件を付けたうえで，「正当の理由」があるとしている（最判

3 その他の行為形式　**127**

平 11・1・21)。

行政契約を
裁判で争う手段は？

例えば，case 3-2 において，Bは，Q市水道局から給水を拒否された。これは契約の締結拒否であり，行政処分とはいえない（⇨80頁）。行政契約をめぐる紛争は，取消訴訟（⇨90頁）ではなく，実質的当事者訴訟（行訴4条後段⇨171頁）か，民事訴訟で争うことになる（⇨80頁）。

Intermezzo I

手続と不服審査と訴訟
～本書3章を読み終えてから5章・6章を読むにあたって

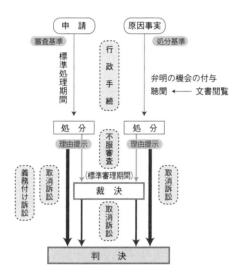

　将来に向かって処分（許認可等）を求める申請手続，過去の行為に対して処分（義務を課し，権利を制限する）を行う不利益処分手続。いずれの手続においても，処分に至るプロセスを透明に，国民の目に見えるようにして，国民の権利利益を保護しようというのが手続法である。手続の結果としての処分が違法または不当であると思えば，国民は，簡易迅速な救済手段である不服申立て（平成26〔2014〕年改正法により審査請求に一元化）をすることができる。ある場合には，不服申立てを義務付けられる（審査請求前置：ここを通らないと訴訟が提起できない）。不服申立てでは，

129

「不当な」処分も争うことができるという（裁量に切り込める）メリットがある一方，本当に迅速かという問題がある。そこで，処分に対しては原則としてすぐに訴訟を起こせる（審査請求前置主義は，平成26年改正でかなり改善された）。これが行政手続，行政不服申立て，行政訴訟の関係であるが，『はじめての』読者には，手続の瑕疵（キズ）は不服申立て・取消訴訟で争われること，不服申立期間と出訴期間が不可争力の正体であること，処分は不服申立てや取消訴訟でしか争えないこと（排他的管轄）が公定力の正体であることを思い出してほしい。あわせて，行政のある活動が「処分」でないということは，それを民事訴訟ないし公法上の当事者訴訟で争えるということを意味することも。そして，何よりもこの3つの制度がうまく連携してはじめて，実効性ある国民の権利救済がかなうことを。

第**4**章	*行政活動を実現する手段* ~*行政の実効性確保*~

● この章のあらまし ●

1 自分の土地に自分の家を建てる場合でも，どんな家を建てても
よいというわけではない。都市計画法は，都市部について都市計画
を定めることとしているが（都計5条・6条の2），この計画では，
各地域の用途を定めることができ（用途地域〔第一種低層住居専用
地域，商業地域，工業地域など⇨123頁注13〕），用途地域ごとにさ
まざまな建築規制がある。建築主は，工事を開始する前に，県庁か
市役所に行って，建築主事から建築確認（建築の許可とみてよい
⇨72頁）をもらわなければならないが（建基6条。指定確認検査機
関という民間機関から建築確認をもらうこともある⇨19頁注1），用
途地域の規制に合わない建築物には，建築確認は出ない。

2 法令による規制ではないが，地方公共団体が要綱で町並みを一
定の方向へ（昭和初期の町並みを保存して，高い建物は建てないよう
にする等）誘導することも行われることがある。要綱は法令のよう
な定め方をしているが，法令ではないから，そこに書かれているこ

131

とに市民は従わなければならないわけではない（行政規則⇨119頁）。しかし，地方公共団体は要綱に書いてあるような望ましい状態へともっていきたい。そうした場合，どうするのか。どんなことが行われるのか見てみよう（公表や行政サービスの停止など）。行政にとって望ましい状態を実現するために，市民に義務を課すことなく，行政がいきなり実力を行使する「即時強制」（⇨146頁）という強力な手段もある（勝手に電柱に貼られた広告物の引剝がしなど）。

3　さて，建築確認が出ないのに建築すると，役所から，工事中止や建築物の除却などを命ぜられることがある（建基9条1項）。この命令に従わないということは，法律に基づいて行政から課せられた義務を市民が履行していないということだ。義務を実現するには役所はどうしたらよいか。工事を実力で中止させるか（これができれば，これは「直接強制」というものだ⇨143頁）。除却命令が出たのに建築主が除却しなければ，役所が自ら除却してしまうこともある（代執行⇨143頁。建基9条12項）。

4　工事中止命令や除却命令に従わないと，3年以下の懲役又は300万円以下の罰金を科せられる可能性もある（建基98条）。このような罰があれば，市民はいやでも命令に従わざるを得ない。この罰も，こうした間接的な形で，命令によって課せられた義務の実現に寄与している（行政罰⇨142頁）。

5　建物について固定資産税というものが課せられる。納めろという命令（課税処分という）に従わない場合にはどうなるか。もちろん強制的にとられてしまう（滞納処分手続⇨145頁）。

　このように，市民に課せられた義務を実現する方法はいろいろある（以上のほかにも「執行罰」〔⇨141頁〕というものがある。行政罰とは異なる）。

　以下，わかりやすい例を使って少し理論的に整理してみる。

132　第4章　行政活動を実現する手段

--- **case 4-1** ---

　江戸時代以来の町並みの美しさが売り物のＰ市は，「Ｐ市町並み保存要綱」注1）を定めて，保存区域に建物を建築する際には届出を義務づけて，その際に，周辺の町並みと調和するような外観，色の建物とすることを指導・助言している（⇒134頁。要綱４条１項・２項）。

　大学法学部卒のＡは，このような指導・助言はあくまでお願い（行政指導⇒109頁）であることを知っていた。だから，Ａは，この指導・助言にあえて逆らい，この町並みに新風を巻き起こすべく，斬新なガラス張りで，周囲の黒を基調とした町並みの色とは異なったショッキングピンクの自宅の建築を計画し，Ｐ市役所の建築主事（行政庁⇒24頁）Ｂに対し，建築確認の申請を行った。ところが，Ｂは「Ｐ市町並み保存要綱」に従い，周辺の町並みと調和した建築に変更するよう，くり返し要望した（Ａの自宅敷地は要綱３条の保存区域に指定されているようだ）。１か月が経過しても埒があかないため，ＡはＢに確認を出すよう求めたが，Ｂは指導に従ってくれるまで確認は留保（⇒78頁，112頁）するとの回答に終始した（建築確認申請への回答期限は35日とある。建築６条４項）。この事態は容認できないと感じたＡは決然と文書で抗議をし，確認を出すよう迫った。ところが市は，法律のどこにも書いていないのに，行政指導に従わないと水道が利用できなくなると言うし，さらに，要綱に基づいて（要綱４条３項），Ａが市の行政指導に従わないことを公表してしまった。その結果，この騒動は広く人の知るところとなり，テレビの取材も来たし，近所の人たちはどうやらかなり自分に批判的であることが伝わってきた。Ａは町並みを乱すエゴイストという評価だ。いたたまれなくなったＡは確認申請を取り下げた。おかげで設計費はすっかりと持ち出しになった。なんとも納得がいかない。法学部卒だがどうやって争ったらいいかまではわからない。ちゃんと勉強しておくべきだった。

_____

注1）　現に存在する要綱を参考に架空の要綱を作ってみた（次頁）。

P市町並み保存要綱（抜粋）

第1条（趣旨）　この要綱は，P市の歴史的町並みとその環境を保全し，歴史を生かしたまちづくりを進めるため，P市のまちづくりに関し，必要な事項を定めるものとする。

第2条（土地所有者等の協力）　土地所有者等は，P市の歴史的町並みとその環境が保全されるよう，市の施策に協力するものとする。

第3条（保存区域の指定及び保存計画の策定）　市長は，P市の歴史的町並みとその環境を保全し，歴史を生かしたまちづくりを進めるため，保存区域を指定するものとする。

2　市長は，保存区域について，まちづくりの指針として保存計画（以下「計画」という。）を定めるものとする。

第4条（現状変更行為の届出）　保存区域において次に掲げる行為をしようとする土地所有者等は，あらかじめ市長に届け出るものとする。

　(1)　建築物その他工作物の新築，増築，改築，移転又は除去

　(2)　建築物その他工作物の外観を変更することとなる修繕，模様替え又は色彩若しくは材質の変更

2　市長は，前項による届出があった場合，まちづくりのために必要な措置を講ずるよう，専門的技術指導又は助言をすることができる。

3　市長は，前項の専門的技術指導又は助言に従わない者の氏名を公表することができる。

case 4-2

（1）　Cは，「P市町並み保存要綱」はきわめてすばらしいと考えており，それに従うことに異存はなかった。しかし，親子2世代で住んでいるCは是非とも居室だけは増やしたい。敷地面積は狭いので，そのためには高さを高くするしか方法はないが，Cの住む地域は第一種低層住居専用地域に指定されており，高い建物を建てることはできないと聞いた。P市役所の建築主事Bに相談したところ，Cの土

134　第4章　行政活動を実現する手段

地の面積では3階建て以上の建物は建てられないとの回答を得たCは、思い切って建築確認を受けずに実際には建てられないはずの3階建ての建物の建築に着手した。

(2) 建築を始めたところ、それが違法な建築物であることが市当局に知れ、市当局は迅速に手続を進めて、工事中止命令（工事を止めなさいという命令）を出した（建基9条10項）。出された工事中止命令には従わなければならないようだ。その証拠に、市当局は六法全書を見せて、従わないとCは裁判によって刑罰を科せられると言う。たしかにそうなっている（建基98条）。しかし、工事中止命令に従わないところで、罰金にとどまるようだし、そもそも起訴されることはあまりないと聞いているので（起訴されなければ裁判所から刑罰を科せられることはない。起訴するのは検察官だ）、そのまま命令を無視して建築を続けて完成させた。

命令を無視したのに結局何もなかった。これで安心と思っていると、今度は建物の3階部分の取壊し（除却命令）が命ぜられてしまった（意見書は一応出した。建基9条2項）。これも前回と同様に大丈夫と高をくくっていたら、突然、「代執行」をするという通知が来た。今度も大丈夫とみていたら、しっかりと3階部分が除却されてしまった。しかも費用はC持ちだそうだ。

(3) 建物の3階部分が除却されて呆然としていると、建物について固定資産税を払えという通知が来た。固定資産税を課すかどうかを決める基準日（1月1日）に家が固定資産課税台帳に登録されていたからである（地税342条・359条・380条）。どうやら税金を払えという命令は適法らしい。払わないでいたらどうなるのだろう。

(4) 3階部分を取り除かれてしまったから建物は住める状態ではない。とりあえず、同じ町のすぐ近くのアパートを借りて引っ越した。いろいろ法律では失敗したので、日常法律入門という本を買ってきて読むと、引っ越したら2週間以内に役所に届出が必要なようだ（住民台帳23条）。それをしないと「過料」というものが課せられるらしい（住民台帳52条2項）。もう懲りたので早速届出をした。

① 行政活動をどのように実現するか

市民にとって義務では
ないことをどのように
実現するか

case 4-1 の場合のように，法令で市民に義務づけられていないこと（しかし，行政にとっては望ましい状態）を行政が実現しようとすることはある。 case 4-1 のような場合はやや非現実的な設例だが，建築基準法や都市計画法による規制は一般に遅れるし，規制の内容自体も充分でないことが多い。それらの法律に従って建てられた建物でも，適切な町並みの実現という見地からすると，行政当局としてとても認められないものはたくさんある。そのような場合に，行政は要綱を定めて市民に協力してほしいことを書き入れることがある。場合によっては，水道を使用させないというようなことを書くこともある（ case 4-1 では要綱に書いてなかったが）。しかし，要綱は法令ではないから（行政規則である⇒119頁），要綱に書き込んであることを市民は義務づけられるわけではない。書いてあることはお願い，つまり「行政指導」でしかない（行政指導⇒109頁）。

行政手続法や行政手続条例には，行政指導に従わないことを理由として不利益な取扱いをしてはならないと書いてある（例えば，行手32条2項⇒115頁）。 case 4-1 でいう公表は不利益な取扱いに当たるか。一般には，公表が制裁の目的で行われるときは不利益な取扱いとなり，単なる情報提供として行われる際には不利益な取扱いではないと解されている（また，法令により公表をすることができると定められている場合には，不利益な取扱いに当たらないとされている）。 case 4-1 における公表はどう評価すべきか（要綱に書いてあるが，要綱は法令ではない）。制裁として行われていると見るならば公表は

136　第4章　行政活動を実現する手段

違法である。Aに損害が生じているならば，それを賠償してもらえる可能性もある。

いずれにせよ，制裁かどうかの区別は微妙だし，(case 4-1)に見られるように，公表は相手方に大きな影響を与える。制裁として行われる場合はもちろん，情報提供を目的として公表をする際にも事前の意見聴取などの手続を設けることは考慮されるべきである。

行政指導に従わない者（(case 4-1)のA）に対して水道の使用を認めないなどということはできない。行政手続法や行政手続条例が禁止する「行政指導に従わないことを理由とする不利益な取扱い」になるだろう。さらに，水道法などそのサービスの提供について定めた法律に違反すると見てよい（⇨112頁）。

――――――――――
市民に課せられた義務を
行政はどのように
実現するか
――――――――――

このように，市民にとって義務ではないことを実現してもらうのはなかなかに困難である。しかし，市民に義務が課せられているのであれば，話は別である。例えば，建築基準法に違反して建物を建ててしまい，取壊しを命ぜられた者（(case 4-2)のC）が自発的に取り壊さないときは，水道を供給しないと水道法に定めることはどうだろうか。水道を供給しないことは行政指導に従わせるため行われているのではない。違法な建物を取り壊すという義務の履行を強制するために行われるものであり（行政「指導」は義務を課すことができない），有効な義務実現の手段となる（現在，水道法に義務不履行を理由とした給水拒否は定められていない）。公表もまた有効な義務実現の手段となる。

しかし，このような手段を法律に設けることの合理性（義務を実現する手段としてやりすぎてはいないか）は，きちんと検討されなくてはならない。とりわけ，市民の生存にとって重要な行政サービス

137

（水道はそのひとつ）を停止することについては慎重であるべきだ（小田原市市税の滞納に対する特別措置に関する条例は，滞納者に対して行政サービスの停止等を行うことを定めている。手続として諮問機関の意見聴取と相手方に対する弁明の機会の付与を定める）。

義務の実現の手段はいろいろ

市民に課せられた行政上の「義務」の履行を確保する手段に焦点を合わせて考えると，今述べた「公表」や「行政サービスの停止」と， case 4-2 の(2)で見た建物の3階部分の除却命令の実現のために行われる「代執行」という手段はずいぶんと義務の実現のありようが異なる。

(1) プレッシャーをかける 「公表」が行われても，「行政サービスの停止」が行われても，それによって義務が直接に実現されるわけではない。むしろ，「公表」や「行政サービスの停止」は義務が履行されなかったからこそ行われる一種の制裁である。しかし，このような制裁が後ろに控えているということに意味がある。行政上の義務を履行しなかったら制裁がある，ということをおそれる人は，義務を自ら履行するという行動をとるだろう。「公表」や「行政サービスの停止」が義務の実現の効果を持つというのはこのような意味においてである。制裁の存在が市民を義務の履行へと心理的に導くのである。Cが刑罰を科せられる可能性がありながら，ちっとも工事中止命令に従わなかったのは（工事中止命令で課せられた，工事を中止するという義務を果たさなかったのは），彼は刑罰という制裁を科せられないと踏んだからであるし，また，科せられても罰金にとどまることから，彼にとって全く義務履行へのプレッシャーにならなかったのである。

(2) 義務を直接実現する 他方で，代執行は，それが行われる

と義務が実現された状態になる（ case 4-2 の(2)で3階部分が除却される こと）。義務を課せられた者が義務を履行しようと思わなくても，行政によって直接的に義務が実現されるのである。「公表」などによってプレッシャーを受ける場合には，いやいやであれ市民が義務を履行する意思（自発的な意思ではないが）を持つことによって義務が実現される。有無を言わさず義務が実現される代執行とは異なる。

ちょっと整理

こうしてみると，義務の実現のための制度には以下の2つのものがある（⇨巻末の「見取り図」も参照）。

(1) **間接的強制制度**　義務者の意思を媒介として，義務者に義務の内容を実現させるもの（つまり何らかの心理的なプレッシャーを義務者に課すことによって義務内容の実現をはかるもの）（⇨後掲③）。

(2) **直接的強制制度**　義務者の意思にかかわらず，行政が実力を行使して，義務の内容に適合した状態を直接に実現するもの（⇨後掲④）。

Column ⑤　現代的サンクション ・・・・・・・・・・・・・・・・・・・・・・・・・・

　高度経済成長期を迎えた日本では，それに伴う農村部から都市部への人の大量移動，モータリゼーションの発達，公害の発生，ベビーブームなどさまざまな要因が複合して，特に都市部において，1970年前後，現代型紛争（例えば，マンション建設会社と近隣住民の間の日照・電波障害・通風などをめぐる法的紛争）が多発した。その最前線に位置する市区町村は，十分な法的権限を与えられないままに，行政指導を駆使して，紛争の防止・解決に乗り出した。

　しかし，行政指導は事実行為（⇨77頁）であり，それだけでは実効性に乏しいので，行政指導と他の手段を組み合わせる手法が編み出された。 case 4-1 のような，指導に従わない者の氏名の公表，行政サービス（ごみの回収，水道水の供給，建築確認など）の拒否とい

139

った手法である（氏名の公表は，昨今のコロナ禍での時短営業要請違反
〔特措法〕や，日本入国時の誓約違反〔検疫法〕などでも取り入れられた）。
それらの中には一部行き過ぎた動きも見られたため，法廷で争われ，
行政法判例の形成に寄与した（それを最も象徴するのが，いわゆる武蔵
野マンション事件⇨114頁，127頁）。

　他方，独占禁止法や金融商品取引法に取り入れられている「課徴
金」の制度は，昨今，環境法制の中でも「環境課徴金」「排出課徴
金」などとして論議されている。また，課徴金の制度が侵透・定着
したことを前提に，逆にそれを減免するという仕組みが米国やEU
で考え出された。リーニエンシー（liniency）と呼ばれる制度で，
「（おかみの）寛大さ」という意味である。日本でも独禁法の改正で，
2006（平成18）年1月から運用が始まった。秘密裏に結ばれたカル
テル（ゆえに摘発が難しい）の存在を当局に申し出た者には，課徴金
を減免するという制度である（独禁7条の4）。

　これらの課徴金のすべてが同一・同質の性格を持つとは限らない
が，一種のサンクションとして機能していることは疑いがない（昨
今のコロナ禍での，マスク不足に乗じた「転売ヤー」に対する，「特定標準
価格」を超えた差分への課徴金〔国民生活安定緊急措置法〕など）。

　そこで，行政法理論では一方では課徴金，他方では前述した各種
行政サービスの拒否，氏名の公表などを「現代的サンクション」と
して論じようとしている。『はじめての』でそれがどのように取り
扱われているかについては，読者のみなさんに自らの目で確かめて
ほしい。なお，「新型コロナウイルス感染症と行政法制」について
は，本書「あとがき」②を参照。

━━━━━━━━━━━━━━━━━━━━━━━━━━━ Level **3** ━━━

② 義務にもいろいろ

　法律学では義務を①「ある行為を積極的に行う作為義務」と②
「ある行為をしない不作為義務」に大別する。これらの義務を，(a)
義務者本人以外の他人が代わって行うことのできる義務（代替的義
務）なのか，(b)他人が代わって行うことができない義務（非代替的

140　　第4章　行政活動を実現する手段

義務）なのかという観点から分類すると，まず，不作為義務は他人が代わって行えない義務である。義務者である本人がしないことが必要で，他人が代わって不作為をしても意味はない。例えば，営業停止を命じられた者の代わりに他人が営業を休んでも意味はない。 case 4-2 の(2)でも工事中止命令は不作為義務を課すが（「するな」という義務だから），これを他人が代わって履行することはできない。不作為義務は本質的に非代替的義務である（②(b)）。作為義務は義務によって，代替的（他人が代わって行える）であったり，非代替的（他人が代わって行えない）であったりする。議会で証言をする義務は非代替的作為義務である（①(b)。ヘンな話，私がトイレに行けと命じられたのに〔作為義務〕，あなたがトイレに行って何の意味があるのか）。他方，建物の除却の義務は代替的作為義務である（①(a)）。誰が除却を行ったところで変わりはない。

このように，義務の性質はいろいろで，その性質によって義務を実現する手段が異なってくるので注意しよう。

③ 間接的強制制度

後に見るように，直接的強制制度はおおむね守備範囲が決まっているが，間接的強制制度は原則としてどんな義務にも使える（ただし，相手の意思を抑圧したのでは義務の本来の内容が実現されない場合には使えない。例えば，芸術作品を国のために制作する義務を考えよ。プレッシャーをかけても意味はない）。心理的プレッシャーをかけるだけだからである。

執 行 罰
（将来の義務履行を促す）

間接的強制制度には前述の「公表」や「行政サービスの停止」がこれに当たる。加えて，現在は砂防法36条しかない特殊な義

141

務実現の手段がある。それは「執行罰」と呼ばれるもので，義務を履行しない時は「過料」を課すことを予告して義務の履行を促す制度である。やはりこれも心理的プレッシャーをかけている。執行罰で課される過料は刑法に定められている刑罰ではないので，二重処罰の禁止の原則（刑罰は同じ行為に対して何度も科せられない）は適用がなく，義務が履行されない場合には何度でも課すことができる。しかも，裁判所の手を借りずに行政の判断によって課すことができる（自力執行⇨148頁）。

　戦前においては一般的な義務履行確保の手段の１つであった執行罰の制度が，戦後あまり設けられなかった理由は，過料額が少なくて効果が薄かったことに加え，執行罰と同様に心理的プレッシャーにより間接的に義務実現をはかる行政刑罰（裁判手続によって科される）がいろいろな領域で整備されたからだと言われているが，上に見たように，執行罰には行政刑罰にはない実効性（何度でも課せる）・機動性（行政限りで課せる）を期待できる。過料の額を大きくして威嚇効果を増せば，有効な義務履行確保の手段となるだろう。

行　政　罰
（過去の義務違反への制裁）

執行罰と名前も似ているし，プレッシャーがかかるという点でも似ているものとして，行政罰と呼ばれる「罰」がある。

case 4-2 のＣは罰を科せられることをおそれなかったわけだが，おそれた場合にはどうなるか，Ｃは除却命令に従う（義務を果たす）だろう。このような心理的圧力は，執行罰の場合と同様である。たしかに，執行罰は将来の義務履行を促すために課されるもので，行政罰は過去の義務違反に対する制裁として科されるので，制度の目的は明らかに違っているが，行政罰には（正確には行政罰の存在には）執行罰と同様に間接的に義務履行を実現する力がある。 case 4-2

の⑷で，Ｃが住民基本台帳法に基づいて転居届をしたのは，過料というプレッシャーに負けたのだろう。このように罰の威嚇により義務の実現をもたらすのが「行政罰」である（行政罰には２種類あり，刑法に名前のある罰を科す場合と，過料という名の罰を科す場合とで区別されている。前者は「行政刑罰」と呼ばれていて，裁判手続によって科され，刑法総則，刑事訴訟法の適用がある。後者は「行政上の秩序罰」と呼ばれていて，裁判とは異なった手続で科され，刑法総則，刑事訴訟法の適用はない）。

　戦後は，国民の権利保護の観点から，裁判手続によって科される行政刑罰が義務履行確保の手段として最も期待されたが，現実には機能していないとされる。言うまでもないことだが，行政機関に刑罰を科す権限はない。したがって，行政上の義務違反があった場合，捜査当局に告発しなくてはいけないが，このことは，行政機関の事務を増やすし，捜査当局との関係では自らの無能を示すことになるので，ためらわれる。また，捜査当局だけでなく裁判所も多忙さから行政刑罰を好まない傾向がある（起訴されることはあまりないだろうという case 4-2 のＣの予測は当たった）。

４　直接的強制制度

代　執　行
（行政機関が代わりに行う）

　 case 4-2 にある建物の除却の義務のような，他人が代わって行うことのできる義務（代替的作為義務⇨141頁）の実現のために用意された手段が，その名のとおり，「代」執行である。代執行は，市民が代替的作為義務を履行しないときに，行政機関が自ら義務者のなすべき行為をし，または第三者にさせ，これにかかった費用を義務者から徴収する制度である。

143

もっとも，代替的作為義務の実現には，間接的強制制度も用いることができる。例えば，建物の除却命令に従わない場合には，刑罰が科せられる（建基98条）。この刑罰の存在は義務者を威嚇により間接的に強制している。間接的強制制度と直接的強制制度は義務内容の実現をはかるやり方が違うから，2つの制度が同じ義務に並存していても差し支えない。

直接強制
（万能の義務履行確保手段）

　このように，代替的作為義務を直接的に実現する場合には，代執行が行われる。非代替的作為義務や不作為義務には，代執行が使えないから，執行罰や行政罰などの間接的な強制手段が使われることになろう。しかし，直接的強制制度の代執行や間接的強制制度の行政罰や執行罰などが適切に機能しない場合がある。

　例えば，ある川の土手に違法な建物が建てられて，川の水が増水すると，これが原因となって土手が決壊する危険があり，現に決壊するおそれが出てきたとしよう。このとき，建物の除却を命ずることが法律上できるし（河75条1項により可能），除却という行為は他人が代わって行えるから，代執行を行うことはできる。簡略な代執行も可能だが（代執3条3項），しかし，この場合，代執行の手続をとる暇はない。そのような悠長なことはできない。執行罰も期限を定めて過料の納付を命じてプレッシャーを課すのであるから，そんなことをしていたのでは土手は崩れてしまう。

　たしかに，間接的強制制度は，基本的にどんな義務についても使えるし，制裁として予定されていることによっては効果がある（行政サービスの停止など）。しかしそれとて，心理的プレッシャーを感じない者にとって効果はない。また，お金のあまりない人にとっては，執行罰や行政罰は威嚇効果を持ち得ない場合もあるし，逆に，

144　　第4章　行政活動を実現する手段

お金をたくさん持っている人にとっても威嚇効果がない場合もある。

このような場合に有効な行政上の義務履行確保の手段はないのか。それはある。ほぼ万能のものが。それが「直接強制」である。

先ほどの土手の決壊をもたらすおそれのある建物の場合には、除却を命じて（義務を課して），直ちに行政の手で除却することにすればよい（もっともこの場合，義務をひとまず課す時間もなければ，即時強制という手段を使うしかない⇨146頁）。このように，直接強制は，義務者の身体又は財産に直接実力を行使して，義務の履行があった状態を実現するものだから，基本的にどのような義務にでも使える。例えば，case 4-2 の(2)の工事中止命令（不作為義務）の場合にも考えられる。実力をもって工事を停止させるのである（ただし，直接強制を行うには法律の根拠が必要だが，現在これを定めたものは少ない——直接強制に限らず，行政上の義務履行確保の手段を作るには法律の根拠が必要）。

直接強制の
守備範囲

このように，直接強制は大変便利な手段ではある。しかし，相手の身体や財産に直接手をかけるのだから，乱暴な手段ではある。そのため，戦後は，国民の権利保護の観点から，財産に直接手をかける強制徴収（下記）を別にして，一般的な義務履行確保手段とはされていない（直接強制の例：学校施設の確保に関する政令21条による学校施設の目的外使用禁止・返還命令の直接強制。直接強制は第二次大戦前には，最終的な，しかし一般的な行政上の義務履行確保手段とされていた）。

強 制 徴 収

行政上の金銭給付義務（作為義務の一種と見てよい）の義務履行確保の方法としては，滞納処分手続（行政上の強制徴収）というものが用意されている（税

145

徴47条以下・89条以下・128条以下）。行政法の世界ではそう言わないが，実はこの行政上の強制徴収も直接強制の性格を持っている（民事の世界では直接強制と呼んでいる）。金銭給付義務も他人が代わって履行することはできないと考えるべきで，その強制的実現のためには，代執行は使えない。行政が直接的に義務を実現するには，有無を言わさず金銭を強制的に取り上げるしかない。 case 4-2 の⑶で，固定資産税を払わないでいると，この滞納処分手続に進んで強制的にお金を取られてしまう。

⑤ 義務を課している暇のない場合 —— 即時強制

　火事が発生して延焼を食い止めるために，まだ燃えていない隣の家を除却しなければならないとしよう。直接強制が法律で認められたとして，直接強制は「義務」の実現のための手段なのであるから，まず，建物の所有者に対して「建物を除却しなさい」と命じて義務を課すことが前提となる。しかし，延焼の危険が迫っているのに，所有者を見つけてきて義務を課すなんてことができるのだろうか。こんなときには，いきなり行政が実力を行使することがある。消防法29条にはそのことができると書いてある（消火活動時の建築物等の使用・処分等）。このように相手方に義務を課すことなく，行政が実力を行使して行政目的を達成する手段を「即時強制」（即時執行）と呼んでいる。「即時」というのは，緊急性，時間的な切迫性を指すのではなく，実力行使に先立って義務を課す段階がないことを意味する。

　例えば，地震で家が倒壊しようとしているときに，その中にいる人に対して，危ないので退去しなさいと命じて，従ってもらえなければ実力で避難させる（これは直接強制となる。人が避難するという行

146　　第4章　行政活動を実現する手段

為は他人が代われない）などという悠長なことはしていられない。ただちに，避難させなければならない（警職4条に根拠がある）。これも即時強制である。

即時強制は，行政上の「義務」実現の手段ではないのだから，理屈の上では行政上の「義務」実現の手段である直接強制とは異なる。しかし，区別が困難な場合もある。

即時強制と言われているものには，他に，例えば次のものがある。感染症の予防及び感染症の患者に対する医療に関する法律17条（強制検診），同法19条（強制入院），屋外広告物法7条4項（広告物除却）などである。

Column ⑥ 行 政 調 査 ●•◦•◦•◦•◦•◦•◦•◦•◦•◦•◦•◦•◦•◦•◦•◦•◦•◦•

今日「行政調査」と呼ばれる行政活動は，当初，「行政強制」という項目で論じられていた。すなわち，行政強制は，①行政上の強制執行と，②行政上の即時強制（即時執行）とに分けられ，「行政調査」は②の一類型である，と理解されていた。

古典的な教科書では，①は強制の前に命令による義務づけを差しはさむが，②は差しはさまない点に違いがある，と説かれていた（田中『行政法(上)』）。その後，藤田宙靖先生が①を「三段階構造モデル」（法律 → 命令〔的行政行為〕→ 強制⇨68頁）であると喝破され（藤田『行政法Ⅰ』），それとの対比で言えば，②は「二段階構造モデル」であることが明らかになった。

それと相前後して出された雄川一郎ほか編『行政強制』（ジュリスト増刊・1977）の頃から，上記②（即時強制）の中でも，(ア)狭い意味での即時強制と，(イ)今日「行政調査」と呼ばれるものはその性質を異にする，と考えられるようになった。

なぜなら，(ア)は火災現場で火を消すとか，路上で寝込んでいる酔っぱらいを保護する際に有形力を行使すること（＝強制）が「自己目的」である。これに対し，(イ)では保健所の立入調査や税務署の税務調査などの際，相手方の抵抗を排除して有形力を行使することはあり得るが，それは別の目的（公衆衛生の維持や公正な徴税）に

147

つかえる手段である，という点に違いがあるからである。

こうして，「行政調査」という類型が独立化を果たしたのだが，今日ではそれが多くの機能を持っていることが承認されている。①情報の収集・管理の機能，②行政活動の準備的な機能，それと③調査自体も行政活動であり，やはり強制の機能もあること（⇨第4章）である。

なお，行政調査自体は事実行為（⇨77頁）なので，取消訴訟などの事後的救済手段は役に立たない（ただし，損害が発生すれば，国家賠償責任の追及は可能である〔⇨第6章〕）。そこで，事前に手続で縛る必要がある（⇨第3章）。しかし，現行の行政手続法（一般法）に規定は置かれていないので，個別法の解釈問題として考える必要があろう。

◆◆◆◆◆◆◆◆◆◆◆◆◆◆◆◆◆◆◆◆◆◆◆◆◆◆◆◆ Level **3** ◆◆◆◆

もう一歩先へ

他力執行・自力執行　　行政は，自分の手・で，相手方の市民に課せられた義務を実現する。市民は，裁判所の助けを借りて，相手方の市民に課せられた義務を実現する。

最後にこの重要なことを確認しておこう。

case 4-2 で，Cの家の隣地に住むDがCの建物は建築基準法違反で（その通り），おかげで日照，通風が悪くなったとして，Cの建物の3階部分を除却してほしいと考えた。Dの主張は正当であることが明らかだった。それではこの場合，Dは自分で直ちにCの建物を除却できるか。

それはノーである。Dは裁判所に訴えてその主張が正当であることを認めてもらったうえで，裁判所の手を借りて，強制的に建物を除却してもらわなければならない。これが市民対市民の民事の世界の原則である。民事の世界では，正当な権利であっても（相手方は義務を負っていても）自らの手で強制的に相手方が負っている義務を実現できず，裁判所の助力がなければならないのである（⇨89頁。

このような義務実現の仕方を「他力執行」と呼んでいる）。裁判所（司法）の力を借りるから「司法的執行」と呼ぶ。

　行政主体対市民の行政の世界はどうか。法律に基づいて行政から市民に課せられた義務は，裁判所の手を借りなくても行政限りで強制的に実現することが認められている。市民に課せられた義務を行政が自ら実現するのであるから，「自力執行」が認められていると表現する。このような執行のあり方を「行政的執行」と呼ぶ。行政的執行は強い力である。しかし，いつも行政的執行ができるわけではない。法律が認めた場合にのみできる。そのような特別の法律がない場合には行政といえども裁判所の助力を得なければ義務の実現はできない（行政的執行が法律によって認められていない場合に，司法的執行〔民事執行の手段＝市民対市民における義務実現の手段〕を利用できるかについて最高裁判所は，「行政上の義務」〔建物建設を中止しなさいと行政から命じられたような場合〕については否定している。国や地方公共団体が私人と同様に財産権の主体として司法的執行の手段を利用することは認めている。宝塚市パチンコ条例事件：最判平 14・7・9。行政的執行の手段が認められている場合に，それを使わず，司法的執行の手段が利用できるかについても議論がある）。

> さらにもう一歩先へ

行政の実効性確保手段の機能不全

前述したように，さまざまな行政上の義務履行確保手段が用意されている。

　しかし，非代替的作為義務や不作為義務については，行政罰を除くと，法律が特別に義務履行確保手段を置かない限り強制手段がない（万能の直接強制はほとんど設けられていない）など，制度そのものの不備もある（行政活動に特別な義務履行確保の手段〔行政的執行〕が法律で定められていない時に，司法的執行の手段を使えるかという点につい

ては，上で触れた）。

　加えて，現に存在している手段も充分には機能していないとされ
ている。例えば，行政上の強制徴収も，税金を除くとあまり使われ
ない。代執行もほとんど使われず，全国で年間数件にとどまる（そ
もそも代執行の前提となる是正命令等——相手に義務を課す行為——がほ
とんど出されない。行政指導〔⇨109頁〕による対応がほとんど）。いろい
ろ原因はあるだろうが，手続がきわめて煩瑣で面倒であること（代
執行だと準備期間は半年に及ぶとされる），代執行や強制徴収を行うこ
とに対する世間一般の評価がよくないこと，場合によっては担当職
員の専門知識が欠如していることもその原因としてあろう。

　執行罰は前述したように（⇨141頁），現在では特殊な例外を別と
して規定されていないし，市民の権利保護の観点から，義務履行確
保の方法として最も期待された行政刑罰も，指摘したように，行政
が自ら刑罰を科すことはできず，捜査当局への告発は事務を増やし
たり，自らのメンツを失うことになるなど，それを機能させること
を抑制する要因がたくさんある（⇨143頁）。

　総じて，法律に基づいて行政によって国民に課せられた義務の履
行確保は充分になされていない可能性がある。ある種の法分野（例
えば，建築法分野）では法違反が常態化しているとの指摘がなされる
こともある。

　また，行政活動の多様化によって，厳格な意味での義務ではなく
ても，行政上望ましい状態の実現が市民に求められる場合がある
（ case 4-1 ）。このような事態に従来の「義務」履行確保の制度は
対応できない（「義務」を実現してほしいのではないから）。だから，本
文で言及した「公表」や「行政サービスの停止」などの新しい手段
が，義務の実現のためではなく，行政指導で求めたこと（相手にと

って「義務」ではない）の実現のために用いられるのである。しかし，これらの手段は，いろいろな点で問題を生ずる。例えば，法律の根拠なしにそのような「強制」手段をとってよいのか（法律の留保の観点からの問題。 case 4-1 の給水拒否に法律の根拠はない⇒112頁），それらの手段をとる際の手続をどうするか（適正手続の観点からの問題。 case 4-1 の公表は事前の意見聴取等の手続なしに行われている），権利救済をどうするか（公表や行政サービスの停止をどう市民が争うか）といった問題である。

第5章 国民の権利利益の救済方法 (1)
～行政作用を是正する行政争訟制度～

1　行政不服申立て
2　行政事件訴訟

● この章のあらまし ●

1 **行政争訟制度とは**　　行政の違法な行為により損害を被った場合，誰に対し，どのように救済を求めればよいのだろうか。これを論じるのが，「行政救済法」と呼ばれる分野である。行政救済法は，「国家補償」と「行政争訟」という2つの柱から構成される。このうち本章で扱うのは，行政争訟制度である。

　具体的に，運転免許を取り消された場合を考えてみよう。まず考えられるのは損害賠償（国家賠償）を請求するという方法である。お金で解決するという考え方であるが，たとえ損害賠償請求が認められたとしても，免許がなければ運転することはできない。問題を根本的に解決するためには，免許取消処分をなかったことにしてもらう必要がある。このように，各種行政作用の取消しその他の是正を求めるための制度を行政争訟制度という。

　行政争訟制度は，「行政不服申立て」と「行政事件訴訟」に分けることができる。行政不服申立ては行政に救済を求める方法であり，

行政事件訴訟は裁判所に救済を求める方法である。いずれも国民の権利利益を救済し，行政の適正な運営を確保することを目的とするが，行政不服申立ては，行政のセルフ・コントロールの仕組みとして位置づけることができる。

2 **行政不服申立てとは**　まず，行政不服申立てについては，「行政不服審査法」という一般法が存在する。行政に救済を求めるというと陳情の類を思い浮かべがちであるが，処分庁による弁明書の提出，不服申立人による反論書の提出等が行われ，裁決の形で審査結果が示される正式な手続であるから，不服申立てとインフォーマルな陳情とは全く性質が異なる。

　時間もお金もかかる裁判に比べ，不服申立ては，簡易・迅速な手続であり，違法な行政処分のみならず，不当な処分も争えるというメリットがある（⇨84頁注4）。その反面，行政自身が自分の行為をチェックするのだから，中立性や国民の目からみた公正らしさの確保という観点からみると，裁判に劣る面は否めない。不服申立てを行ってから訴訟を提起するか，それとも不服申立てを経ずに直接訴訟を提起するかは，原則として本人の自由であるが（自由選択主義），例外的に，不服申立てを経なければ訴訟ができないとされている場合もあるから注意が必要である（⇨193頁）。

3 **行政事件訴訟とは**　行政事件訴訟については，「行政事件訴訟法」という一般法が存在する。一般に，裁判には民事事件と刑事事件があり，民事訴訟法と刑事訴訟法という法律があることは知られている。しかし，行政事件訴訟については，そのような種類の訴訟があるということすら知らない人が多いのではなかろうか。

　行政事件訴訟を提起する場合には，①誰が訴訟を提起することができるか（原告適格），②誰に対して訴訟を提起しなければならないか（被告適格），③いつまでに訴訟を提起しなければならないか（出訴期間），④何を対象にどのような訴訟を提起すべきか等に関し，

一定の要件を充たす必要がある（⇨183頁以下）。

行政事件訴訟は，抗告訴訟，当事者訴訟，民衆訴訟および機関訴訟に大別される（⇨169頁）。これらのうち，最も重要なのは，抗告訴訟である。抗告訴訟は，行政庁の公権力の行使に対する不服の訴訟であり，運転免許の取消処分の取消しを求めるような場合（取消訴訟）が典型例である（⇨175頁）。しかし， case 3-2 や case 4-1 のように，建築主事がなかなか建築確認を出してくれないような場合には，取消訴訟を提起することはできない。この場合，建築主にとっては，申請を放置すること自体が違法であるとの確認を求めたり（不作為の違法確認訴訟），より直截に，建築確認を出すように求める訴訟（義務付け訴訟）が必要となろう。逆に高層マンション建設に反対する住民からすれば，建築確認が出されてしまってから，その取消しを求めるよりも，建築確認の差止めを求めることができれば便利である。

本章では，いかなる場合に，どのような不服申立てや訴訟を提起することができるかを考えることにしよう。

1 行政不服申立て ——行政に救済を求める方法

① 行政不服申立てとはどのような制度か ——意義と種類

行政不服申立てとは 　行政不服申立てとは，行政庁に対し，違法・不当な処分の取消しその他の是正を求める制度である。「あらまし」で述べたように，各種の行政作用を争う方法には不服申立てと訴訟という2つの方法がある。いずれも，

1　行政不服申立て　**155**

①国民の権利利益の救済と，②行政の適正な運営の確保を目的とする（行審1条）という点では共通していると考えられるが，不服申立てには，さらに，裁判所の負担軽減という機能もある。行政のセルフ・コントロールの仕組みである不服申立てと司法の作用である訴訟との異同に留意しながら，制度の特徴を理解しよう。

　不服申立てについては，行政不服審査法（以下，行審法）という一般法が存在する。行審法は，行手法の制定や行訴法の改革が行われたことを受けて，2014（平成26）年6月に抜本的に改正された。2016（平成28）年4月に施行された新法では，①公正性の向上，②使いやすさの向上，③国民の救済手段の充実・拡大の観点から，審理員による審理や第三者機関への諮問手続が設けられるなど，従来の仕組みが一新された。

　また，行審法に基づく不服申立てのほかにも，個別法に基づく不服申立てが存在する。審査の申立て（地公災70条），異議の申出（自衛105条7項）等，行審法に基づく不服申立てと紛らわしい名称のものもあるが，個別法に基づく不服申立てについては行審法が適用されないことも多い。

不服申立ての種類

旧行審法では，①異議申立て，②審査請求，③再審査請求，という3種類の不服申立てがあった。異議申立ては処分庁に対する不服の申立てであり，審査請求は，処分庁以外の行政庁（上級行政庁や第三者機関）に対する不服申立てであり，この2つが不服申立ての柱であった。これに対し，新法では，異議申立ての制度が廃止され，審査請求に一元化された（行審2条）。

　ただし，異議申立てが廃止された代わりに，一定の処分（国税の場合等）については，審査請求に先立ち，処分庁に対し「再調査の

不服申立ての仕組み

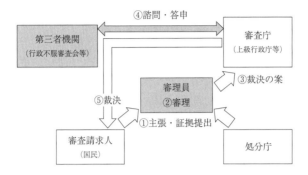

請求」(行審5条)ができることとされた(自由選択制。税通75条3項等)。

再審査請求は、審査請求の裁決に不服がある場合に、さらに行う不服申立てであり、特別の法律の定めがある場合に限り認められる、例外的な不服申立てである(行審6条)。例えば、市長等が行う生活保護決定に関する知事の裁決に対しては、さらに、厚生労働大臣に対する再審査請求が可能とされている(生活保護66条)。

また、不作為に対する不服申立てについては、異議申立てと審査請求のいずれか1つをすることができ、どちらを選択してもよいとされてきたが、新法では、審査請求に一元化された(行審3条)。

不服申立てと苦情処理　不服申立てよりも、さらに簡易迅速な紛争処理の手法として、「苦情処理」がある。これは、さまざまな市民の苦情に対し、行政機関が何らかの対応をすることをいう。例えば、有料道路の障害者割引制度を利用しようとしたが、手続が煩雑で使いにくいというような場合、行政相談委員法に基づく行政相談委員に苦情を申し出ることができる。行政相談委員は、苦情を関係行政機関に通知したり、必要な助言をしてく

1　行政不服申立て　**157**

れるが，処理の方法に明確なルールがあるわけではなく，法的効果
や強制力のある対応がなされるわけでもない。

　また，条例により，オンブズパーソン制度を導入している地方公
共団体もある（川崎市市民オンブズマン等）。オンブズパーソンは，市
民の苦情を受け付け，中立的立場から原因を究明し，是正勧告等を
行う。この制度は，苦情処理の場合よりも，行政監視という要素が
強い。もともとスウェーデンで生まれた制度であり，世界各国に広
がっているが，日本では，国による法制化には至っていない。

② 不服申立てはどのように提起すればよいか

| 不服申立事項 |

　不服申立ては，原則として，行政庁のすべ
ての処分に対してすることができる（一般
概括主義）。ここでいう行政処分には，事実行為（外国人の送還前の収
容等。「事実行為」⇨77頁）も含まれることに注意しよう（行審46
条・47条参照）。また，法令に基づく申請に対し，相当の期間が過ぎ
ても何らの処分も行われない場合には，当該不作為に対する不服申
立てをすることができる（行審3条）。 case 3-2 や case 4-1 のよ
うに，建築確認を申請したのに，いつまで経っても確認を出してく
れないという場合がこれに当たる。

　訴訟では，違法な処分しか争うことができないのに対し，行政の
セルフ・コントロール手段である不服申立てにおいては，不当な処
分（違法とまではいえないが，不適切な処分）も争うことができる。不
服申立制度は，裁量の範囲内の処分を見直すことのできる最後の機
会なのである（⇨84頁注4））。

　なお，行審法の改正過程では，2004（平成16）年の行訴法改正に
より，差止訴訟（⇨182頁）や義務付け訴訟（⇨179頁）が法定され

158　第5章　国民の権利利益の救済方法（1）

たこと等に対応し，処分の差止めや義務付けを求める不服申立ての導入，行政指導に対する不服申立て等，救済方法および対象事項の充実・拡大が大きな争点になった。この点については，行審法の中に，いわゆる申請型義務付け訴訟（⇨180頁）に対応する裁決の規定が設けられたほか（行審46条2項），行審法と行手法の役割分担等の観点から，行手法の改正により，一定の処分等を求める申出や行政指導に対する中止等の申出が法定されるにとどまった（行手36条の3・36条の2⇨108頁，116頁）。

　訴訟については，憲法により裁判を受ける権利が保障されているのに対し，不服申立てには，その保障が及ばない。実際，行審法（行審7条）又は個別法により不服申立てができないとされている事項（除外事項）は，学生の懲戒処分（停学処分等）や帰化処分をはじめ意外に多い。

不服申立人適格

不服申立てをするには，不服申立ての利益がなければならない。自分の利益と全く関係のない，赤の他人に対する課税処分を争うことができないのは当然であるが，不服申立ては行政のセルフ・コントロール手段であるから，訴訟の場合よりも広く不服申立てを認めることが，本来は制度の趣旨に合致すると考えられる。行審法も，処分に「不服がある者」に不服申立てを認めているが（行審2条），判例および実務は，不服申立てを提起するためには，処分取消訴訟（⇨175頁）の場合と同様に，法律上の利益が必要であると解している。法律上の利益は何かということについては，行政事件訴訟のところで詳しく述べることにする（⇨186頁）。

審査庁

不服申立ては，誰に対して提起すればよいのだろうか。審査請求の審査庁は原則とし

1　行政不服申立て　**159**

て処分庁等の最上級行政庁となるが，上級行政庁がない場合には，当該処分庁等である（行審4条）。

ただし，特別の法律の定めにより，第三者機関が不服申立庁とされている場合もある。例えば，　case 3-2　のように建築主事がした建築確認については，市長ではなく，建築審査会に審査請求を提起しなければならない（建基94条1項）。

不服申立期間 　不服申立ては，いつまでも提起できるわけではない。旧行審法によれば，不服申立てをすることのできる期間は，原則として処分を知った日の翌日から起算して60日とされていたが，新法では3か月に延長された（行審18条1項）。また，処分の日の翌日から1年を経過すると，「正当な理由があるとき」を除き（⇨192頁），処分を知っていたか否かにかかわらず，不服申立てをすることができない（行審18条2項）。

それどころか，特別の法律の定めにより，行政事件訴訟の前に審査請求をすべきものとされている場合（審査請求前置）には，不服申立期間を徒過すると訴訟もできなくなってしまうから，注意が必要である（行訴8条1項ただし書）。

教示制度 　市民の中には，不服申立てという制度が存在することすら知らない人も多いであろう。そこで，行政庁が処分を書面でする場合には，処分の相手方に対し，①その処分につき不服申立てができる旨と，②不服申立庁，③不服申立期間を「教示」しなければならない（⇨109頁）。また，利害関係人（例えば，付近住民）は，教示を請求できるとされている（行審82条）。

執行不停止の原則 　不服申立てをしても，その結果が出るまでには時間がかかる。しかし，不服申立てを

160　第5章　国民の権利利益の救済方法（1）

提起しただけでは，原則として処分の執行等は停止されない（行審25条1項。執行不停止の原則）。そのため，(case 3-2)の建築確認の場合であれば，不服申立ての審査を行っている間に，どんどん建築工事が進んでしまう可能性がある。

そこで，審査庁は，「必要があると認める場合には」，申立てにより，又は自らの判断（職権）で（不服申立庁が上級行政庁又は処分庁の場合），処分の執行停止をすることができる（行審25条2項・3項）。さらに，処分の執行等により生ずる重大な損害を避けるために緊急の必要があるときは，原則として，執行停止をしなければならないとされている（行審25条4項）。これに対し，行政事件訴訟の場合には，必要があるというだけでは執行停止をすることができず，「重大な損害を避けるため緊急の必要がある」という場合にはじめて，申立てにより執行停止をすることができるにとどまる（行訴25条2項⇒195頁）。不服申立ては，行政のセルフ・コントロール手段であるから，訴訟の場合よりも執行停止が広く認められているのである。

③　不服申立ての審理はどのように行われるか

――――――――――
審理員による審理
――――――――――

裁判と異なり，不服申立ての審理は，書面審理が原則である。これにより，迅速な審理が期待される。ただし，不服申立人が希望すれば，口頭で意見を述べる機会を与えなければならない（行審31条1項）。

　行政が行う不服申立ての審理については，裁判に比較して，公正性の確保が課題となる。そこで，新法により，公正性の向上の観点から，審理手続について大きな改革が行われた。第1に，行政職員ではあっても当該処分に関与しない者（審理員）が審理を行う。第

1　行政不服申立て　**161**

2に，審査請求人が希望しない場合等を除き，審査庁は，裁決について，有識者から成る第三者機関（行政不服審査会等）に諮問を行う。第3に，審査請求人の手続的権利が拡充された。

すなわち，審査請求がなされた場合，審査庁は，審理員を指名する。審理員は，処分庁等に対し，弁明書の提出を求め（行審29条2項），審査請求人は，これに対する反論書を提出することができるほか（行審30条1項），新法により処分庁への質問権も法定された（行審31条5項）。審査請求人と処分庁等が証拠書類等を提出することができるのは，裁判の場合と同じであり（行審32条），審理員は，物件の提出，参考人の陳述等を求めることができる（行審33条以下）。審査請求人は，新法により，処分庁から提出された書類等の閲覧だけではなく，その写しの交付等も求めることができるようになり，審理員は，正当な理由があるときでなければ，これを拒むことができない（行審38条1項）。

審理員は，審理手続を終結したときは，審査庁に審理員意見書を提出しなければならず（行審42条），審査庁は，一定の場合を除き，当該意見書等を添えて，行政不服審査会等に諮問しなければならない（行審43条）。

| 職権審理 |

民事裁判であれば，裁判所は，両当事者が提出した証拠に基づいて判決を下すが（弁論主義），不服申立ての場合には，広く職権審理主義が妥当する。すなわち，審理員は，当事者の申立てがなくとも職権により，物件の提出要求（行審33条），参考人の陳述・鑑定の要求（行審34条）等をすることができる。

④ 不服申立てに対する判断——裁決

審査請求に対して下される判断を「裁決」という。なお，再調査の請求に対して下される判断は「決定」という（行審58条以下）。

裁決には，次のような種類がある（行審45条以下）。

却下と棄却

不服申立てがそもそも不適法であるときは，その不服申立ては「却下」される。例えば，不服申立期間を徒過した場合には，いわゆる門前払いとなる。これに対し，不服申立てそのものは適法ではあるが，処分が違法でも不当でもないときは，その不服申立ては，理由がないとして「棄却」される。

ただし，例外的に，処分が違法又は不当であるにもかかわらず，処分の取消し・撤廃によって公の利益に著しい障害を生ずる場合には，不服申立てが棄却されることがある。これを「事情裁決」という（行審45条3項）。このような制度は不服申立てに特有のものではなく，行政事件訴訟の場合にも，事情判決と呼ばれる仕組みが存在する。そこで，その詳細については，訴訟のところで取り扱うこととする（⇨199頁）。

認　容

審査請求人の不服申立てに理由があるときは，不服申立てが認容される。第1に，処分（事実行為を除く）が違法又は不当であるときは，その処分の全部又は一部が取り消される。不服申立てが行政内部のセルフ・コントロールの仕組みであることから，審査庁（上級行政庁又は処分庁の場合に限る）は，不服申立人の不利益にならない限度で（不利益変更の禁止），その処分を変更することもできるのが特徴である（行審46条・48条）。また，申請型義務付け訴訟（⇨180頁）に対応し，申請型義務付け裁決が可能とされている（行審46条2項）。

第2に，事実行為に対する不服申立ての場合には，その事実行為の撤廃・変更を命じ，又は自ら撤廃・変更する（行審47条）。

第3に，不作為に対する不服申立ての場合には，上級行政庁である審査庁は，当該不作為庁に対し，一定の処分をすべきことを命じ，当該不作為庁である審査庁は，当該処分をすることとなる（行審49条）。

裁決の効力

不服申立ては裁判と同様の争訟裁断行為であるから，審査庁自らも裁決に拘束され，職権による取消し・変更ができなくなると考えられる（不可変更力⇨98頁）。紛争の蒸し返しを避けるという趣旨である。

裁決期間

不服申立てをしてから裁決・決定が下されるまでに，どのくらいの時間がかかるのだろうか。申請に対する処分については，行手法により標準処理期間（⇨101頁）を定めるよう努力義務が課されているが（行手6条），行審法においても，裁決をなすべき期間（裁決期間）について，標準審理期間を定める努力義務規定が設けられている（行審16条）。

また，個々の法律により裁決期間が定められている場合もあるが，判例は，このような規定は訓示的規定であり，この期間経過後の裁決も違法にはならないと判示している（最判昭28・9・11）。

**もう一歩先へ
──行政審判とは**

不服申立ての中には，行政委員会（公害等調整委員会等）等の独立性の高い機関が，司法手続に準ずる行政手続により審判（当事者双方が出頭する対審）の形式で行うものがある。これを「行政審判」と呼ぶ。

行政審判の特徴は，第1に，審判機関に通常の審査庁よりも高い独立性が与えられ，合議制がとられているということである。第2

に，不服申立てでは書面審理が原則であるのに対し，行政審判では，口頭審問が行われる。第3に，特に注目すべきは，訴訟との関係である。行政審判は準司法手続により慎重に行われる判断であるため，第1審を省略して，東京高等裁判所に対して提起するものとされている場合がある（海難審判44条等）。また，行政審判による事実認定に実質的証拠があるときは，その事実認定に裁判所を拘束する力が認められることがある（電波99条等。実質的証拠法則）。この場合，裁判所は，行政審判の認定事実について，独自の立場で新たに認定をやり直すのではなく，審判で取り調べられた証拠から当該事実を認定することが合理的であるかどうかの点のみを審査することになる。

2 行政事件訴訟——裁判所に救済を求める方法

① 行政事件訴訟とはどのような制度か——意義と沿革

> 行政事件訴訟とは

行政事件訴訟は，司法裁判所によって，公開の対審手続に従ってなされる行政事件の裁判である。行政事件訴訟に関しては，「行政事件訴訟法」（以下，行訴法）という一般法が存在する。民事訴訟法と刑事訴訟法の存在は知っていても，行訴法については，聞いたこともなかったという人が多いのではなかろうか。もっとも，この法律は民事訴訟法や刑事訴訟法のように大部のものではなく，50か条程の短い法律であるから，知らなくとも無理はない。行訴法は行政事件訴訟に関する基本法ではあるが，同法に定めがない事項については「民事訴訟の

例による」とされており（行訴7条），行政事件訴訟は民事訴訟と同様の取扱いがなされる点も多い。

　裁判が司法裁判所によって行われることは，今でこそ当たり前のように思われるが，明治憲法下では，行政事件の裁判は，東京に1か所しかない「行政裁判所」によってなされていた。行政裁判所は，裁判所という名前は付いているが一種の行政機関であり，口頭弁論なしの書面審理も認められていた。

　これに対し，日本国憲法の下では，一切の「法律上の争訟」（⇨167頁）が司法裁判所の管轄に属するものとされ，行政裁判所は廃止された。行政事件訴訟は，違法な行政作用から国民を保護するための最終的な手段として，司法の作用に位置づけられたのである。

行政事件訴訟改革

　行訴法が制定されたのは，1962（昭和37）年である。日本国憲法の施行当時は，行政事件訴訟についても，可能な限り民事訴訟と同様の取扱いをしようとする発想が強かった。しかし，1948（昭和23）年に平野事件が起きると，状況は一変する。この事件は，公職追放された元農相の平野力三氏が地位保全の仮処分申請をしたところ，東京地裁がこれを認めたというものである。民事訴訟では格段珍しい話ではないが，連合軍総司令部の抗議を受けて最高裁長官の反対談話が出され，東京地裁は，いったん認めた仮処分決定を取り消してしまう。

　この事件を契機に行政事件訴訟の特殊性を強調する声が高まり，1948年に「行政事件訴訟特例法」が制定された。同法は早急につくられたため，条文数も少なく，解釈をめぐる争いが絶えなかった。そこで，同法を全面改正して制定されたのが行訴法である。戦後の特殊な社会的状況の下で行政事件訴訟特例法に盛り込まれた内閣総理大臣の異議制度が（⇨196頁），行訴法にも引き継がれたことに注

意しよう。

　行訴法は制定されて40年以上改正されず，行政事件訴訟制度は，国民の権利利益保護のための制度として，十分に活用されてきたとは言い難い状況が続いていた。例えばドイツでは，年間20万件以上の行政訴訟の判決が下されてきたのに対し，日本の行政訴訟の新受件数は，各審級合わせても，数千件程度であった。日本は訴訟が少ないというが，近年，民事訴訟の新受件数は年間60万件近くある。それでは，日本では違法な行政が他の国よりも少なく，また，国民が日本の行政に満足しているのかというと，そうでもないであろう。むしろ，行政事件訴訟は複雑で使いにくく，勝訴率も低いので，提起しても無駄であるとの声が少なくなかった。

　そこで，2004（平成16）年には，司法制度改革の一環として，国民の権利利益の救済範囲を拡大し，行政事件訴訟をより利用しやすく，わかりやすくするための仕組みを整備すること等を目的として，行訴法の改正が行われた。

② 行政事件訴訟の守備範囲はどこまでか

　日本国憲法の下では，裁判を受ける権利が保障され（憲32条），行政に関する一切の法律上の争訟について出訴が認められている（概括主義）。しかし，行政に関するすべての不服について出訴が認められているわけではない。法の適用により解決できないような類の紛争を裁判で争うことはできないし，また，行政事件訴訟に関する裁判も司法の作用であるから，権力分立の観点からの限界も問題となる。以下，順に説明しよう。

　　　　　　　　　　　　裁判所法3条1項は，裁判所は「一切の法
法律上の争訟　　　　　　律上の争訟」を裁判すると定めている。法

2　行政事件訴訟　**167**

律上の争訟とは，①当事者間の具体的な権利義務に関する紛争であって，かつ，②法令の適用により終局的に解決できる紛争である。法律上の争訟に該当しない紛争は，特別の法律の定めがない限り，司法審査の対象にはならない。

上記①の観点から，個別具体的な事件を離れて，抽象的な法令の効力を直接争うことはできない。 case 3-1 の「客引き規制条例」が違憲であると思うからといって，店を経営してもいない人が，訴訟を起こすことはできないのである。これに対し，例えば，特定の市営保育所を廃止する条例が制定されるような場合には，現在入所中の児童やその保護者は，保育を受けることを期待し得る法的地位を奪われることになるから，条例の制定行為そのものを争うことが認められる（最判平21・11・26）。

また，上記②の具体例として，資格試験に不合格になった場合，これを裁判で争うことができるかどうかを考えてみよう。ある国家試験で不合格となった者が，自分の解答は正しいから，合格にするか，慰謝料を支払うように求めた事件において，最高裁は，試験の合否判定は，知識，能力等の優劣・当否の判断であるから実施機関の最終判断に委ねられるべきものであり，法令の適用による解決に適さないと判示している（最判昭41・2・8）。

行政裁量　　行政事件訴訟の限界として，もう1つ問題になるのが行政裁量（⇨82頁）である。不服申立ての場合には，不当な行為も取消しの対象となるが（⇨154頁），裁判所は，裁量の範囲内の行為については，たとえ不当であっても取り消すことはできない。裁量権の範囲を超え，又は濫用があり，裁量の行使が違法である場合に限って，これを取り消すことができるにとどまるので，注意しよう（行訴30条）。

168　第5章　国民の権利利益の救済方法（1）

③　行政事件訴訟にはどのような類型があるか

概　観

行政事件訴訟は，主観訴訟と客観訴訟に大別される。主観訴訟は個人の権利利益の救済を主たる目的とする訴訟であり，客観訴訟は，個人の権利利益侵害の有無にかかわらず，行政の適法性を確保するための訴訟である。主観訴訟には，憲法上の「裁判を受ける権利」の保障が及ぶが，客観訴訟をどの程度認めるかは立法政策の問題である。したがって，主観訴訟が原則であり，客観訴訟は，特別の法律の定めがある場合に限り，例外的に認められる訴訟類型である。

行訴法が定めている主観訴訟には抗告訴訟と当事者訴訟があり，また，客観訴訟には民衆訴訟と機関訴訟がある。以下，順に説明することにしよう（⇨巻末の「見取り図」も参照）。

抗告訴訟

抗告訴訟とは，行政庁の公権力の行使（権力的行為のこと⇨73頁）に関する不服の訴訟であり，行政事件訴訟の中核を成す訴訟類型である。行訴法に明文規定のある抗告訴訟（法定抗告訴訟）には，①処分の取消しの訴え（処分取消訴訟），②裁決の取消しの訴え（裁決取消訴訟），③無効等確認の訴え（無効等確認訴訟），④不作為の違法確認の訴え（不作為の違法確認訴訟），⑤義務付けの訴え（義務付け訴訟），⑥差止めの訴え（差止訴訟）の6つがある（行訴3条）。

行訴法は，典型的な抗告訴訟を法定抗告訴訟として例示的に定めているが，これら以外にも，さまざまな抗告訴訟があり得る。従来，行訴法に明文規定のない抗告訴訟を無名抗告訴訟又は法定外抗告訴訟と呼んできた。2004（平成16）年の行訴法改正では，法定外抗告訴訟をできる限り法定するとの方針に基づき，義務付け訴訟と差止

2　行政事件訴訟　**169**

訴訟が法定されたが，この改正により，法定外抗告訴訟の可能性が否定されたわけではない。

| 当事者訴訟 | 当事者訴訟には，①形式的当事者訴訟と②実質的当事者訴訟という2つの類型がある。

行政事件訴訟特有の仕組みを有する抗告訴訟と異なり，当事者訴訟の仕組みは，民事訴訟とほぼ同様である。

| 形式的当事者訴訟 | 形式的当事者訴訟は，当事者間の法律関係を確認し，又は形成する処分・裁決に関する訴訟で法令の規定によりその法律関係の当事者の一方を被告とするものである（行訴4条前段）。

　これだけではわかりにくいので，case 2-2 の土地収用の例で，具体的に考えてみよう。国（起業者）が空港用地を確保するため土地収用を行おうとする場合には，Bが住む県の収用委員会から裁決を得る必要がある。この権利取得裁決は土地の収用・使用に関する事項と損失補償に関する事項から成るが，損失補償の額に不服がある場合には，土地所有者は，県ではなく，起業者である国を被告として，増額を求める訴訟を提起しなければならないとされている（収用133条3項）。処分に関する不服は抗告訴訟で争うのが原則であるが，損失補償の額をめぐる争いは，その本質が当事者間の財産上のものであるから，土地所有者と起業者の間で解決する方が適切であるという趣旨である。これに対し，土地収用の是非自体を争う場合には，原則通り県を被告として抗告訴訟を提起しなければならない。

　土地収用の損失補償をめぐる争いのように，特別の法令の規定により，本来は抗告訴訟で争うべきものを例外的に当事者間で争わせる訴訟を形式的当事者訴訟と呼ぶ。

> **実質的当事者訴訟**

実質的当事者訴訟とは，公務員の給与請求訴訟や日本国籍を有することの確認を求める訴訟のように，公法上の法律関係に関する訴訟である（行訴4条後段。公法の意味については⇨248頁以下）。

行訴法の2004年改正では，実質的当事者訴訟の一類型として「公法上の法律関係に関する確認の訴え」（確認訴訟）が明記された。抗告訴訟の対象は行政処分のみであるから，行政立法，行政計画，通達，行政指導等については，これまで抗告訴訟で争うことが困難であった。そこで，これら行政処分以外の行政活動に関する訴訟方法を整備することが懸案となっていた。さまざまな検討の結果，行政処分の概念を明示的に拡大したり，行政処分以外の行政活動に関する不服について新たな特別の訴訟類型を設けることをせず，さしあたり既存の確認訴訟を活用するという方向性が示されたものである。

これにより，従来，陽の当たることの少なかった実質的当事者訴訟に，にわかに注目が集まった。2005（平成17）年には，衆参両院の選挙区選出議員の選挙において，在外邦人が選挙権を行使する権利を有することの確認を求める訴えを認容する最高裁判決が出された（在外邦人選挙権訴訟：最大判平17・9・14）。また，卒業式等における国歌斉唱に係る職務命令に関して，公立学校の教職員が当該義務の不存在の確認を求めることも可能である（東京都教職員国旗国歌訴訟：最判平24・2・9⇨78頁）。そのほか，行政指導に従う義務の不存在確認訴訟（⇨113頁），行政立法の違法確認訴訟（⇨121頁）等，さまざまな可能性を検討してみてほしい（⇨124頁，128頁）。

> **民衆訴訟とは**

民衆訴訟とは，国・公共団体（都道府県，市町村等）の機関（大臣，知事，市長等）が

2 行政事件訴訟　**171**

法規に適合しない行為をした場合にその是正を求める訴訟で，自己の法律上の利益にかかわらない資格で提起されるものである（行訴5条）。民衆訴訟は，法規の適正な適用を確保し，法治主義を全うすることにより，公共の利益を守るための訴訟である。民衆訴訟は客観訴訟の一種であるから，どの分野でどのような民衆訴訟を導入するかは基本的に立法政策の問題であり，法律に定める場合において，法律に定める者に限り，提起することができる（行訴42条）。

民衆訴訟の具体例としては，選挙訴訟（公選203条・204条）や住民訴訟がある。このうち主に活用されているのは，住民訴訟である。これは，地方公共団体の長等が違法な財務会計行為（公金支出等）を行ったときに，監査委員に対する住民監査請求（自治242条）を経て（監査請求前置主義）提起される訴訟である（自治242条の2）。住民監査請求や住民訴訟は，住民である限り，選挙権の有無や納税者か否かを問わず，1人でもこれを行うことができるため，いわゆる市民オンブズマンが，カラ出張や議員の政務調査費をチェックする手段としても用いられてきた。住民訴訟は，アメリカの納税者訴訟にならったものであるが，地方自治に固有の制度であり，今のところ国レベルでは導入されていない（⇒*Column* ⑦）。

Column ⑦　住 民 訴 訟 ●━━━━━━━━━━━━━━━━━━━━━━●

「住民訴訟」とは，地方自治法242条の2が定める訴訟である。その特長は，本来は裁判所の判断にはなじみにくいマターに，さまざまな政策的理由から，意図的に裁判所を介在させるところにある。

2002（平成14）年に改正される前の地方自治法に規定されていた住民訴訟のうち，最も頻繁に利用されていたのが，4号請求（改正前の自治242条の2第1項4号にもとづく請求）である。

その後，地方自治法が改正された。新4号請求は「二段階構造」となり，まず①住民が地方公共団体の執行機関又は職員を被告として，「職員個人又は当該会計行為の相手方に対して，損害賠償請求

又は不当利得返還請求をすること」を求める訴訟を提起する。この場合，執行機関又は職員が敗訴し，団体が判決確定の日から60日以内に，職員又はその相手方に対し，団体が被った損害について支払いを請求し，賠償を命じ，職員等が請求・賠償に応じれば，それで終結する。

　ところが，①では終わらない場合，次に②団体が職員又はその相手方を被告として，損害賠償又は不当利得返還請求の訴訟を提起することになる（改正後の自治242条の3第2項）。

Level **3**

もう一歩先へ

　住民訴訟の対象は財務会計行為であるが，政教分離，環境保全等のため，財務会計行為に先行する非財務会計行為（原因・目的行為）の違法を主張して，住民訴訟を提起する例も少なくない。例えば，地方公共団体による海の埋立てをくい止めようとする場合には，埋立てに必要な公有水面埋立免許の取消訴訟や差止訴訟を提起するのが本来の方法であろう。しかし，従来の判例では，埋立予定地で水遊びを楽しんできた周辺住民が訴訟を提起しても，原告適格（⇨186頁）を否定される可能性が高かった。そこで，埋立工事の前提である免許が違法であるから，工事に係る公金の支出も違法であるとの考え方に基づいて，住民であれば誰でも提起できる住民訴訟の活用に期待が集まったのである。

　しかし，先行行為の違法を理由に財務会計行為の違法の主張を広く認めることに対しては，地方財務行政の適正な運営確保という住民訴訟の本来目的を逸脱するものであり，濫訴の弊を生ぜしめかねないとの懸念も示されている。そこで，いかなる場合に先行行為の違法が財務会計行為の違法を導くかということが問題となる。住民訴訟の大半を占めるのは，公金を支出した職員等の個人責任（損害

2　行政事件訴訟　**173**

賠償責任）を最終的に追及する訴訟であるが，最高裁は，当該職員が財務会計法規上の義務を尽くした場合には，たとえ原因行為に違法があっても責任を負わないとの判断を示し（最判平4・12・15），住民訴訟の機能拡大に一定の歯止めをかけている。住民訴訟の過重負担を避けるため，環境利益等を守る新たな公共利益訴訟の導入が期待されるところである（⇨189頁 *Column ⑧*）。

機関訴訟とは　　機関訴訟とは，国又は公共団体の機関相互間における権限の存否又はその行使に関する紛争についての訴訟である（行訴6条）。行政機関相互の争いは，本来行政内部の問題であるから「法律上の争訟」に当たらないが，特に公正な判断を期するため，個別法が定める者に限り，提起することができる（行訴42条）。その例として，地方自治法176条に規定する地方公共団体の長と議会との争いがある。

もう一歩先へ　　1999（平成11）年の地方分権改革により導入された「国の関与に関する訴え」も，機関訴訟の例である（自治251条の5）。国の関与に関する訴えは，普通地方公共団体に対する国の関与のうち公権力の行使に当たるもの（是正の要求，不同意等）や国の不作為について不服があるときに，地方公共団体の長等が，国地方係争処理委員会に対する審査の申出を経て（審査申出前置），高等裁判所に対して提起する訴訟である。不服申立ての場合と異なり，審査を行う国地方係争処理委員会は，国の関与を取り消したり，変更したりする権限はなく，勧告することができるのみである。

　また，2012（平成24）年には，大臣等が是正の要求等をした場合に，これに応じた措置をとらず，審査の申出もしないときは，当該大臣等が当該普通地方公共団体の行政庁に対し違法確認訴訟（国等

による違法確認訴訟）を提起することが可能とされた（自治251条の7）。

国の関与に関する訴えは，国と地方の対等・協力関係を確立するためには，違法な国の関与を争う仕組みを整備する必要があるとして導入された制度である。当初は，審査の申出も，横浜市が導入しようとした勝馬投票券発売税について，総務大臣がこれを不同意としたことに関する案件等があるのみで，訴訟の実例はなかった。

しかし，最近，ふるさと納税の返礼品の過熱競争を背景に，総務大臣が泉佐野市を同制度の対象となる地方公共団体から除外（不指定）したことに対し，最高裁は国の関与の違法を認め，本件不指定を取り消す判断を下している（最判令2・6・30）。また，国の是正の指示に対する地方公共団体の不作為に関する訴訟として，普天間基地の辺野古への移転をめぐり，沖縄県知事が国土交通大臣の指示に従わないことが違法であるとされた事案が存在する（辺野古事件：最判平28・12・20）。

④ 抗告訴訟にはどのような類型があるか

処分取消訴訟

処分取消訴訟は，行政庁の処分その他公権力の行使に当たる行為（以下，単に処分という）の取消しを求める訴訟である（行訴3条2項）。処分は，仮に違法であっても，取り消されるまでは有効であるから（⇨96頁），例えば，営業停止処分を受けた店主が営業を再開するには，当該処分の法的効果を取り消してもらう必要がある。このように，処分取消訴訟は，処分の法的効果を除去するための訴訟であり，従来の典型的な行政事件訴訟である。そこで，処分取消訴訟については，節を改めて詳しく述べることにする（⇨183頁）。

2　行政事件訴訟　175

裁決取消訴訟は，行政不服申立てに対する行政庁の裁決や決定等の取消しを求める訴訟である（行訴3条3項）。裁決も処分ではあるが，裁決により当初の処分（原処分）が維持された場合には，原処分と裁決のいずれを争うべきかが問題となる。

この点を明確にするため，行訴法は，「裁決取消訴訟」という独立の類型を設け，裁決取消訴訟では，裁決固有の瑕疵しか争えないと定めたものである（行訴10条2項）。例えば，建築確認の違法を争おうとする場合には処分取消訴訟を提起しなければならず，裁決取消訴訟において「建築確認が違法であるから，これを維持した裁決も違法である」と主張することはできない。このことを「原処分主義」という。これに対し，裁決理由が不十分であるなど，裁決固有の瑕疵を争う場合には，裁決取消訴訟を提起することになる。

無効等確認訴訟とは，処分・裁決の存否又はその効力の有無の確認を求める訴訟である（行訴3条4項）。無効な処分は最初から全く効力が生じないから，理論的には，これを無視することも可能である。しかし，例えば，運転免許取消処分が無効であるからと運転を続ければ，無免許運転で捕まるかもしれないし，case 3-4 の場合に課税処分が無効であるからと税金を支払わないでいると，滞納処分がなされ，強制徴収される可能性もある。このように，無効な処分も，行政庁が自らそのことを認めない限り，事実上の拘束力を有するから，強制徴収等の不安・危険を排除するため，無効等確認訴訟が必要になるのである（⇨94頁）。

無効等確認訴訟は，当該処分・裁決に続く処分により損害を受けるおそれのある者その他当該処分・裁決の無効等の確認を求めるに

つき「法律上の利益を有する者」で，当該処分・裁決の存否又はその効力の有無を前提とする「現在の法律関係に関する訴えによって目的を達することができないもの」に限り認められる（行訴 36 条）。

この条文を理解するのは容易ではないが，要するに無効等確認訴訟を提起できる場合が著しく制限されているということである。処分取消訴訟には原則 6 か月という出訴期間の制限があるのに対し（⇨192 頁），無効等確認訴訟には出訴期間の制限がない。したがって，これを無制限に認めると，いつまでも処分の効力を争えることとなり，処分取消訴訟について出訴期間を定めた意味がなくなってしまう。そこで，行訴法は，他の訴訟によって目的を達成できない場合の補充的な訴訟形態として，無効等確認訴訟を認めたものである。

「現在の法律関係に
関する訴え」との関係

無効等確認訴訟の要件のうち，「法律上の利益を有する者」の意味は，取消訴訟の場合と同義に解釈されている（⇨186 頁）。無効等確認訴訟固有の問題として特に重要なのは，「現在の法律関係に関する訴えによって目的を達することができない」場合とは，いかなる場合かということである。例えば，無効な課税処分については租税債務不存在確認訴訟を提起することも考えられるところであり，大抵の紛争は現在の法律関係に関する訴えに引き直そうと思えば，引き直すことができるからである。

この点に関し，最高裁は，処分の無効を前提とする民事訴訟等によって不利益を排除することができない場合はもちろん，紛争解決のための争訟形態として，民事訴訟より無効確認訴訟の方が直截で適切であるとみられる場合も，無効確認訴訟を提起できると判示している（もんじゅ訴訟：最判平 4・9・22）。それゆえ，例えば，原発をめぐる紛争の場合，周辺住民は，原子炉設置許可の無効確認訴訟を

提起してもよいし，原子炉の設置者である電力会社に対し原子炉の建設・運転の差止めを求める民事訴訟を提起してもよいし，両方を提起することもできる。

もう一歩先へ
──争点訴訟とは何か

行訴法 36 条にいう「現在の法律関係に関する訴え」は，通常は民事訴訟である。例えば，(case 2-2) の空港建設のための土地収用をめぐり，もともとの土地所有者が起業者（空港設置者である国）に対し所有権確認訴訟を提起するような場合がこれに当たる。このように，前提問題として処分（土地収用裁決）の効力の有無が争点となっている訴訟を「争点訴訟」という（⇨ 95 頁）。争点訴訟は民事訴訟ではあるが，争点に関する限りで，抗告訴訟に準じた取扱いがなされる（行訴 45 条）。

不作為の違法確認訴訟

不作為の違法確認訴訟とは，国民が法令に基づく申請をしたにもかかわらず，行政庁が相当の期間内に何らの処分・裁決もしないことについて，違法の確認を求める訴訟である（行訴 3 条 5 項）。例えば(case 3-2)や(case 4-1)のように建築確認が留保されている場合には，まだ処分がされていないので，取消訴訟を提起することができない。それゆえ，建築確認をするかしないかの判断を促し，なしのつぶてという状態を是正するための訴訟が不作為の違法確認訴訟である。不作為の違法が認められた場合には，行政庁は何らかの処分をしなければならない。

ただし，この訴訟は行政庁のあらゆる不作為を争うことができるものではない。違法確認訴訟を提起できるのは，「法令に基づく申請」がなされた場合に限られる。したがって，例えば(case 4-2)で行政庁が C に対し，違反建築物の除却命令を発しないとしても，

日照被害を受けている隣人が不作為の違法確認訴訟を提起することはできない。建築基準法は，周辺住民に，除却命令の申請権を付与していないからである。

　また，建築確認を留保されている場合にも，単に不作為の違法確認を求めるだけではなく，裁判所に対し，建築確認そのものを求めることができれば，その方が便利であろう。そこで，行訴法の2004年改正では，次に述べる義務付け訴訟が法定された。

| 義務付け訴訟 |

義務付け訴訟は，行政庁が一定の処分・裁決をすべき旨を命ずることを求める訴訟である。行訴法によれば，義務付け訴訟は，①非申請型の処分の義務付け訴訟と，②申請型の処分・裁決の義務付け訴訟とに大別される（行訴3条6項）。①と②の違いは，当該処分に関し，国民の申請権が存在するか否かということである。

| 非申請型の
義務付け訴訟 |

非申請型の義務付け訴訟は，法令に基づく申請権が定められていない場合に，行政庁に対し一定の処分をするよう求める訴訟である（行訴3条6項1号）。例えば違反建築物により日照被害を受けている隣人が，当該建築物の是正命令を求める場合のように，非申請型の義務付け訴訟の多くは，処分の相手方（建築主等）以外の第三者が提起するものである。上述のように，法令に基づく申請権が定められていない場合には，不作為の違法確認訴訟を提起することはできない。通常，規制の受益者である周辺住民等が規制の発動を求める権利は法定されていないから，規制権限の不行使については，非申請型の義務付け訴訟で争うこととなる。具体例としては，違法な産業廃棄物の処理について，知事が生活環境保全上の支障の除去等の措置を講ずるように付近住民が求めた義務付け訴訟を認容した

2　行政事件訴訟　**179**

事例（福岡高判平 23・2・7。なお，同上告審は，上告理由に当たらないとして，決定により上告を棄却している〔最決平 24・7・3〕）等が存在する。

非申請型の義務付け訴訟を提起するためには，①一定の処分がされないことにより重大な損害を生ずるおそれがあること，②その損害を避けるため他に適当な方法がないこと，③法律上の利益を有する者であること，が必要である（行訴 37 条の 2 第 1 項・3 項）。①の重大な損害を生ずるか否かを判断するにあたっては，損害の回復の困難の程度を考慮するとともに，損害の性質・程度および処分の内容・性質をも勘案しなければならない（行訴 37 条の 2 第 2 項）。また，③の法律上の利益の有無の判断については，処分取消訴訟に関する規定が準用される（行訴 37 条の 2 第 4 項⇨186 頁）。

それでは②の「他に適当な方法がないとき」とは，どのような場合を指すのだろうか。例えば，誤って過大な納税申告をしてしまった場合を考えてみよう。国税通則法は，税額を修正する方法として，減額更正請求の制度（税通 23 条）を設けているから，この場合にまで減額更正処分の義務付け訴訟を認める必要はないであろう。この例が示すように，個別法において特別の救済方法が定められている場合には，それを利用すべきであるというのが，この規定の趣旨である。

また，非申請型の義務付け訴訟で勝訴するためには，①行政庁がその処分をすべきことが当該処分の根拠法令から明らかであるか（羈束処分の場合⇨82 頁），②行政庁がその処分をしないことが裁量権の逸脱・濫用に当たると認められること（裁量処分の場合⇨83 頁）が必要である（行訴 37 条の 2 第 5 項）。

───────
申請型の義務付け訴訟
───────
申請型の義務付け訴訟は，法令に基づく申請権が存在する場合に，当該申請・審査請

求をした者が提起する義務付け訴訟である（行訴3条6項2号）。これは，さらに，①申請を放置された場合に行政庁の不作為を争う訴訟（不作為型）と，②申請を拒否された場合に拒否処分を争う訴訟（拒否処分型）に分けられる。

例えば生活保護の申請が放置されている場合に，保護決定をするよう求める訴訟が不作為型である。このような場合には不作為の違法確認訴訟を提起することも可能であるが，仮に勝訴しても，保護決定がなされるかどうか定かではない。行政庁は，何らかの応答をすべき義務を負うだけなので，拒否処分がなされる可能性もある（⇨178頁）。また，拒否処分型は，生活保護申請が拒否された場合に，保護決定をするよう求める訴訟である。この場合には取消訴訟を提起することが可能であるが，仮に勝訴しても，拒否処分前の状態に戻るだけであるから，最終的に満足のいく決定を得られるとは限らない（行訴33条2項）。それゆえ，いずれの場合にも，希望する処分を直接求めることができれば大変便利である。最近では，水俣病認定申請の棄却処分について，認定の義務付けが認められた事例が注目される（最判平25・4・16）。

まず，不作為型の義務付け訴訟は，法令に基づく申請・審査請求に対し相当の期間内に何らの処分・裁決がされないときに提起することができる。また，拒否処分型の場合には，当該処分・裁決が取り消されるべきものであるか，無効又は不存在であることが必要である（行訴37条の3第1項）。いずれの場合も，原告適格を有するのは，当該申請・審査請求をした者である（行訴37条の3第2項）。

次に，申請型の義務付け訴訟で勝訴するためには，①請求に理由があることに加え，②行政庁が当該処分・裁決をすべきことが根拠法令上明らかであるか（羈束処分の場合），又は，当該処分・裁決を

しないことが，裁量権の逸脱・濫用であると認められる（裁量処分の場合）ことが必要である（行訴37条の3第5項）。

もう一歩先へ
──申請型義務付け訴訟と他の訴訟類型との関係

上に述べたように，不作為型の義務付け訴訟は不作為の違法確認訴訟と一部その機能が重なり，また，拒否処分型の義務付け訴訟は，処分・裁決取消訴訟や無効等確認訴訟と一部その機能が重なる。そこで，不作為型の場合には不作為の違法確認訴訟を併合して提起し，拒否処分型の場合には処分・裁決取消訴訟又は無効等確認訴訟を併合提起しなければならないとされている（行訴37条の3第3項）。すなわち，不作為の違法確認訴訟や取消訴訟のみを提起することは可能であるが，申請型の義務付け訴訟のみを提起することはできない。

差止訴訟

差止訴訟とは，行政庁が一定の処分・裁決をすべきでないにもかかわらず，これがされようとしている場合において，行政庁がその処分・裁決をしてはならない旨を命ずることを求める訴訟である（行訴3条7項）。例えば，開発許可により災害を受けるおそれのある周辺住民が，開発許可の差止めを求めることができれば，被害を未然に防止するうえで有効な手段となる。また，産廃税をはじめ，条例による地方公共団体の独自課税について，条例自体の無効を主張して課税処分を争おうとする場合には，課税処分がなされた後に取消訴訟を提起するよりも，当該課税処分の差止めを求める方が適切であると考えられる。そこで，2004年の行訴法改正により差止訴訟が法定され，その要件の明確化が図られた。

差止訴訟の要件は，非申請型義務付け訴訟の場合と共通点が多い。すなわち，差止訴訟を提起するためには，①一定の処分・裁決がさ

れることにより重大な損害を生ずるおそれがあること，②その損害を避けるため他に適当な方法がないこと，③法律上の利益を有する者であること，が必要である（行訴37条の4第1項・3項）。①の重大な損害（行訴37条の4第2項）や③の法律上の利益（行訴37条の4第4項⇨190頁）の判断方法も，非申請型義務付け訴訟の場合と同様であるが，②の要件は義務付け訴訟の場合と異なりただし書として規定されている（行訴37条の4第1項ただし書。消極要件）。

　また，差止訴訟で勝訴するためには，①行政庁がその処分・裁決をすべきでないことが当該根拠法令の規定から明らかであるか（羈束処分の場合），②行政庁がその処分・裁決をすることが裁量権の逸脱・濫用であると認められる（裁量処分の場合）ことが必要である（行訴37条の4第5項）。

⑤　処分取消訴訟はどのように提起されるか

訴訟要件とは

処分取消訴訟において原告が勝訴するためには，まず，いくつかの訴訟要件を具備する必要がある。主な訴訟要件は，①行政庁の処分を対象として提起すること，②原告適格を有する者が自己の法律上の利益に関係のある違法を主張して提起すること，③被告適格を有する行政主体等を被告として提起すること，④管轄権のある裁判所に提起すること，⑤一定の出訴期間内に提起すること，⑥例外的に審査請求前置がとられているときは，審査請求を経ること，などである。これら訴訟要件が1つでも欠けた場合には，その訴訟は不適法なものとして却下される（いわゆる門前払い⇨199頁）。

処分の存在

処分取消訴訟は，行政庁の処分その他公権力の行使（以下「処分」という）に対しての

2　行政事件訴訟　**183**

み提起することができる。したがって，まず問題となるのは，争われている行政活動が処分か否かである（処分性の問題）。すでに述べたように（⇨79頁），ここにいう「処分」とは，公権力の主体たる国又は公共団体が行う行為のうち，その行為によって，直接国民の権利義務を形成し又はその範囲を確定することが法律上認められている行為である（ごみ焼却場事件：最判昭39・10・29）。 case 2-3 の不開示決定や case 3-1 の営業停止命令が，処分の典型例である。

　今まで処分であるか否かが争われたものとしては，例えば，都市計画法上の「地域指定」（都計8条⇨123頁）がある。土地の利用については，商業地域，工業地域等の地域指定がなされ，容積率や建ぺい率について異なる基準が適用される（⇨123頁注13））。基準不適合の場合には建築確認が受けられないから，地域指定は，土地の所有者にとって重要な関心事である。しかし，最高裁は，地域指定が一定の法状態の変動を生ぜしめるものであることは認めつつも，その効果は法令制定時と同様の一般的抽象的なものにとどまることや，後続の処分（建築確認の拒否）を争えることを理由として，その処分性を否定している（最判昭57・4・22）。この判決の論理によれば， case 3-1 の規制地域の指定も，処分ではないということになるであろう。

　より身近な例としては，交通反則金の「納付通告」がある。スピード違反をして交通反則金の納付通告を受けた場合，反則金を支払えばそれで済むが，もし支払わなかったら刑事訴追され，裁判の場で反則行為の有無を争うことになる。そこで，反則金納付には不服があるが，刑事事件の被告人にはなりたくないという場合，納付通告の取消訴訟を提起できるだろうか。判例は，通告により反則金を納付すべき法律上の義務が生ずるわけではなく，反則行為の有無は

184　第5章　国民の権利利益の救済方法（1）

刑事手続で審判することが予定されているとして，通告の処分性を否定している（最判昭 57・7・15）。

　また，周辺住民とのトラブルが多い自治体のゴミ焼却場の設置行為に関しても，建設用地の買収行為は私法上の契約であり，設置計画およびその議会への提出行為は内部手続にとどまるなどとして，一連の行為の処分性がすべて否定されている（前掲・最判昭 39・10・29）。

　このように，行政立法，行政計画，行政指導等，処分以外の行政活動（⇨109 頁以下）を争うための訴訟方法が不十分・不明確であったため，行訴法の 2004 年改正では，公法上の当事者訴訟（確認訴訟）を活用するという方向性が示された（⇨171 頁）が，実際の活用例は多くはない。

| もう一歩先へ ——処分性の拡大 |

　行訴法に確認訴訟が明記された一方で，最近の最高裁判例には，国民の権利利益の救済という観点から，従来よりも処分性を広く認める判決が相次いでいる。例えば，土地利用計画のうち土地区画整理事業計画決定については，前述のように 42 年ぶりに判例が変更されて，処分性が認められている（最大判平 20・9・10⇨125 頁）。また，地域の病床数が医療計画より過剰であることを理由として，医療法に基づく病院開設中止勧告を受けた者が，その取消しを求めた事件において，最高裁は当該勧告の処分性を認めている。病院開設中止勧告は，医療法上は行政指導として定められてはいるが（医療 30 条の 11），指導に従わない場合には，相当程度の確実さをもって，病院を開設しても保険医療機関の指定を受けることができなくなる（健保 65 条 4 項 2 号参照）。日本では，国民皆保険制度が採用されているから，保険医療機関の指定を受けずに診療行為を行うこと

2　行政事件訴訟　**185**

は極めて困難である。最高裁は，勧告が保険医療機関の指定に及ぼす効果と，病院経営において保険医療機関指定の持つ意義を併せ考えて，処分性を認めたものである（⇨113頁注11）。最判平17・7・15）。 case 3-2 や case 4-1 の要綱に基づく指導と本件の異同についても，考えてみてほしい。

原告適格

誰が訴訟を提起できるかということが，原告適格の問題である。行訴法は，処分取消訴訟の原告となり得るのは，当該処分の取消しを求めるにつき「法律上の利益を有する者」であると定めている（行訴9条1項）。処分の相手方（名宛人）がここでいう「法律上の利益を有する者」に含まれるのは明らかであるが，それ以外の第三者の原告適格はどこまで認められるだろうか。

「法律上の利益」の意味

「法律上の利益」という文言は，さまざまな解釈が可能である。従来，その意味については，大きく分けて，①法律が直接保護している利益に限るとする説（法律上保護された利益説）と，②裁判上の保護を与えるに値する利益と解する説（法の保護に値する利益説）という2つの考え方があった。②の法の保護に値する利益説の方が原告適格を広く認めることになる。

従来の最高裁は，「法律上の利益を有する者」とは当該処分により自己の権利もしくは法律上保護された利益を侵害され，又は必然的に侵害されるおそれのある者をいうと述べ，基本的に①の法律上保護された利益説に立ってきた。以下，具体例を見てみよう。

競業者・競願者の利益

例えば，銭湯Aの近所に，Bがスーパー銭湯をオープンすることになった場合，Aは，Bの営業許可の取消しを求めることができるだろうか。最高裁

は，公衆浴場法が店舗間の距離制限を設けていることに着目し，その趣旨は国民の環境衛生という公共の福祉のほか，銭湯の濫立により経営が不合理化しないように，既存業者を守ることにあると述べて，Aの原告適格を肯定している（最判昭37・1・19）。

それでは，放送局の免許のように，複数の申請者の中から一者だけに営業が認められるという場合はどうだろうか。放送局の免許申請を拒否されたCが，自己の拒否処分を争えることは当然であるが，競願者であるDに付与された免許の取消しを求めることはできるだろうか。このような場合，最高裁は，Dへの免許とCに対する免許拒否処分は表裏の関係にあり，Dに対する免許が違法とされれば，Cが免許を受けることもあり得るとして，Cの原告適格を認めている（東京12チャンネル事件：最判昭43・12・24）。

> 周辺住民の生命・
> 身体の安全

次に，開発許可，施設の設置許可等に係る周辺住民の利益について考えてみよう。処分の根拠法規が周辺住民の手続的参加を定めている場合には，周辺住民の個別利益をも保護する趣旨であるとして，原告適格が認められやすい。例えば，自衛隊基地の用地にするため，農林水産大臣が保安林の指定を解除した事件について，最高裁は，利害関係人の利益保護のための手続規定（指定解除に係る聴聞手続への参加等）があることなどを理由として，周辺住民の原告適格を肯定している（長沼ナイキ事件：最判昭57・9・9）。

また，手続への参加規定がなくとも，周辺住民の健康・安全に関わる場合には，比較的広く原告適格が認められてきた。騒音被害を受ける可能性のある空港周辺住民が，定期航空運送事業免許の取消しを求めた訴訟において，最高裁は，処分の根拠法規である航空法のほか，関連法規である飛行場周辺航空機騒音防止法の趣旨をも踏

2 行政事件訴訟 **187**

まえ，周辺住民の原告適格を肯定している（新潟空港訴訟：最判平元・2・17）。原子炉の設置許可（もんじゅ訴訟：最判平4・9・22）や急傾斜地におけるマンションの開発許可（川崎マンション事件：最判平9・1・28）に関しても，事故や災害により生命・身体の安全等に被害が直接的に及ぶことが想定される周辺住民に関して，原告適格が肯定されている。

環境・消費者利益

これに対し，従来は，健康以外の環境利益や消費者利益のように，広く薄く不特定多数の人に関わる利益を主張しても，なかなか原告適格が認められなかった。例えば，P県教育委員会がQ市内のR遺跡につき史跡指定を解除したことに対し，同遺跡を研究対象にしてきた研究者らが取消しを求めた訴訟において，最高裁は，県民等が文化財から受ける利益は公益に吸収され，同遺跡の研究者であっても同様であるとして，原告適格を否定している（伊場遺跡訴訟：最判平元・6・20）。

また，ジュースの表示に関する公正取引委員会の認定について，消費者に誤解を与える表示であるから違法（景品表示法違反）であるとして，消費者団体が不服申立てをした事件においても，最高裁は，景品表示法の規定により一般消費者が受ける利益は，公益保護の結果として生ずる反射的な利益ないし事実上の利益であり，公益に完全に包摂されるような性質のものに過ぎないから，法律上の利益とはいえないと判示している（主婦連ジュース訴訟：最判昭53・3・14）。

原告適格の実質的拡大

以上のように，最高裁は，基本的に「法律上保護された利益説」に立ちつつ，周辺住民の生命・身体の安全に関わる事案については，原告適格を若干緩和する姿勢を見せてきた。しかし，健康被害が問題になっている場合であっても，道路の設置により大気汚染被害等を受けるおそれの

ある周辺住民について原告適格を否定する判例もあった（環六高速道路訴訟：最判平 11・11・25）。

　そこで，2004 年の行訴法改正では，「法律上の利益」を解釈する際の「考慮事項」（下記①〜④）を定めることにより，原告適格の実質的拡大が図られた。具体的には，「法律上の利益」の有無を判断するにあたっては，当該処分の根拠となる法令の規定の文言のみによることなく，①当該法令の趣旨・目的と，②当該処分において考慮されるべき利益の内容・性質を考慮すること，③上記①を考慮するにあたっては，当該法令と目的を共通にする関係法令の趣旨・目的をも参酌すること，④上記②を考慮するにあたっては，当該処分が根拠法令に違反してされた場合に害されることとなる利益の内容・性質と態様・程度をも勘案することが明記された（行訴 9 条 2 項）。

　この改正の趣旨を踏まえ，小田急線高架化訴訟の上告審では，従来の判例（上述の環六高速道路訴訟判決）が変更され，健康・生活環境に係る著しい被害を直接的に受けるおそれのある周辺住民について，原告適格が認められた（最大判平 17・12・7）。

　これに対し，場外車券場の設置許可の取消訴訟において，生活環境被害を懸念する周辺住民の原告適格は否定されており（最判平 21・10・15），健康以外の環境利益や消費者利益については，従来の最高裁判例に大きな変化は見られない。

Column ⑧　団体訴訟 ●••

　現代社会では，処分などによって，特定個人の法律上の利益が害されるのではなく，不特定多数の者（例えば，原発・ゴミ焼却場・空港などの付近住民）の「集団的利益」が害されるケースが増加している。その場合，処分の取消訴訟ないし無効等確認訴訟の原告適格（行訴9条・36条）を個々人ではなく，その集団であるところの団体（環境

2　行政事件訴訟　**189**

保護団体，消費者団体など）に認めること，簡単に言えば，それが「団体訴訟」（クラスアクション）である。

団体に原告適格を認めて訴訟を一本化すれば，個々人が多数の訴訟を起こすよりは，紛争を一挙に解決できるというメリットがある。しかし，判例は一般にはこの種の団体訴訟には否定的姿勢を見せている。

またもう1つ，原告適格を認めるにふさわしい個人が存在しないような場合に，団体に原告適格を認め，団体訴訟を許容すれば，有意義である（団体訴権）。特に消費者保護，環境保護，文化財保護などの分野で，この種の団体訴訟の需要と必要性が存在する。これについては，2006（平成18）年の消費者契約法の改正により，「消費者団体訴訟」の制度が創設された。消費者庁消費者制度課のウェブサイト（https://www.caa.go.jp/policies/policy/consumer_system/collective_litigation_system/）には，判決や和解の内容などが公表されている。本来は，行政事件訴訟法を改正し，団体訴訟の規定を盛り込むのが正攻法なのかもしれないが，それには時間がかかる。そこで，上記以外の個別法で，導入しやすい分野から団体訴訟を取り入れ（例えば環境法），その運用・定着の度合いを見ながら，一般法化していくのがよさそうである。

◆◆◆◆◆◆◆◆◆◆◆◆◆◆◆◆◆◆◆◆◆◆◆◆◆◆◆◆◆◆◆◆◆◆ Level 2 ◆◆◆◆◆◆

訴えの利益（狭義）

すでに述べたように，処分の相手方は，当該処分に不服があれば，その取消しを求めることができるのが原則である。しかし，取消訴訟は処分の効力を除去するための訴訟であるから，たとえ処分の相手方であっても，処分の効果が完了すれば，原則として，もはや取消訴訟を提起することができない。例えば，3日間のレストランの営業停止処分を受けた場合，3日経つと，レストランの営業を再開することができるからである。このように，取消訴訟を提起するためには，処分を取り消してもらう必要性がなければならない。このことを「狭義の訴えの利益」と呼ぶ。

190　第5章　国民の権利利益の救済方法（1）

ただし，処分の効果が期間の経過その他の理由によりなくなった
後でも，処分の取消しによって回復すべき法律上の利益を有する者
には，原告適格が認められる（行訴9条1項括弧書）。例えば，地方
議会の議員が除名処分を受け，取消請求をしている間に任期が満了
した場合には，処分が取り消されたとしても議員の身分は回復でき
ないが，歳費（給与）を請求することができるため，訴えの利益が
肯定される。

　それでは，運転免許停止処分の場合はどうだろうか。処分期間が
経過しても，処分されたとなると名誉・信用にも関わるから，訴え
の利益が認められるようにも思われる。しかし，従来，最高裁は，
運転免許停止処分の日から無事故・無違反で1年が経過すると，処
分の効果は一切消滅し，これらの不利益を受ける可能性は事実上の
効果に過ぎないとして，訴えの利益を認めていない（最判昭55・
11・25）。ただし，この場合でも，別途損害賠償請求が認められる
可能性はある（⇨第6章）。

| 被 告 適 格 |

　誰を相手として訴訟を提起すればよいかと
いうことが，被告適格の問題である。処分
取消訴訟は，原則として，当該処分庁が所属する国又は公共団体を
被告として提起しなければならない（行訴11条1項）。 case 3-2
で考えると，Q市の建築主事Cが行った建築確認の取消しを求め
るのであれば，Cではなく，Q市を被告とすることになる。ただ
し，建築確認の業務は民間にも開放されているから，建築主事では
なく，国土交通大臣等の指定を受けた者（指定機関）が建築確認を
行うこともあり得る（⇨19頁注1））。このように処分庁が国・公共
団体に属さないときは，当該処分庁（指定機関等）を被告としなけ
ればならない（行訴11条2項）。

2　行政事件訴訟　　**191**

裁判管轄

どの裁判所に訴訟を提起すべきかということが，裁判管轄の問題である。取消訴訟は，原則として，被告又は処分庁の所在地を管轄する裁判所に提起しなければならない（行訴12条1項）。

しかし，これでは，国を被告とする訴訟の多くは，東京地裁に提起しなければならないこととなり，地方在住の原告にとっては，交通費をはじめ大きな負担が生じる。そこで，国又は独立行政法人等を被告とする場合には，原告の普通裁判籍所在地を管轄する高等裁判所の所在地を管轄する地方裁判所（特定管轄裁判所）にも，取消訴訟を提起することができることとされている（行訴12条4項）。例えば，神戸市在住の原告は，最も身近な神戸地方裁判所に訴訟を提起することはできないが，比較的身近な大阪地方裁判所に訴訟を提起することが可能である。

出訴期間

取消訴訟は，いつまでも提起できるというわけではない（⇨93頁）。処分に係る法律関係を早期に確定するため，行訴法は，処分があったことを知った日から6か月以内に提起しなければならないとの原則を定めている（行訴14条1項本文。主観的出訴期間）。市民が処分の意味を理解し，弁護士に相談するまでにも相応の時間がかかると考えられるから，6か月という期間は短すぎるようにも思うが，以前は3か月であったものが2004年の行訴法改正で6か月に延長された。また，「正当な理由があるとき」は，6か月を過ぎても訴訟を可能とする例外規定も設けられている（行訴14条1項ただし書）。ただし，個別法の中には，6か月より短い出訴期間を定めているものもあるし，不服申立期間は原則3か月しかないから（⇨160頁），例外的に審査請求前置が定められている場合には注意が必要である。

また，処分を知っていたか否かにかかわらず，処分の日から1年を経過したときは，取消訴訟を提起することができない（行訴14条2項。客観的出訴期間）。「正当な理由があるとき」を例外とする点は，主観的出訴期間の場合と同様である。

なお，取消訴訟以外の抗告訴訟（無効等確認訴訟，義務付け訴訟等）については，出訴期間の制限はない（⇨94頁）。

審査請求との関係

原則として，審査請求をすることのできる処分については，まず先に審査請求を提起してもよいし，審査請求を経ずに，直ちに訴訟を提起してもよい（行訴8条1項本文。自由選択主義）。ただし，課税処分の場合のように，個別法が審査請求を経た後でなければ訴えを提起できないと定めている場合（審査請求前置）は例外である（行訴8条1項ただし書）。

行審法の改正に伴い，既存の約半分の審査請求前置規定が廃止されたが（建築確認の場合等），大量の不服申立てがある事項（例えば，課税処分）等については，引き続き審査請求を経てから提訴する必要があるので気をつけよう（税通115条1項本文等）。

教　示

以上のように，取消訴訟を提起するためには，いくつもの訴訟要件を充たす必要がある。しかし，通常の市民がこれらの訴訟要件について熟知しているとは考えにくい。そこで，行政庁は，書面で処分を行う場合に限ってではあるが，当該処分の相手方に対し，①取消訴訟の被告とすべき者，②出訴期間，③審査請求前置が定められている場合にはその旨を，書面で教示しなければならないとされている（行訴46条⇨109頁）。ただし，第三者に対する教示義務は定められていない。

もう一歩先へ

不服申立てに関しても教示制度（⇨160頁）が設けられているが，①利害関係人から教

2　行政事件訴訟　**193**

示を求められた場合の教示義務が定められている（行審82条2項），②誤った教示がなされた場合や教示がなされなかった場合の救済方法が定められている（行審22条・83条）などの点で，取消訴訟の教示制度と違いがある。訴訟の場合には救済方法が明示されていないが，例えば，審査請求前置について教示がなされなかったために，直接訴訟を提起してしまったような場合には，裁決を経ないことにつき正当な理由があると解釈して（行訴8条2項3号），救済を図ることとなろう。

6 仮の救済とは何か──訴訟提起と執行停止

執行不停止の原則　取消訴訟を提起しただけでは，原則として，処分の効力，執行又は手続の続行を止めることはできない（行訴25条1項）。例えば，開発許可の取消訴訟を提起しても，勝訴判決が出るまでは，開発工事をストップさせることはできないのである。これを「執行不停止の原則」といい，無効等確認訴訟にも準用される（行訴38条3項）。

国際的に見ると，必ずしも執行不停止が原則とされているわけではない。例えばドイツでは，訴訟の提起により，いったん処分の効力を停止する「執行停止」が原則とされている。しかし，執行停止を原則とすると，とりあえず処分の効力を停止するために濫訴が生じるおそれがあり，また，行政の円滑な実施を確保する必要があるとして，日本では「執行不停止の原則」が採用されている。

執行停止制度　case 3-6 の国税滞納処分のように事後的に金銭解決が可能な事案については，その額が少額であれば，執行不停止の原則を貫いても，さほど大きな問題は生じないかもしれない。しかし，例えば，海の埋立てのよう

な不可逆的な被害の場合はどうだろうか。公有水面の埋立免許の取消訴訟を提起しても、裁判が確定する頃には埋立工事が完了し、仮に埋立免許が違法であったとしても、元の海に戻すことは事実上困難である。あるいは、 case 2-1 のように何者かが情報公開請求した行政文書に、自己の個人情報が記載されていた場合を考えてみよう。仮に違法な開示決定がなされ、いったん行政文書が開示されてしまうと、事後的に救済してもらうことは不可能である。さらに、金銭賠償の可能性が認められる事案であっても、損害額が大きい場合等においては、仮の救済を認める必要性があろう。

そこで、行訴法は、「重大な損害」を避けるため緊急の必要があるときは、裁判所が、申立てにより、処分の執行等の全部又は一部の停止を決定できる旨を定めている（行訴25条2項）。例えば弁護士への業務停止処分については、社会的信用の低下、業務上の信頼関係の毀損等の損害が重大な損害に当たるとして、執行停止が認められている（最決平19・12・18）。

重大性の判断にあたっては、①回復の困難の程度を考慮すること、②損害の性質・程度、処分の内容・性質を勘案することとされている（行訴25条3項）。この考慮事項は、非申請型の義務付け訴訟や差止訴訟の場合と同様である。

ただし、重大な損害を避けるため緊急の必要があると認められる場合であっても、①公共の福祉に重大な影響を及ぼすおそれがあるときや、②原告の請求内容について理由がないとみえるときは、執行停止をすることができない（行訴25条4項）。

執行停止制度は行政不服申立てについても設けられているが、行政不服申立ては行政のセルフ・コントロールの手段であるから、取消訴訟の場合と異なり、場合により、①申立てがなくとも職権によ

2　行政事件訴訟　**195**

る執行停止が可能であること，②処分の効力等の停止以外の措置も
とることができることに注意しよう（行審25条2項）。

| 内閣総理大臣の異議 | 上述のように，執行停止は，そもそも例外
的にしか認められていない。そのうえ，実

は，執行停止の要件を充たしているにもかかわらず，執行停止が制
限される場合がある。それが「内閣総理大臣の異議」制度である。
すなわち，内閣総理大臣が公共の福祉に重大な影響を及ぼすおそれ
があると異議を述べたときは，執行停止をすることができず，また，
すでにした執行停止決定を取り消さなければならない（行訴27条）。

この制度は，行政事件訴訟特例法において設けられ，そのまま行
訴法に引き継がれた。これまで内閣総理大臣が異議を述べた事例は，
ほとんどがデモ行進の不許可処分の執行停止決定に関するものであ
り，最近は実例がない。内閣総理大臣の異議制度は，他国にほとん
ど類を見ない特殊な制度であり，三権分立に反し違憲の疑いがある
との声も強いが，2004年の行訴法改正での廃止は見送られた。

| 仮の義務付け・
仮の差止め | 以前は，行訴法が規定する仮の救済は，執
行停止のみであった。しかし，義務付け訴
訟と差止訴訟が法定されたことに伴い，

「仮の義務付け」と「仮の差止め」という2つの仮の救済制度が創
設された。これにより，例えば，生活保護を求める訴訟において，
義務付け判決が下されるまでの期間も，とりあえず給付を受けるこ
とが可能となった。このように，生活に不可欠の給付について，仮
の救済が認められた意義は大きい。

仮の義務付けも，仮の差止めも，①償うことのできない損害を避
けるため緊急の必要があり，かつ，②原告の請求内容について理由
があるとみえるときに，裁判所が，申立てにより，決定することが

できる（行訴37条の5第1項・2項）。ただし，公共の福祉に重大な影響を及ぼすおそれがあるときは，することができないのは，執行停止の場合と同様である（行訴37条の5第3項）。また，内閣総理大臣の異議制度も，仮の義務付け・仮の差止めに準用される（行訴37条の5第4項）。

> もう一歩先へ

執行停止の場合（「重大な」損害）と異なり，仮の義務付け・仮の差止めについては「償うことのできない」損害が要件とされている。仮の義務付け・仮の差止めは，行政庁が未だ処分を行っていない場合も含め，裁判所が行政庁に対し一定の処分の作為・不作為を命じるものであるから，執行停止の場合よりも厳格な要件が設けられたものである。しかし，これをあまり厳格に解すると，新たな仮の救済制度を設けた意味がなくなってしまう。同様の制度は，諸外国では古くから活用されており（例えば，ドイツの「仮命令」制度），日本でも柔軟な運用が期待される。

> 仮処分の排除

以上のように，行政庁の処分については，執行停止，仮の義務付けおよび仮の差止めという特別の仮の救済制度が設けられている。そのため，行政庁の処分については，民事保全法が規定する仮処分はできないとされている（行訴44条）。

⑦　処分取消訴訟の審理はどのように進められるか

> 職権主義の加味

処分取消訴訟も，民事訴訟と同様に弁論主義を基調とする。弁論主義とは，訴訟資料の収集を原告・被告の権能・責任とすることであり，裁判所は，基本的に当事者が主張する処分の違法性の存否についてのみ，審理す

2　行政事件訴訟　**197**

る。ただし，処分取消訴訟をはじめ行政事件訴訟は，行政の適法性確保という機能をも有するから，通常の民事訴訟以上に，真実の発見を図る必要が大きい。そこで，行訴法は，第三者又は処分庁以外の行政庁の訴訟参加（行訴22条・23条）のほか，次に述べるように，職権証拠調べ，釈明処分の特則等，当事者の意思にかかわらず，裁判所が自己の職権で行うことのできる若干の権能について定めている。

職権証拠調べ　裁判所は，必要があると認めるときは，職権で，証拠調べをすることができる（行訴24条）。もっとも，取消訴訟は弁論主義を基調とするから，不服申立ての場合と異なり，当事者の主張しない事実まで探索すること（職権探知主義）はできず，十分な心証（裁判官の主観的な認識・確信）が得られない場合に，補充的に職権証拠調べを行うことを認めた趣旨であると解されている。職権証拠調べは取消訴訟の審理の大きな特色の1つであるが，従来ほとんど行われていない。

釈明処分の特則　行政訴訟においては，原告である国民に比して，被告である国等が多くの知識や情報・資料を握っているうえ，裁判所に対しても，関連資料が迅速に提出されない場合がある。そこで，審理の充実・促進のため，行政訴訟については，民事訴訟法151条に定める釈明処分の特則が設けられている。すなわち，裁判所は，訴訟関係を明瞭にするため，必要があると認めるときは，被告又は被告以外の行政庁に対し，①処分等の内容，②根拠法令，③処分等の原因となる事実，④処分等の理由を明らかにする資料の提出を求め，又はその送付を嘱託することができる（行訴23条の2第1項）。

| もう一歩先へ | 行政庁が釈明処分に従わず，資料を提出しなかった場合の制裁措置は定められていない。しかし，当該行政庁が正当な理由なく提出を拒否したような場合には，裁判官の心証形成に不利な影響を与える可能性はある。

⑧ 取消訴訟の結論はどのように出されるか──判決

処分取消訴訟の判決には，①却下判決，②棄却判決，③取消判決の3つがある。

| 却　　下 | 原告適格，被告適格等の訴訟要件を充たしていない場合には，訴えは，不適法なものとして却下される。

| 請 求 棄 却 | 訴えは適法であるが，審理の結果，処分が違法ではないと判断された場合には，原告の請求は理由がないとして棄却される。

| 取 消 判 決 | 本案審理の結果，処分が違法であると判断された場合には，原告の請求は理由ありとして認容され，処分の全部又は一部が取り消される。取消判決は第三者に対しても効力を有する（行訴32条1項。取消判決の第三者効）。また，処分庁その他の関係行政庁を拘束する（行訴33条1項。取消判決の拘束力）。case 3-1のような営業停止命令について取消判決が出された場合には，処分庁は，原処分と同じ理由で処分を行うことはできず，他の要件を充たす限り，これを許可しなければならない。

| 事 情 判 決 | 処分が違法であれば，これを取り消すのが法治主義の原則である。ただし，例外的に，処分が違法であるにもかかわらず，原告の請求が棄却される場合が

2　行政事件訴訟　**199**

ある。これが「事情判決」と呼ばれる日本独特の制度である。事情判決は，裁判所が一切の事情を考慮したうえ，取消しが公共の福祉に適合しないと認めるときに行うことができる（行訴31条1項前段）。

判例には，土地改良事業を施行する土地改良区の設立認可取消訴訟において，事情判決を認めた例がある（最判昭33・7・25）。たしかに，土地改良事業や土地区画整理事業のように，多数の土地や人に関わる事業において，処分を前提に積み重ねられた法律関係や事実状態を後から覆すと，大きな混乱が生じる可能性は否定できない。しかし，どんどん既成事実を積み重ねた方が得をするということのないよう，違法性の程度，既成事実を尊重する必要性等，さまざまな事情を総合的に考慮し，慎重に運用すべきである。

なお，事情判決が出された場合，別途，原告が損害賠償を請求することができるのは当然である。その便宜を図るため，事情判決においては，処分が違法であることを宣言しなければならない（行訴31条1項後段）。

もう一歩先へ　衆議院議員定数配分規定の不均衡是正訴訟において，最高裁は，この訴え（選挙訴訟）には事情判決についての定めが準用されないにもかかわらず，事情判決の法理は「一般的な法の基本原則」であると述べ，当該配分規定の違憲性を認めながらも，選挙自体は有効であると判示している（最大判昭51・4・14）。

Intermezzo II

1次試験, 2次試験
～「3つの手続」に共通する要件審理と本案審理

却下・棄却・認容 「却下」「棄却」「認容」という言葉を聞いたことがあるかと思う。これは司法手続の用語として記憶している読者が多いだろう（つまり，「却下判決」「棄却判決」「認容判決」という形で）。

行審法にも ところが注意を要するのは，「却下」「棄却」という言葉は，実は事後行政手続についての法（＝行審法）にも登場していることである。「論より証拠」に，行審法の45条（裁決）と58条（決定）を見ていただきたい。いずれも1項に「却下」が，また2項に「棄却」という言葉が出てくる。

「認容」の場合 なお，行審法には「認容」という言葉が直接は使われていないが，46条と59条が，意味的には認容に関する規定である。「認容」ということは，不服申立人の主張（請求）が正しい，つまり処分は違法（または不当）なわけだから，処分は取り消されることになる。よって「認容裁決」「認容決定」は，「取消裁決」「取消決定」とも呼ばれる。さらに，事実行為の場合には「取消」ではなく，「撤廃」という言葉が使われている（行審47条。59条2項も参照）。

行政法の「キモ」 さて3つの手続，すなわち行手・行審・行訴法が定める手続に共通する要素は，〈図5-0〉のとおりである。ここが行政法を理解するキモ（要諦）となる。

却下と棄却 「却下」と「棄却」の区別がつかない人がいるが，〈図5-0〉を見れば，すぐわかる。すなわち，「却下」とは1次試験の「不合格（通知）」であるのに対して，「棄却」とは2次試験の「不合格（通知）」のことである。ただし手続3法では，条文上，上記のことが全て表現されているワケではない。順に見ていこう。

行 手 法 まず，行手法である。よく読まないとわからない。7条の

202

末尾に登場する「拒否」とは、〈図5-0〉に照らせば、「却下」処分、すなわち「形式要件を満たしていない」という意味での「拒否」処分である。つまり、内容（実質）には立ち入っていないので、形式要件を満たした（再）申請が出されてくれば、行政庁は実質審査を行い、改めて「諾否の応答」をすることになる（行手2条3号「諾否の応答義務」）。

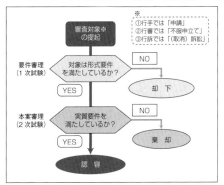

〈図5-0〉 3つの手続と1次試験・2次試験

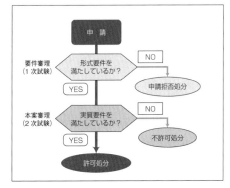

〈図5-1〉 行手法の世界

補正と却下 上記・行手法の条文（7条）に対応する規定は、行審法にも存在している（23条）。しかし、行訴法には行手法・行審法に対応する規定は存在していない。その理由は、なぜだろうか。答えは、行訴法の7条に書いてある。法廷実務家の中には、行訴法の「条文が少ない」という上っ面だけを眺めて、「行訴法は訴訟法ではない」という誤った判断を下す人がいる。しかし、7条にはっきり書かれているように「行政事件訴訟に関し、この法律に定めがない事項については、民事訴訟の例による」。だから行訴法は、スリムなのである（民訴34条・137条・140条・287条・290条・316条・359条を参照されたい）。

「代入」する ここでそろそろ、「1次試験」「2次試験」という平た

い言葉に専門用語を「代入（substitution）」してみよう。結論から述べると，〈図5-0〉に記した「1次試験」は「要件審理」，また「2次試験」は「本案審理」と呼ばれる。要件審理と本案審理について詳しくは，本書の対応する箇所をそれぞれ参照のこと（⇨99頁以下〔行手〕，161頁〔行審〕，183頁以下・197頁以下〔行訴〕）。なお，行審法にも行訴法にも「本案」という言葉の定義や説明はないが，言葉自体は行審25条4項，行訴16条2項・25条4項・28条・37条の5第1項・2項に出てくる。

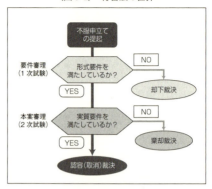

〈図5-2〉 行審法の世界

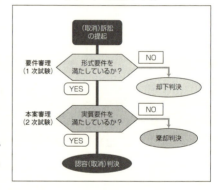

〈図5-3〉 行訴法の世界

まとめ 以上のこと，特に〈図5-0〉を「分解」すると，3枚の図（〈図5-1〉から〈図5-3〉まで）のようになる。

事情裁決・事情判決 なお，すでに学んだとおり，行審法と行訴法にはそれぞれ事情裁決（行審45条3項），事情判決（行訴31条）という仕組みが存在する。しかし，複雑になるので〈図5-2〉と〈図5-3〉にはあえて示さなかった。

以上に述べたことは，石川敏行『新プロゼミ行政法──「3つの手続」で行政法の基本を学ぶ』（実務教育出版・2020）の中で，詳しく解説してある。

第6章	国民の権利利益の救済方法 (2)

国民の権利利益の救済方法 (2)
～金銭によって償う国家補償制度～

1 国家賠償
2 損失補償
3 国家補償の谷間

● この章のあらまし ●

1 **国家補償**　本章では国家補償制度を扱う。その具体的な中身は，①国家賠償法，②損失補償制度，③両者による救済から漏れる部分（①と②の谷間）の救済，の３つからなるが，国家補償法というひとまとまりの法典が存在するわけではない。「国家補償」という概念は理論上のもので，行政主体の活動により国民に損害が生じた場合の金銭による穴埋めの制度を統一的に説明しようとする学問上の試みである。上記の①と②では救えない③の領域において，立法や解釈を通じて救済の実をあげることを狙う構想と言うこともできる。

2 **国家賠償**（⇨208頁以下）　国や公共団体が不法な行為によって私人に損害を与えれば，当然その責任を負うことになる。警視庁の警察官がデモ行進の警備をしていて，ただ歩いているだけの参加者を警棒で殴れば，東京都が責任を負うこととなる。けれども，この一見当然のことが当然のこととして理解されるようになったの

205

は，どの国でもそう古いことではない。「王は悪をなしえず」(The king can do no wrong) というイギリスの法諺にみられる主権（国家）無答責（主権と責任は矛盾するから）という考え方や，そもそも法治主義というレールの上を行政が走っていて事故が起こったら，それは国家の責任ではなく官吏（公務員）個人の責任であるという考え方が長く続いていたからである。わが国の場合にも，紆余曲折はあったが，行政裁判法16条が「行政裁判所ハ損害要償ノ訴訟ヲ受理セス」と定め（なお，明憲61条参照），旧民法が国の使用者責任を否定した時点で，国家賠償責任は否定されたのである。

3 **憲法17条**　この主権無答責を否定したのが日本国憲法17条である。「何人も，公務員の不法行為により，損害を受けたときは，法律の定めるところにより，国又は公共団体に，その賠償を求めることができる」のである。この「法律」が本章で扱う国家賠償法である。

　もっとも，旧憲法下における国家賠償責任の否定は，正確に言えば，公権力の行使（⇨210頁）による不法行為には民法が立ち入らなかったということであり，非権力的活動について民法の不法行為責任は否定されてはいなかった。例えば，小学校の遊具の支柱が腐っていたために児童が墜落死したという事例では，大審院は民法717条の適用を認めているということに注意する必要がある（大判大5・6・1）。

　なお，国家賠償制度は，取消訴訟制度のように，行政の違法な活動を取り除くことを目的としているものではないが，賠償という制裁が同時に行政の違法な行為を抑える効果があるという点も重要である。

4 **損失補償**（⇨231頁以下）　「違法」行為に対する金銭的償いである国家賠償に対し，国・公共団体の「適法」な活動によって生じた私人の財産的損害を補塡するのが損失補償である。例えば，道

206　第6章　国民の権利利益の救済方法（2）

路や鉄道を通すのにどうしてもある人の土地が必要であるが，先祖代々の土地であるからということで売ってくれないという場合，行政側は土地収用法に則り当該土地を強制的に買い上げることができる。この場合，行政の活動は土地収用法という法律に基づく適法なものである。しかし，共同体の利益になる事業のために特定の人にしわ寄せがいくのは，不公平であるから，その犠牲は償われるべきである。

このように，損失補償制度は，まさに憲法29条3項の「私有財産は，正当な補償の下に，これを公共のために用ひることができる」という条文を根拠にするものであり，どの国でも国家の基盤整備のために比較的古くから存在した制度である。しかし，今日のわが国では，憲法14条や，さらに憲法25条を視野に入れて，この制度を考える必要がある。例えば，ダム建設によって水没する村を離れざるを得ない人々の生活をどう再建するかという問題を思い浮かべてほしい。

5 **国家補償の谷間**（⇨239頁以下）　後で詳しく見るように，国家賠償法は公務員の故意や過失，少なくとも「過失」を問題とする。他方，損失補償制度は適法な財産権の侵害の補償である。すると，この2つの制度の守備範囲，適用要件の差から，補償が必要な被害が発生しているのにどちらの制度でも国民が救済を受けられない，あるいは十分には受けられないことがある。国家の行為が違法ではあるが，過失がない（違法・無過失）場合などである。これを，両制度の「谷間」と呼ぶ。

例えば，長く議論されてきた予防接種事故の場合を考えてみるとよい。悪魔のくじ引きともいわれ，医師がどんなに注意しても後遺症が出ることがある。過失を認めるのは難しいし，法が後遺症の発生（損失）を認めているものではない。そのため，法に基づく予防接種の強制により犠牲となった者をいかに救うかが議論されてきた

207

わけである。谷間と呼ばれる問題の一端である。

6 **もう一歩先へ**　国家補償の問題を考えていく場合には，常に，国民の間に生じた損失や現代社会におけるリスクの公平な負担という視点を持つことが必要である。また，谷間の存在からわかるように，国家補償は万能の制度というわけではない。国民の税金が原資であるという現実的な制約もある。ここでは，保険の役割も念頭に置きつつ，被害者・関係者を実効的に救済するにはどのような法的仕組みがよいのかという観点から問題を考えてみることも大切である。

最後に，国家賠償法を学ぶ際には，不法行為に対する私人の救済という点で一般法となる民法の不法行為規定，具体的には民法709条，715条，717条等について，それぞれ国家賠償法1条，2条と文言，制度趣旨，判例，学説を比較しながら学習すべきであるし，損失補償制度を学ぶ際には，国民の負担の金銭的調整という観点から，行政処分の撤回（⇨97頁）と補償などの論点も同時に視野に入れておくのが望ましいということを付け加えておく。

1 国家賠償——違法な行政活動に対する損害賠償

はじめに　国家賠償法はわずか6か条からなる法律である。『はじめての』読者に大切なのは，公権力の行使にかかわる損害を問題とする1条（公権力責任）と公の営造物の設置管理にかかわる損害を問題とする2条（営造物責任）である。

3条はやや実務的な問題（最判平21・10・23）なので今は悩まなくていいし，4条については，そこでいう「民法」が民法典のことな

208　第6章　国民の権利利益の救済方法（2）

のか失火責任法のような付属法も含むのかが問題となるが，最高裁が消防署署員の消火活動について失火責任法（民709条と要件を比較して欲しい。「重大ナル過失アリタルトキ」となっている）の適用があるとして，学説の批判を浴びているということを知っていれば十分であろう（最判昭53・7・17）。5条に関連しては，郵便法違憲判決（最大判平14・9・11）を思い出してほしい。6条は相互保証主義を定めるものであるが，あくまでも国家賠償法の適用についてであり，民法上の不法行為事件に基づく損害賠償は別である —— 相互保証主義の適用はない —— ことに注意する必要がある。

① 国家賠償法 1 条——公権力責任

因数分解

まず国家賠償法（以下，適宜，「国賠法」と略す）1条1項の条文を読んでみよう。「①国又は公共団体の公権力の行使に当る公務員が，②その職務を行うについて，③故意又は過失によって違法に他人に④損害を加えたときは，国又は公共団体が，これを賠償する責に任ずる」（番号は筆者）。

法律の勉強というのは，世の中に起こる具体的事件を条文に当てはめて考えるものであるが，ここでも，実際の事例を因数分解してみればよいのである。

case 3-2 で見たように，建築物の建築計画をめぐり建築主と周辺住民との間に紛争が生じ，関係地方公共団体の担当者（建築主事 C）が建築主（事業者 B）に対し，周辺住民と話合いを行って円満に紛争を解決するようにとの内容の行政指導を行い，話合いが行われている間，建築確認をしないということはままあることである。後日，事業者が，駆け引きでなく本当に嫌だと言ったのに行政指導を続けられたために工期が遅れ損害を被った，という理由で国家賠

償請求を提起したとする。この事例に，前述の①〜④を当てはめて
みよう。

国又は公共団体

因数分解①の要件のうち，国又は公共団体
の部分に問題はない。「公共団体」の主た
るものは「地方公共団体」である。①の要件について重要なのは，
国賠法1条は，ある団体の行った行為が「公権力の行使」に当たれ
ばその団体が責任を負うという仕組みをとっているという点である。
例えば，弁護士会のする懲戒処分が「公権力の行使」に該当すれば，
結果的に，弁護士会も「公共団体」である。なお，「公共団体」に
ついては，建築基準法上の指定確認検査機関（指定機関〔指定法人〕）
は公共団体に当たらないと考えていると読める判例（最決平17・6・
24）がある。なお，近時の下級審の裁判例は，上記判例は行訴法21
条1項（訴えの変更）に関する判例であって，国賠訴訟とは事案を
異にすると読んでいる（＝指定確認検査機関の国賠責任を肯定する）よ
うである（横浜地判平24・1・31など）が，いわゆる耐震偽装事件
（2005〔平成17〕年）を受けた建築基準法，建築士等の改正により，
特定行政庁による指定検査機関に対する指導監督権限が強化されて
いることに注意する必要があろう。

公権力の行使

というわけで，公権力の行使という概念が
1条の最初のキーワードである。それでは，
公権力の行使とは一体何か。

3つの学説

学説では，3つの考え方が唱えられている
（⇨次頁図）。すなわち，(a) 命令，強制など
狭い意味の「公権力の行使」である権力的活動に限る考え方，(b) 上
記 (a) に加えて純粋な私経済作用を除く非権力的な行政活動，例え
ば行政指導も含むが，国賠法2条で救済される部分は除くとする考

210　第6章　国民の権利利益の救済方法（2）

> **公権力の行使に関する3つの学説**
> ⒜ 狭 義 説 ⇔ 権力作用（処分その他公権力の行使）
> ⒝ 広 義 説 ⇔ 権力作用 ＋ 非権力作用（公行政作用—国賠法2条）
> ⒞ 最広義説 ⇔ 権力作用 ＋ 非権力作用 ＋ 私経済作用

え方，⒞国・地方公共団体の行為であれば医師の診断行為のような私経済活動をも含むすべてとする考え方，である。

　⒜は狭義説と呼ばれるが，行政手続法2条，行政不服審査法1条，行政事件訴訟法3条に出てくる「公権力の行使」の概念と国賠法1条のそれとを同じにとらえるものである（条文を読み比べること）。法の沿革，文理に忠実な考え方といえる。

　これに対して，⒝の広義説と呼ばれる考え方——これが通説・判例である——は，より広く，　case 3-2　のような行政指導（最判平5・2・18），学校事故（最判昭58・2・18）にも国賠法1条の適用を認める。つまり，わが国の通説・判例は，国家賠償制度と行政争訟制度は制度目的が異なるのであるから，被害者救済という点から，前者の公権力の行使の概念を広く解してよいと考えるわけである。今日のIT社会で特に問題になる，行政による情報提供も公権力の行使とされる（O-157事件：東京高判平15・5・21）。

　なお，⒞の最広義説によれば，広義説で「公権力の行使」に該当するか否か争いのある場合でも，例えば医療行為についても国賠法1条の適用があることになる。しかし，この考え方は文理からあまりにも離れており，現行法の解釈としては支持されていない。

| 公権力の行使
という概念の役割 |

　　　　　　　　　　それでは，「公権力の行使」に当たらない行政活動によって被害を受けた国民は，国賠法で救済されない以上，泣き寝入りか？
『はじめての』読者に確認してほしいことであるが，そんなこと

1　国家賠償　**211**

はない，というのが答えである。国家賠償法1条の「公権力の行使」という概念は，損害賠償請求事件に国家賠償法が適用されるか民法が適用されるかの分水嶺，簡単に言えば，振り分けの基準なのである。 case 3-2 でいえば，担当者である建築主事Cの行為が「公権力の行使」に該当する場合には，問題は国家賠償法1条により処理されるが，該当しない場合でも，民法の不法行為で当該地方公共団体（Q市）を訴えればいいだけのことなのである。

　では，違うところはないのかというと，現在の民法学説や最高裁判例の状況を前提とすると，1つだけある。すなわち，公権力の行使に該当する（国家賠償責任）と，被害者は公務員個人の責任追及ができないが（最判昭30・4・19），該当しない（民法の不法行為責任）と使用者（Q市）と被用者（建築主事C）の両方の責任の追及が可能になる。今日では，「公権力の行使」に該当するか否かは，公務員の個人責任との関係で意味があるに過ぎないと言ってよい。

官から民へ──民間委託と公権力の行使

　今日，社会福祉の分野などで，社会福祉法人等の民間の団体に本来行政が行うべき仕事が委ねられることが少なくない。民間委託と呼ばれるものである（法律による場合もあれば契約による場合もある）。この民間委託の関係の中で不幸にも事故が起こった場合，民間団体の被用者の行為は公権力の行使に当たるか？　最高裁は，児童養護施設に入所している児童が他の児童から暴行を受けた事案において，「児童に対する当該施設の職員等による養育看護行為は，都道府県の公権力の行使に当たる公務員の職務行為と解するのが相当である」として，これを肯定している（最判平19・1・25）。

不作為

　公権力の行使には不作為も含まれる。 case 3-2 のように，建築確認の申請を

212　第6章　国民の権利利益の救済方法（2）

し法定の要件は充たしているのに確認が出ないとか（申請に対する不応答型），住宅地に熊が出没しているのに行政が何もしなかったので被害に遭ったとか，わが国の深刻な薬害，公害などについて言われたように，行政が権限を行使しなかったから被害が発生した（関西水俣病訴訟：最判平16・10・15）というような場合（規制権限不行使型）も，国家賠償法1条の公権力の行使に該当する。

　国賠法1条の責任の成立にとって，不作為の場合の問題点は何か？

　規制権限の不行使については，行政が権限を行使しなかったことが，国家賠償法上「違法」と評価されるかという形で問題になる（⇨218頁・違法性の説明）が，この点について，裁判所が行政の権限の不行使を違法と判断した例は多くない。なぜか。行政便宜主義（他に反射的利益論〔⇨186頁の議論がルーツ〕も問題とされる。しかし，制定法が直接の保護の対象としていない事実上の利益があることは確かであるが，〔最判平元・11・24，同平2・2・20〕，それをわざわざ「反射的利益」と呼ぶかどうかは別問題であり，『はじめての』読者が，この概念にこだわることもないので，ここでは省略する）が説明のキーワードということになる。

　行政便宜主義というのは，行政庁に規制権限が与えられている場合，権限を発動する前提としての要件が充足されたとしても，実際にその権限を発動するかどうかは，行政庁の裁量（⇨82頁）に委ねられているという考え方，自由裁量論である。強い行政と弱い個人という図式を描いて，規制権限の発動は国民の自由の規制となるから，その発動は謙抑的であることが望ましいという自由主義的な立場からは，もっともな考え方である。

　しかし，行政便宜主義については，いわゆる二面関係（行政庁と

被規制者のみが登場人物）には妥当するが，今日の行政活動で問題になることの多い三面関係（行政庁，被規制者に加えて，消費者・周辺住民等の第三者が登場し，被規制者と第三者住民等との利害は対立する）には必ずしも妥当しないとの批判があり得る。

　この裁量論（行政便宜主義）を克服して，権限不行使の場合の賠償責任を肯定する法的構成は複数示されてきた。1つは，裁量権収縮論である。これは，簡単に言えば，行政庁に裁量があるといっても，国民の被害発生の危険が高くなれば裁量の幅は狭まり，ついにはゼロとなり，その結果，行政庁は規制権限の行使を義務づけられる（作為義務が導かれる！　不作為はその作為義務に反するもので違法である）という構成である（スモン訴訟：東京地判昭53・8・3）。もう1つは，裁量権の消極的濫用論ともいうべき考え方である。最高裁は，例えば，「諸事情を総合すると……水質二法に基づく上記規制権限を行使しなかったことは，上記規制権限を定めた水質二法の趣旨，目的や，その権限の性質等に照らし，著しく合理性を欠くものであって，国家賠償法1条1項の適用上違法というべきである」（前掲・最判平16・10・15。なお水質二法とは，公共用水域の水質の保全に関する法律と工場排水等の規制に関する法律のことである）とする。すなわち，規制権限の不行使は，法令の趣旨・目的やその権限の性質に照らし，著しく合理性を欠く場合には被害者との関係で違法となる，という構成である（なお，筑豊じん肺訴訟〔最判平16・4・27〕，泉南アスベスト訴訟〔最判平26・10・9：第1陣訴訟と第2陣訴訟の上告審判決が同日に下されている〕は，権限不行使が著しく合理性を欠くという結論，宅建業事件〔前掲・最判平元・11・24〕およびクロロキン薬害訴訟〔最判平7・6・23〕は，権限の不行使がそこまでには至っていないという結論である）。

実際の事件において検討されている具体的な要件は，裁量権収縮論と裁量権の消極的濫用論のどちらにおいても，被侵害利益・予見可能性・結果回避可能性・国民の期待・補充性であり，両者のアプローチはさほど違うものではないと言える。学説としての裁量権収縮論の功績は認めつつも，説明の仕方としては最高裁のように端的に規制権限の不行使を違法とすればよいと解される。

Column ⑨　薬害と不作為

　水俣病・イタイイタイ病などの「四大公害裁判」。またスモン，サリドマイド，クロロキン，薬害エイズ，ヤコブ病などをめぐる裁判で，薬害と行政の不作為との関係が問われた。

　つまり，「不作為」が争われたという意味では，例えば警察官がナイフの一時保管を怠ったがために死亡事故が起きたケース（最判昭57・1・19）と，極めて似通っている。

　だが，薬害とナイフの事件では，大きな違いがある。すなわち，薬害事件では，規制権限に対する期待可能性（期待値）が高くなる。その理由は，行政庁の承認がないと，規制対象（＝医薬品）が市場に出回らない法的仕組みになっているからである。

　これに対し，ナイフの事件の場合は，行政庁の許可がないと，規制対象（＝ナイフ）が市場に出回らない，という仕組みにはなっていない。ここが大きな違いである。

　一般に，不作為に関して国賠責任の成立を肯定するには4つの要件，すなわち①被侵害法益の重要性，②予見可能性の存在，③結果回避可能性の存在，④期待可能性の存在が必要だ，と考えられている（宇賀『国家補償法』157頁）。

　これを上記の薬害とナイフの事件の違いに当てはめてみると，特に上記・要件④（＝期待可能性）において大きな差違が生まれてくる。

Level ①

|立法行為・裁判|

国会議員の立法行為（立法の不作為を含む。在宅投票事件〔最判昭60・11・21〕，在外投票事件〔最大判平17・9・14〕，再婚禁止期間事件〔最大判平27・12・16〕），

1　国家賠償　**215**

裁判官による裁判（最判昭57・3・12）も国賠法上の公権力の行使に当たる。

公 務 員

因数分解①（⇨209頁）の事例では，担当者は公務員であるのが通常であるから，この公務員という要件について問題はない。しかし，今日，公共サービスの担い手は多様であり，担当者が公務員とは限らないではないかという声が上がりそうである。しかし，それも心配はない。ここでの公務員は公務員法で公務員としての身分を有している者のことを言っているのではなく，公権力の行使を委ねられている者のことを指しているからである。すなわち，「実質的に国又は公共団体のために公権力の行使たる公務の執行に携わる者を広く指す」（名古屋地判平16・11・12）のであり，非常勤の職員でも無報酬のボランティアでも，本条の公務員となりうるのである。

職務を行うについて

因数分解②についても，case 3-2 では，問題がない。

この「その職務を行うについて」という要件（関連する民715条の条文を確認）は，公務員の職務（公務）そのものではないが，職務と一定の関連性のある行為（職務関連行為）についても，国や公共団体に責任を負わせるという意味である。被害者救済の見地から，国・公共団体の責任を拡大しているのである。

そして，職務関連性について判例はいわゆる外形主義（当該行為が客観的に職務執行の外形を備えているかがポイント）をとっている。例えば，警察官が制服制帽着用の上で，職務行為を装い強盗殺人を犯したというような場合も，外形上は「職務を行うについて」に当たるとしている（最判昭31・11・30）。

なお，外形主義といっても，公務員の行った行為であるというこ

とが前提であり，警察官でない民間人が白バイの警察官を装って現金輸送車を襲ったとしても，それは国賠法1条の問題ではないことになる。

故意又は過失と違法

因数分解③の故意・過失，違法性の要件についての議論は，かなり錯綜していると言ってよい。「あらまし」で触れたように，国家賠償法の議論は民法の影響を受けて展開してきていると言ってよいのであるが，民法学の不法行為（民709条）における議論が多彩な上に，国賠法1条の公権力の行使のあり方が多様（広義説⇨211頁）だからである。ここでは，『はじめての』読者のために，必要最小限の論点に絞って，問題の交通整理をしておこう。

主観と客観

因数分解③の要件は，違法な加害行為が公務員の故意又は過失によってなされたこと（過失責任主義）であるが，「故意又は過失によって」「違法に」という2つの部分に分かれる。故意・過失は公務員の心理状態を問題とするから主観的要件と言われ，違法は当該行為が客観的に法規範に反するかどうかを問題とするから客観的要件と言われる。

過失の客観化

過失というのは，どうなるかわかりそうなものなのに「うっかりと」何かをする（しない）という人の心のありようを問題にするわけである。では，過失の有無すなわち人の心理状態を，外から見てどのように判断（認定）するか。加えて，因数分解③の主観的要件は個々の公務員について判断すると読めるが，個別の公務員の心理状態に国賠法1条の責任の成立が左右されるのは，被害者の救済という観点から妥当なのか。

このような点を考慮して，通説・判例は，過失を，単なる加害公

1　国家賠償　**217**

務員の心理状態としてではなく，客観的な注意義務違反であり，それは，損害発生についての予見可能性と回避可能性があった場合に認められる，と解している。どうなるかわかりそうなものなのに（予見可能性），これに対応してなすべきことをしなかった（結果回避義務違反），そのことが過失である，というのである。つまり，予見可能な結果を回避する義務に反する行為があれば，注意義務違反があったとするわけである。そして，その回避義務は当該職務に従事する者として要求される標準的な能力を基準とすると考える。結果を避けるためになすべき行為は外から見えるし，程度は平均的公務員の能力として擬制できるのである。このように国賠法1条の過失は客観化されてきている。

違法性

国賠法1条にいう違法性については，学説に対立はあるが，国や公共団体の行政活動が法というルールに則って行われているか否かを最も重視するのが行政法のシステム（法治主義）である以上，違法とは特定の法規（明文のみならず不文の法原則も含む）に違反することを意味するというのが通説である。行政処分の場合には，当該処分の根拠法令に反したか否かで「違法性」が評価される。したがって，違法であるか否かの評価の結果は，通常，取消訴訟（⇨175頁）において当該処分が違法とされるか否かと一致することとなる。

職務行為基準説

違法性の問題については，しかしながら，これを，国家賠償と取消訴訟とで異なってもよいとする考え方も有力である。判例はこちらの立場でほぼ固まっている。すなわち，「国家賠償法上の違法性は，公務員が具体的状況の下において職務上尽くすべき法的義務に違反したかどうかという観点から判断すべきものであり，したがって，行政処分がその

218　第6章　国民の権利利益の救済方法（2）

根拠となる行政法規に定める実体的又は手続的な要件を客観的に欠欠しているかどうかという瑕疵判断とは，その判断基準を異にしている」というのである（東京地判平元・3・29）。最高裁も，「税務署長のする所得税の更正は，所得金額を過大に認定していたとしても，そのことから直ちに国家賠償法 1 条 1 項にいう違法があったとの評価を受けるものではなく，税務署長が資料を収集し，これに基づき課税要件事実を認定，判断する上において，職務上通常尽くすべき注意義務を尽くすことなく漫然と更正をしたと認め得るような事情がある場合に限り，右の評価を受けるものと解するのが相当である」と述べる（租税更正処分が問題となった最判平 5・3・11，近時のものとして，通達の発出が問題とされた最判平 19・11・1，死刑確定者と再審請求のために選任された弁護人との秘密接見交通権の保障が問題とされた最判平 25・12・10 など）。これが職務行為基準説と呼ばれる考え方である。ここでは，国家賠償法は公務員の不法行為責任を問うものであるという点に力点があり，違法性判断の中に過失判断を組み込んでいるところに特徴がある。

　国家賠償法の違法と取消訴訟の違法は異なるのだという考え方自体は学説にもあるが，近時の判例の職務行為基準説は，被害者側の関与等の事情も考慮することが社会通念に合致すると考えるからか，国家賠償法上の違法を限定する方向に働いている（取消訴訟で違法でも国家賠償請求訴訟では違法ではない。すなわち，請求容認判決の中で法規違反が明示されるわけではない）。このことは，違法と判断されることで，行政が非難され，制裁を受ける可能性を生じ，ひいては違法行為が抑止される（違法性抑制機能）という国家賠償制度の果たしうる一つの機能をそいでしまうことになる。そのため，学説上は，職務行為基準という考え方を，裁判官による裁判，立法者による立法

1　国家賠償　**219**

のような特殊な行為に関してならともかく，通常の行政処分にまで適用することには批判的な見解が強い。行政機関が注意義務を尽くしたかどうかは，違法性要件ではなく過失要件のところで判断すればよく，そのようにしても事案について適切な判断は下せるからである。

> **過失と違法性**

もっとも「故意又は過失によって」「違法に」という判断が，別々に行われるといっても，過失が客観化されていることを前提とすると，公権力の行使を広くとらえた場合（広義説）の行政活動は多様であるから，通常の行政処分のような判断の仕方ができない場合もあることに注意する必要がある。例えば，学校事故の場合がそうである（前掲・最判昭58・2・18）。そこでは，教師の行為が違法とされるのは，何かの法律（例えば学校教育法）に違反しているからではなく —— 学校教育法は学校での活動に際しての教師の明確な行為規範を定めているわけではない —— ，教師として尽くすべき一般的な注意義務（事故を未然に防ぐ義務など）に反したからである。そして，注意義務違反は被害の発生についての予見可能性と回避可能性によって判断される。ということは，（客観化された）過失と違法が区別されずに判断されているのである。行政の行為規範がはっきりしないと違法性判断における行為規範と過失の判断における注意義務との区別自体がはっきりしないということである。不作為の違法の場合にも同じことが言える。これらの類型においては，国賠請求においても行政の活動がその根拠法規の要件に反していることが違法であるという学説とそれは違法判断の1つの要素にとどまるという職務行為基準説の対立はそもそも生じないのである。このような意味では職務行為基準説は行政処分とそうでない行政活動の違法性について統一的に説明

220　第6章　国民の権利利益の救済方法 (2)

できるとの見方もできる。

| 損　　害 |

因数分解④の損害の要件については，因果関係論など民法の議論をよく復習しておいてほしい。

| 責任の本質 |

因数分解①〜④の要件が充たされれば，当該地方公共団体は，「賠償する責に任」ぜられることになる。それでは，なぜ，国又は公共団体が賠償する責めを負うのであろうか。仮に，相手が真剣にはっきりと従う気はないと言っているのにしつこく行政指導を続けていたことが許されないとしたら，担当者の責任ではないのか？

| 代位責任説 |

この点について，そもそも国は公務員を手足のように使っているのだから（そして，加害行為を行う危険性が内在しているのだから），国自身が国賠法1条の責任を当初から負っているという考え方（自己責任説）と，本来は公務員個人が負うべき責任を政策として国が代わって負うことにしているという考え方（代位責任説）とが対立している。わが国の通説は代位責任説である。公務員に代わってとは条文に書かれていないものの，公務員の故意・過失を問題にしている以上，国賠法の立法者は代位責任説を採用しているとみるのが素直だからである。また，故意・重過失の場合の求償（国賠1条2項，軽過失を除外して，公務執行のリスクは国が負っている）も，まずは公務員に責任が生ずることを前提としている。

　ただ，なぜに国家賠償制度が存在するのかということの本質を考えると，自己責任説の発想は重要である。

| 公務員の個人責任 |

「公権力の行使」の概念のところですでに説明したが（⇨210頁以下），国賠法1条に

1　国家賠償　**221**

おいては，国側からの求償はあるものの，公務員個人は被害者に対して直接責任を負わない。判例（前掲・最判昭30・4・19）・通説である。その根拠として，被害者の救済は国や地方公共団体が責任を負うことで実現されるという実質的理由，国賠法の立法時に，それまで個人責任を認めていた他の法律の規定が削除されているという形式的な理由，をあげることができよう（もっとも，故意による犯罪行為のような場合にも〔被害者は外形主義により救済するとしても〕，個人責任を否定するかどうかについては議論がある）。

したがって， case 3-2 において，担当職員（建築主事C）が個人責任を問われることはないのである。

なお，民間委託（⇨212頁）との関係で言えば，民間団体の職員の行為が「公権力の行使」に該当するとされ，委託している地方公共団体が被害者に対して国賠法1条の責任を負う場合には，当該職員個人の損害賠償責任（民709条）のみならず，職員を使用する団体の損害賠償責任（民715条）も否定されるとするのが最高裁の立場である（前掲・最判平19・1・25）。

国家賠償請求と取消訴訟　わが国では，国家賠償請求をするのにあらかじめ取消訴訟を提起して取消判決を得ておく必要はない（最判昭36・4・21）。すると，課税処分や保険料納付処分のような金銭納付に係る処分の場合，これらの処分に対する国賠請求を認めることは経済的効果（お金が返ってくる）の点で取消訴訟と同じ意味を持つこととなり，取消判決を提起することなく国家賠償請求を肯定してしまうと，出訴期間を置いた意味（不可争力）や排他的管轄とした意味（公定力）がなくなってしまうのではないかという疑問も生ずるところである。この点について，近時，最高裁は，国家賠償と取消訴訟はそれぞれ制度目的も要件も異なるのだ

222　第6章　国民の権利利益の救済方法（2）

から，それはそれで構わないのだということを述べている（最判平
22・6・3⇨91頁注7）。

② 国家賠償法2条──営造物責任

　国賠法2条についても，まず，条文を読んでみよう。「道路，河川
その他の公の営造物の設置又は管理に瑕疵があつたために他人に損
害を生じたときは，国又は公共団体は，これを賠償する責に任ずる」。
　実は，ここに定められている国・公共団体の責任は，国賠法1条
の責任とは異なり，日本国憲法下における新たな制度というわけで
はない。「あらまし」でも触れたように（小学校の遊具による事故），
戦前から民法717条の責任（土地の工作物責任）として認められてい
たものである。
　しかし，わが国の立法者は，1条を「公権力責任」，2条を公権力
の行使とは考えることのできない「公の管理作用に基づく損害につ
いての責任」と明確に分け，民法（709条・717条）の適用でも救済
できる領域について，いわば確認的に，新たに「営造物責任」とい
うものを定めたのである。
　注意すべきは，このように確認的に入った国賠法2条が多く利用
されているという事実，それらの訴訟の結果が，道路・河川のみな
らずさまざまな行政の分野で，被害者を救済するとともに，行政の
違法行為を抑止する機能をも営んできたという事実である。

　　　　　　　　　　　2条の条文を分解すると，重要な要件は，

因 数 分 解

　　　　　　　　　　　①公の営造物の，②設置・管理の瑕疵によ
りという部分である。故意・過失という要件はどこにもない。

公の営造物

　　　　　　　　　　　某書店の国語辞典ならぬ，有斐閣の法律学
　　　　　　　　　　　小辞典によれば，営造物とは，「国又は公

1　国家賠償　**223**

共団体等の行政主体により，特定の公の目的に供される人的物的施設の総合体」と定義される。本来，営造物というのは「人＋物」なのである。けれども，国賠法でいう「公の営造物」は異なる。

国賠法の営造物は，国または公共団体により直接に公の目的のため供用されている個々の有体物であって，無体財産および人的施設を含まない，とされる。人は含まないし，有体物ではない無体財産（今は，知的財産ということが多い）は含まないのである。要するに，国賠法の営造物すなわち「公物」であると理解すればよい。

公物は，動産を含む（拳銃やテニスの審判台など。この点で民法717条の土地の工作物より広いことに注意）し，人工公物（道路など）のみならず自然公物（河川，湖沼，海浜など）も含む。また，国や公共団体が設置・管理の責任を負うが，その場合の設置・管理は，事実上のものでよく，必ずしも法令に基づく正規の管理権に基づくものでなくてよい（最判昭59・11・29）。

＿＿＿＿＿＿
設置・管理の瑕疵 　国賠法2条の設置・管理の瑕疵については，
＿＿＿＿＿＿　　　あくまで公物という物に着目して考える
（客観説）のか，それとも管理者の行為に目を向ける（主観説）のか，という着眼点の違いによる議論の対立はあり得る。が，『はじめての』読者は，最高裁判所の判例の流れに沿って，そして，人工公物の道路と自然公物たる河川の管理責任に分けて，考え方を整理しておくのがよいであろう。

＿＿＿＿＿＿
高知落石事故判決 　落石注意等の標識を立てる程度のことはし
＿＿＿＿＿＿　　　てあったが，防護柵等を設置することはし
ていなかった国道に落石があり，トラックの助手席に乗っていた少年が死亡したという事件（最判昭45・8・20）で，最高裁は，国賠法2条の設置・管理の瑕疵について次のように判示している（番号は

筆者）。

「①国家賠償法2条1項の営造物の設置または管理の瑕疵とは，営造物が通常有すべき安全性を欠いていることをいい，②これに基づく国および公共団体の賠償責任については，その過失の存在を必要としないと解するを相当とする」。「③上告人県としてその予算措置に困却するであろうことは推察できるが，それにより直ちに道路の管理の瑕疵によって生じた損害に対する賠償責任を免れうるものと考えることはできないのであり，④その他，本件事故が不可抗力ないし回避可能性のない場合であることを認めることができない」。

①の「営造物が通常有すべき安全性を欠いていること」というのは，国賠法2条の設置・管理の瑕疵について，道路という物に着目していることになる。客観的に見れば道路が道路として安全でない，という点を問題としているので客観説と呼ばれる。そこで，この判決から，最高裁は，(a)営造物の設置または管理の瑕疵については客観説を採り，(b)その責任については無過失責任ととらえ，(c)その際，予算の抗弁を排斥している，と定式化できる。もっとも，③については，最高裁は，瑕疵の判断について，およそ予算の制約が抗弁となることはないとまで言っているわけではないと解される（最判平22・3・2は，高速道路に飛び出してきたキツネを避けようとして起こった事故について，侵入防止策の実施に多額の予算を要することも考慮している）。

> 神戸幼児高校校庭
> 転落事故判決

また，瑕疵の有無について，最高裁は，6歳の幼児がガードレールの手すりに後ろ向きに腰かけて遊ぶうちに，誤って4メートル下の高校の校庭に転落したという事故（最判昭53・7・4）について，「国家賠償法2条1項にいう営造物の設置又は管理に瑕疵があ

ったとみられるかどうかは，当該営造物の構造，用法，場所的環境及び利用状況等諸般の事情を総合考慮して具体的個別的に判断すべきものである」としている（この事件では，通常の用法に即しない行動の結果生じた事故について管理者に責任はないとした）。

大阪国際空港判決
──供用関連瑕疵

行政事件訴訟法でも重要な大阪国際空港（伊丹空港）訴訟の大法廷判決（最大判昭56・12・16）は，「国家賠償法2条1項の営造物の設置又は管理の瑕疵とは，営造物が有すべき安全性を欠いている状態をいうのであるが，そこにいう安全性の欠如，すなわち，他人に危害を及ぼす危険性のある状態とは，ひとり当該営造物を構成する物的施設自体に存する物理的，外形的な欠陥ないし不備によつて一般的に右のような危害を生ぜしめる危険性がある場合のみならず，その営造物が供用目的に沿って利用されることとの関連において危害を生ぜしめる危険性がある場合をも含み，また，その危害は，営造物の利用者に対してのみならず，利用者以外の第三者に対するそれをも含むものと解すべきである」と述べる。

これが「供用関連瑕疵」とか「機能的瑕疵」と呼ばれるもので，飛行機が離発着のために空港を利用している分には飛行機自体にとって何らの問題はなく，空港の設置・管理に瑕疵はないが，国賠法2条の瑕疵には，空港を空港として利用することで周辺住民に被害が及ぶ場合も含まれるというのである。この考え方は，自動車が道路を走る分には自動車自体にとっては問題がないが，沿道の住民には騒音被害が深刻であるというような場合にも妥当する（国道43号線訴訟：最判平7・7・7）。

この考え方は，道路公害，空港公害の被害者を救済するための，損失補償（⇨後述2）的な発想を含む構成であることに注意してほ

しい。

> **最高裁の定式**

以上を整理すれば，国賠法2条にいう「営造物の設置又は管理の瑕疵とは，営造物が通常有すべき安全性を欠き，他人に危害を及ぼす危険性のある状態をいい」，このような「瑕疵の存否については，当該営造物の構造，用法，場所的環境及び利用状況等諸般の事情を総合考慮して具体的個別的に判断すべきもの」ということになる（大東水害訴訟：最判昭59・1・26）。

> **道路の設置・管理の瑕疵**

道路の設置・管理の瑕疵が問題とされる場合を類型化すると，大きく，(a)道路そのものの構造，設計に瑕疵がある場合，(b)道路に障害物等がある場合，(c)自然の災害が道路に及んだような場合に分けられるであろう。

(a)の場合に，最高裁の定式から設置・管理の瑕疵を導くことは容易であろう。

(b)は，例えば，道路に故障車が放置されているとか，標識が倒れていて工事の箇所がわからなくなっているといった場合である。

最高裁は，国道に87時間も故障車が放置されていたという事例(b)-①で，道路の設置・管理に瑕疵があったとする一方（最判昭50・7・25），直前の走行車が道路工事箇所について注意を喚起する赤色灯とバリケードを倒していったため，直後に現場を通った後続車が事故を起こしたという事例(b)-②では，瑕疵を否定している（最判昭50・6・26）。すなわち，事例(b)-①について，「大型貨物自動車が87時間にわたって放置され，道路の安全性を著しく欠如する状態であったにもかかわらず……管理事務を担当する……出張所は……道路の安全性を保持するために必要とされる措置を全く講じていなかったことは明らかであるから……同出張所の道路管理に瑕

1 国家賠償 **227**

疵があった」と述べ，事例(b)-②について，「設置した工事標識板，バリケード及び赤色灯標柱が道路上に倒れたまま放置されていたのであるから，道路の安全性に欠如があったといわざるをえないが，それは夜間，しかも事故発生の直前に先行した他車によって惹起されたものであり，時間的に……遅滞なくこれを原状に復し道路を安全良好な状態に保つことは不可能であったというべく……道路管理に瑕疵がなかったと認めるのが相当である」と述べる。

　これらの場合について，本条の解説の冒頭（⇨223頁）で述べたように，道路管理者がなすべきことをしたか否かという管理者側の事情に着目することも可能である（客観説に対して主観説という）が，『はじめての』読者には，これは学説の対立というよりも説明の仕方の問題に過ぎないとも言えるということの方を重視してほしい。つまり，事例(b)-①は，故障車が放置してあるような道路は道路として危険である（道路と障害物を一体としてみる）と考えれば，客観説で説明がつくし，事例(b)-②は，客観説から言えば，いわば不可抗力と言えば済むことだからである。『はじめての』段階で，○○説，○○説という対立に引きずられない方がよい。

　(c)の場合はどうであろうか。集中豪雨によるバスの河川への転落事故において，一部不可抗力を認めつつも，管理者側の管理を問題としている裁判例がある（飛驒川バス転落事故：名古屋高判昭49・11・20）。前述の高知落石事故の④「本件事故が不可抗力ないし回避可能性のない場合であることを認めることができない」という判示を見ればわかるように，最高裁は，道路事故について純粋な結果責任（道路上の事故であればすべて管理者が責任を負う）を認めているわけではない。そうである以上，瑕疵の判定には，管理者側の対応も問題とされ得るということである。物理的な状況だけを見ている

わけではない。その意味では，判例は純粋な客観説を貫いているわけではないと言えよう。しかし，そうであっても，主観，客観という区別に形式的にこだわる必要はないと思われる。

河川管理の瑕疵　さて，道路の設置・管理の瑕疵に係る最高裁のリーディングケースの考え方（⇨224頁）を，河川水害に当てはめるとどうなるか。水害が現に発生した以上，答えは予測できるとも言える。「河川において通常有すべき安全性とは，当該河川の置かれている地形，地質等の自然的諸条件の下で，当該河川につき通常予測される洪水を安全に下流へ流下させ，もって右洪水による災害を堤内地住民に及ぼすことのないような安全な構造を備えることであると解される」のである（長良川水害〔安八町〕訴訟：岐阜地判昭57・12・10）。実際，初期には水害の被害者勝訴の判決が続いた。そこでは，道路は人工公物であるが，河川は自然公物であるといった管理者側の反論は認められていない。

大東水害訴訟　このような水害訴訟の流れを一変させたのが大東水害訴訟の最高裁判決である（前掲・最判昭59・1・26）。判決は，道路と河川の違いを強調し，結論として，治水事業は「一朝一夕にして成るものではなく，しかも全国に多数存在する未改修河川及び改修の不十分な河川についてこれを実施するには莫大な費用を必要とするものであ」り，技術的制約，社会的制約もあるから，「未改修河川又は改修の不十分な河川の安全性としては，右諸制約のもとで一般に施行されてきた治水事業による河川の改修，整備の過程に対応するいわば過渡的な安全性をもって足りるものとせざるをえないのであって，当初から通常予測される災害に対応する安全性を備えたものとして設置され公用開始される道路その他の営造物の管理の場合とは，その管理の瑕疵の有無

についての判断の基準もおのずから異なったものとならざるをえない……。この意味で，道路の管理者において災害等の防止施設の設置のための予算措置に困却するからといってそのことにより直ちに道路の管理の瑕疵によって生じた損害の賠償責任を免れうるものと解すべきでないとする当裁判所の判例……も，河川管理の瑕疵については当然には妥当しないものというべきである」とした。未改修あるいは改修不十分な河川について，過渡的安全性という基準を用い，また，高知落石事故判決における，道路事故についての予算の抗弁（道路管理に充てることのできる予算には限りがあるという言い分）は認めないというのとは異なる判断を示したのである。

最高裁は道路管理と河川管理の差を強調するが，判断の決め手は，治水事業の巨大なコスト，財政的負担の大きさに対する司法としての配慮であると推測される。

多摩川水害訴訟

大東水害訴訟以降，それまで被害者が勝訴していた水害訴訟において，逆転判決が続いた。そして，多摩川水害訴訟において（大東水害訴訟最高裁判決より前の第1審東京地判昭54・1・25は被害者側勝訴），第2審東京高判昭62・8・31は，改修整備の必要がないとされていた多摩川について，大東水害訴訟の基準を適用した。

大東水害訴訟判決の説く，河川には危険が内在するという論理を前提とするとしても，また，大東水害訴訟判決が求める河川管理の水準が諸外国の状況と同じレベルのものであるとしても，「未改修河川」と「改修の必要がないと判断された河川」に同じ基準を適用するのはどうであろうか。

この点について，多摩川水害訴訟の最高裁判決（最判平2・12・13）は，多摩川水害で問題となっている河川部分は，「工事実施基

本計画に準拠して改修，整備がされた河川と同視されるものであり，本件は，このような河川部分について，管理の瑕疵が問題となる事案である」として，未改修部分が問題となっている大東水害訴訟判決の基準を適用した原審を破棄，差し戻している。『はじめての』読者も，事案の結論がどうも腑に落ちないと思ったら，先例とは事案を異にするのではないかと考えてみてほしい。

> **もう一歩先へ**　ここまで，国賠法 2 条の成立要件をみてきたが，公の営造物は道路，河川に限られるものではない。さまざまな営造物ごとに類型化して議論を整理する必要がある。また，国賠法の問題は保険制度と密接な関連を持っているということを，今後の課題としてあげておきたい。

2 損失補償——適法な行政活動に対する損失の補塡

　国家賠償法は，公権力の行使が違法と評価されるものであったり，あるいは営造物の設置・管理に瑕疵があったりということで，いずれにせよ，国・公共団体の行為にキズがある場合のものであった。これに対して，行為にキズはない，すなわち，行政の行為は適法であるが私人に損失が生じた場合はどうか，というのが損失補償の問題である。より正確に言えば，国・公共団体の適法な行為に基づいて私人について生じた財産上の特別の犠牲を償うこと，これが損失補償制度である。

　典型例をあげてみると，道路を作るためにある人の土地がどうしても必要であるという場合である。土地の任意の買収（わが国ではこれが普通）に応じてくれればよいが，先祖代々の土地を手放すわ

2　損失補償　**231**

けにはいかないということで，どうしても売ってくれない。しかし，他に適当な代替地はなく，どうしても当該土地が必要であるとする。この場合，土地収用法に基づいて（収用 3 条・20 条を参照）土地を強制的に収用することができる。このような場合，土地所有者は，共同体あるいは社会全体の利益のために特別の犠牲を払ったのであるから，この者の損失（土地代）については，補償を与える。そうでなければ不公平である，という考え方である。補償の原資は税金ということになる。損失補償は，公平の理念に基づく社会的な調整の道具と言える。

　この損失補償という考え方は，実は，国家賠償制度よりも古くから存在する。近代国家における国家の基盤（インフラ）の整備のためには，このような制度が必要であったからである。わが国の場合にも，損失補償は，憲法上の制度ではないものの，土地収用法等の法律上の制度として，明治憲法下ですでに認められていた。

憲法と損失補償

　日本国憲法の下では，「私有財産は，正当な補償の下に，これを公共のために用ひることができる」とする憲法 29 条 3 項が，損失補償の根拠規定となっている（なお，特別の犠牲について，「財産上の」という限定にどの程度こだわるのかという問題と関連するが，公平の理念という点から言えば，平等原則を定める憲法 14 条も，損失補償の考え方の基礎にあるということになるし，補償の内容〔⇨237 頁・生活再建措置〕によっては，憲法 25 条の発想も必要となる。ただ，具体的請求権を導き出すという意味では，現在，憲法 29 条 3 項のみが根拠とされている）。

憲法 29 条 3 項による直接請求

　国家賠償については国家賠償法という一般法があるが，損失補償についてはそのような一般法は存在しない。したがって，具体

232　第 6 章　国民の権利利益の救済方法 (2)

的な損失補償請求権は個々の法律の規定に基づくこととなる（例えば，収用 68 条以下）。この場合，憲法 29 条 3 項が存在する以上，私有財産を公共のために用いることを認める法律には補償規定があるのが当然とも言える。しかし，現実はそうでもない。

　そこで生じるのが，補償が必要な特別の犠牲を課す個別の法律において補償規定を欠いている場合に，①その法律は違憲無効なのか，それとも②法律を違憲と言わなくとも，直接に憲法 29 条 3 項を根拠として補償請求を認めればいいと考えるのか，という問題である。通説・判例は②の考え方に立っている（傍論ではあるが，最大判昭 43・11・27）。

憲法上の補償の要否とその基準

補償の要否というのは，財産権が侵害された場合に，憲法上補償が必要かどうかということである。必要であれば，仮に法律に規定がなくとも，上述のように，直接憲法に基づいて請求できることになる。では，どのような場合に補償が必要とされるのか？

特別の犠牲

損失補償が，公平の理念から私人について生じた損失を償う制度であるとすると，補償を必要とするのは，その損失を補償しないと公平の理念に反するであろうとき，すなわち，私人の損失が「特別の犠牲」に当たるときである，と学説は考えてきた。では，「特別の犠牲」とは何か？この概念を具体化しないと，補償の要否の判断基準にはならない。

形式と実質

特別であるから，一般の犠牲ではない何かということはわかる。社会生活を営む上で誰もが我慢（受忍）しなければならないような，財産上の制約・制限は，特別の犠牲とは言わないであろう。民法の相隣関係を考えてみればわかると思う。

2　損失補償　**233**

```
              財産権侵害の程度と補償の要否
  I    剥奪・本来の効用を喪失
              ― i   権利者に受忍すべき事情あり    補償×
              ― ii  受忍すべき事情なし            補償○
  II   剥奪・本来の効用の喪失に至らず
              ― iii  社会共同生活との調和          補償×
              ― iv   他の特定の公益目的            補償○
                          (今村＝畠山『行政法入門』174〜175 頁)
```

この点について，『はじめての』読者のために，従来の学説の考え方を整理しておくと次のようになる。

①侵害行為の対象が一般的か特別的か（形式的基準），②侵害行為が財産権の本質的内容を侵害すると評価できるほど強いものかどうか（実質的基準），という2つの基準をたて，この形式と実質の両基準に照らして，特別か否かを考える。しかし，①の形式的基準は，規制が国民の一般多数に及ぶか特定少数の者にのみ及ぶのかということであるが，一般的かどうかは相対的なものであって（何に着目するかで異なり得る）決め手となりがたい。

実質の具体化　そこで，②の実質的基準をより具体的に展開して，②‐(I) 財産権の剥奪又は当該財産権の本来の効用の発揮を妨げることとなるような侵害については，権利者側にこれを受忍すべき事情がある場合を例外として，補償を必要とする。そして，②‐(II) 剥奪とは言えないあるいは本来の効用の発揮を妨げる程度には至らない規制については，社会共同生活上要求されるものであれば，財産権の内在的制約と考えて補償の必要はないが，他の公益目的のために当該財産権の本来の社会的効用とは無関係に偶然に課せられるような制限には，補償を要するとするのである（⇨上図）。

| 総合判断 |

上記学説によって，基準はある程度はっきりしてきたが，なお抽象的と言わざるを得ない。結局，今日の学説は，補償の要否は，利用規制の態様，原因，損失の程度，その時々の社会通念の総合的判断であると言い，あるいは，規制の根拠・目的と規制の程度との相関関係である，と述べる。従来の議論の蓄積を前提として，総合的に判断していくしかないのである。

そこで，補償の要否の目安となりそうな議論を，最高裁の判例も紹介しながら具体的に見ておこう。

| 破壊消防の例・ ガソリンタンクの例 |

火事の場合，わが国の法律（消防法）によれば，現に燃えているあるいは燃えようとしている建物，延焼のおそれのある建物は，消防活動に際して，補償なしで破壊してよい（破壊消防と呼ばれる。消防29条1項・2項参照）。しかし，延焼のおそれのない建物を，人命の救助，消火活動の効率性などの必要性から壊す場合には，補償が必要となる（消防29条3項，最判昭47・5・30）。後者は財産権を，人命救助あるいは火事の拡大の防止という社会公共の利益のために奪うものであるが，壊された建物の所有者の犠牲は償うべきであるという考え方である。前者は，財産権の剝奪ではあるが，燃えていて（燃えようとしていて）価値がなくなっている，あるいは社会にとり危険なものとなっている場合，これは「権利者側に受忍すべき事情あり」と考えることもでき，補償の必要はないということになるのである。

また，ガソリンタンクはその施設自体に火災の内在的危険性を有しているが，道路の拡幅工事に伴い，以前は適法であったガソリンタンクが事後的に距離制限に抵触することになった場合でも，ガソ

2 損失補償　235

リンタンクの移設費用は損失補償の対象とならない（最判昭58・2・18）。財産権の側に規制を受ける原因があるのだから，危険防止の目的による規制は甘受すべしという考え方である（状態責任論）。

| 警察制限と公用制限 |

補償の要否の基準としてしばしば用いられるものに，「警察制限」と「公用制限」という規制の目的に着目した二分論がある。前者は，公共の安全や公の秩序を維持するという目的（消極目的）のための制限であり，補償は不要とされる。これに対して，後者は，公共の福祉を増進するという目的（積極目的）のための制限であり，補償が必要というのである。

この理論は，社会の安全秩序を守るための制限は社会の構成員が等しく甘受すべきものであるが，積極的な福祉増進策による特定の者の損失は償うべきものであるという考え方である。わが国の建築基準法による建築規制は消極目的の典型ということになろう。逆に，所有者でさえ許可なく重要文化財の現状を変更できない（文化財43条1項）というのは積極目的の典型であり，許可されない場合には損失補償がなされる（文化財43条5項⇒239頁 *Column⑩*）。

この区分に関連して，かつて，最高裁は，ため池の堤とうに農作物等を植えることなどを禁止した条例に違反した者の刑事事件において，「財産権の行使を殆んど全面的に禁止されることになるが，それは災害を未然に防止するという社会生活上の已むを得ない必要から来ることであつて，ため池の堤とうを使用する財産上の権利を有する者は……公共の福祉のため，当然これを受忍しなければならない責務を負うというべきである」として，憲法上補償を必要としないとした（奈良県ため池条例事件：最大判昭38・6・26）。しかし，これまで認められてきた耕作権（既得権）の剥奪に補償を必要としな

236　第6章　国民の権利利益の救済方法（2）

いのか議論のあるところである。

| 補償の内容 |

補償が必要であるとして，憲法29条3項には「正当な補償の下に」と書いてある。この「正当な補償」が何を意味するか，問題とされてきた。完全補償（生じた損失に対して市場価格による補償が必要）か相当補償（合理的理由があれば，市場価格を下回る社会通念上相当と考えられる補償でも可）かという問題である。しかし，今日では，「正当な補償」とは完全な補償であるというのが学説・実務のほぼ一致した見解である。議論に対立があるわけではない。問題は，補償の対象・項目など，何を念頭において「完全」と考えるかなのである。

問題とされてきたと言ったのは，かつて，最高裁が，第二次世界大戦後のわが国の農地改革における地主に対する補償について，憲法に定める正当な補償とは「その当時の経済状態において成立することを考えられる価格に基き，合理的に算出された相当な額をいう」として，相当補償説をとっているからである（最大判昭28・12・23）。しかし，この判決は，農地改革という戦後改革の1つである特別な事例について述べたもので，これをもって考え方に対立があると言う必要はないと思われる。なお，最高裁は近時でも，上記判例が先例であると言う一方，土地収用法71条の憲法適合性について，「被収用者は，収用の前後を通じて被収用者の有する財産価値を等しくさせるような補償を受けられるものというべきである」（最判平14・6・11）と述べて，実質的には完全補償説と同じことを言っている。この判決の存在を前提にすれば，最高裁は，言葉の上では，判例変更せずに相当補償説をとっていることになる。

| 補 償 項 目 |

損失補償の内容については，土地収用法が細かに規定している（収用68条以下）が，

2　損失補償　　237

『はじめての』読者にその詳細を説明することは控えて，（冒頭で述べた，先祖代々の土地を失ってしまうといったような）精神的苦痛について土地収用法は規定していないし，実務もこれを認めていないことを補充しておく。また，文化財的価値についても，土地収用法には定められていないが，最高裁は，「歴史的・学術的な価値は，特段の事情のない限り，当該土地の不動産としての経済的・財産的価値を何ら高めるものではなく，その市場価格の形成に影響を与えることはないというべきであって，このような意味での文化財的価値なるものは，それ自体経済的評価になじまないものとして」，土地収用法上，損失補償の対象とはなり得ないとしていることもあわせて指摘しておく（輪中堤訴訟：最判昭 63・1・21）。

損失補償基準要綱

収用については土地収用法が存在するが，すでに述べたように，わが国の公共用地の取得はほとんどが任意売買である。そこで，任意売買の場合の公正，公平を担保するために，「公共用地の取得に伴う損失補償基準要綱」（昭 37・6・29 閣議決定，平 14・7・2 改正）が存在することも記憶に留めておいてほしい。

生活再建補償

最後に，個別の財産の補償というより，人の生活・人生そのものに対する補償も問題となり得る。それが生業補償，生活再建補償と呼ばれるものである。ダム建設によって村が水没する場合を想えばよいであろう。住民は土地を失うだけではなく，生業を失い，自己の帰属していた共同体そのものを失うことになる。このような場合に，生活全体さらには生活再建のために補償を行う。これが生業補償，生活再建補償である。これについては，立法上，実務上，重要性は認識されているものの，努力義務にとどまり，まだまだ不十分であるというのが実情

である。そのため，「憲法と損失補償」の項（⇨232頁）で触れたように，憲法25条に定める生存権の保障の発想が必要と主張されているのである。

Column ⑩　不許可補償

「不許可補償」とは，「補償」という言葉が使われていることからも推測されるように，損失補償の一類型である。その例として，文化財保護法は「重要文化財に関しその現状を変更し，又はその保存に影響を及ぼす行為をしようとするときは，文化庁長官の許可を受けなければならない」として，許可制を定める（文化財43条1項本文）。そして，「第1項の許可を受けることができなかつたことにより，……損失を受けた者に対しては，国は，その通常生ずべき損失を補償する」こととしている（文化財43条5項）。

類似の例は，自然公園法（64条1項），自然環境保全法（33条1項），古都における歴史的風土の保存に関する特別措置法（9条1項）等にも存在し，「通（常生ずべき）損（失の）補償」と略称されている。

これらは，土地利用規制の一手法なのだが，土地そのものの規制に由来する補償（これが，本来の損失補償である）とは異なり，許可制を採る結果，該当者に申請をさせ，不許可になった場合に限って補償する，という法的仕組みになっている点に，大きな特色がある。

不許可が明確になった段階で補償を行うわけなので，補償額の算定は比較的容易である（メリット）。だが他方，その裏腹として，別途，許可申請という手続が介在するわけなので，補償を受ける者にとっては煩雑さ（申請負担）が増大する（デメリット）。

Level ①

3　国家補償の谷間──賠償か補償か

谷間の存在

「あらまし」で述べたように，国家賠償制度と損失補償制度という2つの制度の谷間

に埋もれて，国民が救済を受けられない領域が存在する。違法な公権力の行使に対する損害賠償であり，公務員の故意・過失を要件とする国家賠償制度，適法な行為を前提とし，財産権を公共のために用いることを要件とする損失補償制度。この2つの制度の成立要件を，字義どおりに解釈すれば，賠償も補償も難しい事例があるということである。国家の行為が「違法ではあるが過失はない」という事例，「適法な行為により非財産的な損害が生じた」という事例が典型である。

谷間を埋める方法 この谷間を埋める方法としては，解釈によることと立法によることが考えられる。解釈によるというのは，国家補償という大きな枠があり（⇨205頁），その中に国家賠償と損失補償があり，両者の間に隙間があるというのであれば，国家賠償あるいは損失補償のカバーする範囲を広げることによって，隙間を埋めていけばよいという考え方と言える。

国家賠償の場合には，過失の要件を厳格に解するということである。公務員に要求される注意義務を高度なものとし，これを厳格に判断する（最判昭51・9・30。無過失責任に近づける），あるいは，公務員個人ではなく，行政の側の組織としての過失ととらえて，注意義務違反を厳しく問うという構成である（東京高判平4・12・18）。

損失補償の場合には，財産権の侵害という枠にとらわれずに，生命，身体，健康の侵害（予防接種事故や公務災害）に対しても，憲法29条3項の類推解釈として，あるいは「もちろん」解釈として（財産権でさえ補償されるのだから，より高次の生命，身体，健康の被害は「もちろん」補償されてよい），補償を広げていくというものである。

立法による対応 解釈でなく立法で対応するという場合，谷間全体に適用される一般法を考えるのは難

しいので，個別の立法で対応がなされている。例えば，刑事訴訟法に基づき勾留・拘禁されたが，刑事裁判で無罪となったという場合には，刑事補償法により補償の請求ができる。

| 予防接種事故 |

最後に，ここまでみた谷間の問題を予防接種事故（1994〔平成6〕年の予防接種法改正により定期接種は義務接種から努力義務になっている）の例によって整理しておこう。

悪魔のくじ引きとも言われた予防接種事故であるが，不幸な事故が起こったとして，1976（昭和51）年以降は，一定の給付がなされている（接種15条）。その意味では，個別の立法による措置がなされている。が，この制度より前の被害者は救済を受けられないし，この制度についても給付額が被害者にとっては十分とはいえない場合もあろう。そのようなときには，国家賠償あるいは損失補償による救済がやはり問題となる。

国家賠償での救済を考える場合には，医師の過失を問題にすることになるが，過失要件を厳格に解すると言っても限界がある。他方で，損失補償的に考えるとしても，非財産的な生命身体に対して「特別の犠牲」を課すという発想（公共のために生命身体を用いることができる）には抵抗があるという議論もある（もっとも，損失補償的アプローチは，補償すれば生命身体を侵害できると言っているわけではないと思われる）。

この2つの考え方が，学説，裁判例において展開されてきたが，最高裁は，予防接種によって「後遺障害が発生した場合には，禁忌者〔予防接種を行ってはならない者のこと：筆者注〕を識別するために必要とされる予診が尽くされたが禁忌者に該当すると認められる事由を発見することができなかったこと，被接種者が……個人的素因

3　国家補償の谷間　241

を有していたこと等の特段の事情が認められない限り，被接種者は禁忌者に該当していたと推定するのが相当である」として，禁忌者であることの推定というかたちで過失の認定を容易にする方法をとった（最判平3・4・19。これに先行して，前掲・最判昭51・9・30が，禁忌者の識別について医師に高度の注意義務を課している）。つまり，国家賠償制度の拡大で隙間を埋めようというのである。この方向は，これ以降の裁判例にはっきり示されている（前掲・東京高判平4・12・18。厚生大臣の過失・国の組織的過失が問題とされている）。

終章 おわりに

> 1 「行政」とは何か？
> 2 行政法学における「行政」の把握方法の特徴
> 3 実質的意味の行政に関する諸説
> 4 なぜ消極説が多数説なのか
> 5 公法と私法

　多くの行政法の教科書では，最初に「行政とは何か」という項目が出てくる。だが，この本は『はじめての』行政法，つまり初心者に向けて書かれた本なので，小難しい話（＝「行政とは何か」等）は，あえて書かなかった。しかし，『はじめての』を読んで知識と能力も増えてきたと思われる。そこで最後に，「行政とは何か」について，そして，「公法と私法」について述べる。

1 「行政」とは何か？

「行政」「法」

　行政法という言葉は，「行政」と「法」という，2つの要素から成り立っている。「行政法とは何か」は，すでに明らかになったと思われるので，本書の最後に，「行政とは何か」ということについて，考えてみよう。

1 「行政」とは何か？　243

| 把握方法のクセ | その際，特に「行政とは何か」という問いに関しては，行政法という学問（行政法学）の特徴，とりわけ行政法学が法律学に属することからくる「行政」の把握方法のクセ（特徴）を知ることが，重要である。

| 比較の対象 | ところで，「女とは何か」と問う場合，普通は「（人間の男と比べてみた人間の）女（の特徴）とは何か」，ということが暗黙の前提になっているはずである。しかし，女性と比較されるのは，別に男性とは限らない。

| いろいろな対象 | 例えば，「（子どもと比べてみた成人の）女（の特徴）とは何か」という問いも可能だし，また「（動物のメスと比べてみた人間の）女（の特徴）とは何か」という問いもまた可能だからである。比較の相手が違えば，答えも自ずと違ってくる。「行政とは何か」という問題についても，これと同じことが言える。そしてこれが，上に述べた「クセ」ということでもある。

2 行政法学における「行政」の把握方法の特徴

| 政治学・行政学 | 「行政」をその研究対象にする学問は，行政法（学）だけではない。政治学や行政学でも，「行政とは何か」が問題になる。その際，政治学では「政治（統治）（government）と比べてみた行政とは何か」が，次に行政学では，「民間企業の経営・管理（management）と比べてみた（公）行政（public management）とは何か」が問題となる。

244　終章　おわりに

> **立法・司法**

これに対し，法律学の一分野である行政法学における行政の比較の相手は立法と司法（特に司法）なのである。すなわち，近代国家の三権分立を前提に，「立法・司法と比べてみた行政とは何か」ということを，行政法学では問題にしている。このことを，まず明瞭にしておきたい。

> **形式的意味の行政**

さて，同じく三権分立を前提にする場合でも，まず行政とは「行政府が行う一切の仕事（作用）である」，という定義が成り立つ。これは，行政府という入れ物（形式）に注目した行政の把握方法なので，「形式的意味の行政」と呼ばれる。

> **入れ物と中身**

しかし，入れ物が決まっても，中身（実質）に何が入るかは最初から当然に決まっているわけではない。例えば，御飯を食べた同じ入れ物（御飯茶碗）で，食後にお茶を飲んだ経験があるだろう。つまり，茶碗という容器（＝形式）に入る中身（＝実質）は，御飯もあればお茶もある。また，茶碗でアイスクリームを食べたり，コーヒーを飲んだりしてもおかしくはない。

> **実質的意味の行政**

これと同じように，「行政府」という入れ物が定まっても，その中身は行政だけとは限らず，そこには行政の行う立法（行政立法）も司法（行政不服申立て）も含まれてきてしまう。そこで，内容（実質）において立法・司法とは区別された意味での「行政とは何か」，ということを明らかにする必要が出てくる。つまりは，「実質的意味の行政」を考えることになる。

> **中間まとめ**

中間まとめも兼ねて確認すると，行政法学における「行政」の把握方法の特徴（ク

2　行政法学における「行政」の把握方法の特徴　**245**

セ）は2つある。

---

① 権力分立を前提に，立法・司法と区別された「行政とは何か」を問おうとしており，しかも，
② 形式的意味ではなく，実質的意味における「行政とは何か」を問おうとしている。

この点を，明確に意識して学習することが重要である。

3 実質的意味の行政に関する諸説

2つの考え方

したがって，以下では「（実質的意味の）行政とは何か」を考えてみる。これについては，消極説（「控除説」ともいう）と積極説（「目的実現説」ともいう）という，2つの対立する考え方がある。このうち，消極説が多数説である。

消極説

まず消極説とは，行政を「国家作用の中から立法と司法を除いた残りの作用である」，と定義する立場である。消極説は，立法・司法を取り除く（＝控除する）ところにその考え方の特徴があるので，「控除説」とも呼ばれる（塩野『行政法Ⅰ』）。

何となくヘン

このように，消極説は「一見まとも」なようでいて，しかしよく考えると「何となくヘン（変)」である。なぜなら，消極説は「男とは，人間の中で女ではないもの」と（裏側から）定義する方法だからである。

歴史に忠実

このように，消極説は「何となくヘン」な考え方なのだが，実は三権分立の歴史には

246　終 章 おわりに

忠実なのである。というのも，ヨーロッパ大陸では，まず王が統治権を一手に収め，次にこの中から司法権が裁判所に，そして立法権が議会に移行していった。その結果，王の手に残ったものこそが，今日我々が「行政」と呼ぶ作用の原型だったからである。

| 積 極 説 | ともあれ，消極説は行政を「○○でないもの」という具合に裏側から定義する立場な |

ので，「定義になっていない」という批判が昔からある。そこで，もっと正面から（つまりは積極的に）行政を定義しようとする学説があり，これを「積極説」という。

| 目的実現説 | 積極説にも諸説があるが，行政を「法のもとに法の規制を受けながら，現実具体的に |

国家目的の積極的実現をめざして行なわれる全体として統一性をもった継続的な形成的国家活動」であるとする考え方（＝目的実現説）が代表的である（田中『行政法(上)』）。

4 なぜ消極説が多数説なのか ── 行政の定義の難しさ

| 定義の難しさ | しかし，現実の行政活動は極めて広範囲で，上述した積極説がそのすべてを定義できて |

いるかといえば，疑問である。特に難しいのは，行政と司法作用の区別である。一例をあげると，行政事件に関する裁判は明治時代には行政権に属していた（明憲61条）。ところが，現在では司法権に委ねられている（憲76条）。

| ルールの定立・適用 | 国家の作用は，法（ルール）への関わり方を尺度に眺めると，法の定立（制定）作用 |

3　実質的意味の行政に関する諸説　／　4　なぜ消極説が多数説なのか　**247**

と法の適用（当てはめ）作用とに分けることができる。その結果，①立法作用と，②それ以外の作用（＝行政・司法）を区別可能である。この区別は，理論的な区別（法の定立と適用という）であり，基準は単純明快である。

相対的・政策的区別

ところが，法適用作用の中での行政と司法の区別は理論的な区別というよりも，むしろ西欧諸国の歴史上の発展の結果として生まれた，単なる相対的・政策的な区別に過ぎない。である以上，もとが相対的な司法と行政作用の区別を，積極説のように理論で割り切ろうとしても，割り切れない余り（＝例外）が出てくるのは，当然のことなのである。そこで，積極的な定義づけから漏れ，立法・行政・司法のどれにも当てはまらない作用の出現を防ぐという意味で，消極説（控除説）が多数説を占めているのである。

このように，一見すると「何となくヘン」な消極説も，それなりの説得力を持っている。行政法学のはじまりから，頭のいい数々の学者が「積極的」定義づけを試みているが，なかなかうまくいかない。つまり，消極説はベスト（最善）ではないセカンド・ベスト（次善の策）なのである。

5 公法と私法

はじめに

かつて大学院で学んだ頃，鵜飼信成『行政法の歴史的展開』（有斐閣・1952）という名著を読んで，感激した。その中に，「公法と私法に関する学説は20〜30にのぼる」と書かれてあったのが印象的だった。後にドイツ

248　終章 おわりに

留学に出た際，出典として引用されていたスイスの博士論文（Holliger 著）を探したが，残念ながら見つからなかった。

それはともかく，塩野宏先生によると，「この問題はヨーロッパでは 400 年前から，また，わが国でも 100 年以上前から論じられている」（同『公法と私法』〔有斐閣・1989〕）。言葉を換えると，各時代のトップレベルの学者が，脳みそを振り絞って考えても解決し切れない難しさが，このテーマには伏在している。

＿＿＿＿＿＿＿＿＿＿

産みの苦しみ

さて，19 世紀の終わりから 20 世紀はじめのヨーロッパで，行政法（学）は一方では憲法（学）からの独立を果たした。他方，独立に際して，「一人前の法律科目」として他の法分野からの認知を受けるために，行政法（学）は先駆的・体系的に整備されていた民法（学）との対抗意識をむき出しにした。すなわち，私法に対しては「公法」，私権には「公権」，私法人には「公法人」，私所有権には「公所有権」，私勤務（民間労働）には「公勤務」（官吏の法律関係）といった概念を打ち立てて，学としての体系化を志したのである。ただし，壮大・美麗な法典を誇る民法とは異なり，行政法の分野には現在に至るまで統一法典（特に「行政法総則」）が存在していないことは，別の場所で述べたとおりである（⇨3 頁）。

ともあれ，「公法」とは主に行政法を，また「私法」とは主に民法を指す。このように，フランスに発しドイツで構築された行政法の理論体系を，日本は明治年間の終わり頃から継受し，それは大正年間の初めにはほぼ定着・確立した（⇨巻末「年表」）。

＿＿＿＿＿＿＿＿＿＿

「公法たたき」

ところで，日本が戦争に負け，戦地から復員してきた戦後の第一世代の行政法研究者（大正 2 ケタから昭和 1 ケタ生まれ）は，上記のような研究環境の中で，

若き修業時代を過ごした（古くなっているが，『現代行政法大系第1巻』〔有斐閣・1983〕の園部逸夫「各国行政法・行政法学の動向と特色──日本」の中に，行政法学者の世代リストが掲載されている）。

　いろいろな思いをこめて，この戦後行政法学再建世代の研究者たちは，批判の矛先を（戦前の意味での）「公法」概念に向けた。その結果，上述した鵜飼著を筆頭に，重厚で珠玉の研究が，この世代および続く世代の研究者によって執筆され，『はじめての』の著者たちを含めた下の世代に，大きな影響を与えた。微細な違いはあるにせよ，それらの共通目標は「公法」概念の否定・破壊であった。

> 理論的意味と制度的意味の公法・私法の区別

すでに戦前の段階で明らかになっていたのは，公法・私法を語る場合に，それは①理論的意味での区別を問題としているのか，それとも②（実定法）制度上の区別を問題としているのか。視点を明確に自覚して問うべきだ，ということであった（宮沢俊義，田中二郎）。

　①は時間（過去・現在・未来）や空間（日本・外国）とは無関係に，「公法・私法の区別はあるのか」と問う。これに対し②は，例えば21世紀の日本で，あるいは紀元前21世紀のメソポタミアで「公法・私法の区別はある（あった）のか」と問う。両者は（結果的に）重なり合う部分はあるが，しかし出発点は異なる問題意識に出るものである。

　結論から言えば，（ヨーロッパ）大陸型裁判制度を採る国々，すなわち（過去および現在の）フランス，ドイツおよび明治憲法時代の日本には，②の意味での公法・私法の区別はある（あった）。なぜなら，司法裁判所（通常・普通裁判所）とは別個に，行政裁判所（特別裁判所）が存在している（いた）からである。裁判所に2つの異なる系

列（司法裁判所と行政裁判所）があると，そのどちらに訴えるかが，入口の部分で大きな問題となる。つまり，司法裁判所の裁判管轄を示す言葉が「私法」であり，行政裁判所の裁判管轄を示す言葉が「公法」であった。

> **現在の日本では？**

そこで日本国憲法を見てみよう。76条は「すべて司法権は，最高裁判所及び法律の定めるところにより設置する下級裁判所に属する」（1項）とした後で，「特別裁判所は，これを設置することができない」と定める（2項）。そこにいう「特別裁判所」とは，主に行政裁判所を意味する（詳しくは憲法の書物を参照）。

　つまり，制度的な意味（上記②）では，公法・私法の区別を日本国憲法が明文で否定したようにも読める。では，この意味での区別は全く消滅してしまったのであろうか。ところが，そうともいえない。

　今度は，行政事件訴訟法（行訴法）を開いて頂きたい。まず4条には「公法」上の法律関係という言葉が，2か所に出てくる。また，45条には「私法」上の法律関係という言葉が登場する（1項）。つまり，公法・私法の（法）制度上の区別は完全否定された，とは言い切れない。たとえ話で説明すると，こういうことである。

　明治憲法時代の日本（1947〔昭和22〕年まで）は，女湯（司法裁判所）と男湯（行政裁判所）は別々の建物に入っていた。ところが，上述した日本国憲法の規定に基づいて，2つは1つの建物に入ることになった。では「混浴」になったのかというと，それは違う。のれんをくぐって中に入ると，やはり女湯（民事訴訟法）と男湯（行政事件訴訟法）があって湯船も別々，入口も別々に分かれている。これが，現在の日本の状況である。

5　公法と私法　**251**

> 行政の公行政作用・
> 私経済作用

上述したように，学界では公法・私法の二元論は評判が悪い。最近では議論すらされない。では，裁判実務ではどうであろうか。

例えば，この本でも登場していた有名な「宝塚市パチンコ条例事件」（⇨153頁）で，最高裁判決は公法・私法という言葉は使っていないが，「国又は地方公共団体が提起した訴訟であって，<u>財産権の主体として</u>自己の財産上の権利利益の保護救済を求めるような場合には，法律上の争訟に当たるというべきであるが，国又は地方公共団体が専ら<u>行政権の主体として</u>国民に対して行政上の義務の履行を求める訴訟は，……法律上の争訟として当然に裁判所の審判の対象となるものではな」いと述べ，原判決を破棄，第1審判決を取り消して，本件訴えを却下した（最判平14・7・9。下線は筆者）。

ところで，この本の中でも「規制行政・給付行政」，そして「権力行政・非権力行政」といった言葉が使われている。注意して欲しいのは，この行政活動（作用）の2分法は，あくまで「公行政作用」（対外的に国民を相手に行われる行政作用）の内側の2区分だ，ということである。実は行政活動には，このほか「私経済作用」と呼ばれるものが存在する。例えば，公金や不動産の管理とか物品の購入など，私人と同等の立場で行われる行政活動のことで，公行政作用の「準備的な活動」としての性格を持つ。つまりは，公行政作用の前提（土台・インフラ）と位置づけられるため，存在はしているのに，行政の私経済作用は通常は意識されないし，あまり議論もされない。

なお，「私経済作用」という言葉は一般には，国家賠償法1条1項の「公権力の行使」の意味について，「広義説」と呼ばれる立場を説明する中で，下級審判決の文言を引用して，次のように述べら

れることが多い。すなわち,「同条〔＝国賠法1条1項〕にいう『公権力の行使』とは,国又は公共団体の作用のうち純粋な私経済作用と同法2条によって救済される営造物の設置又は管理作用を除くすべての作用を意味する」(東京高判昭56・11・13),と。

　もうおわかりいただけたかと思うが,上記・宝塚市パチンコ条例事件最高裁判決にいう「財産権の主体」が私経済作用のことを,また「行政権の主体」が公行政作用のことを指している。そして,前者が伝統的に「私法」と呼ばれてきた領域と,また後者が伝統的に「公法」と呼ばれてきた領域と,ほぼ一致するのである。

おわりに

暫定的な結論を述べておくと,①「公法」「私法」で指し示されてきた対象・領域が,今日でも存在していることは,疑いがない。②しかし,それらを「公法」「私法」と呼ぶ必然性は,明治憲法時代に比べると,著しく弱まっている。だから,この『はじめての』でも,今までは意識して「公法」という言葉は使わずに,この終章で「謎解き」の意味も兼ねて,解説したのである。

　以上のように,戦後一貫して行政法学界では批判の的だった「公法」なのではあるが,法科大学院の誕生とともに「公法系」科目が新設され,そこに行政法が憲法と並んで所属することになった。皮肉と言えば皮肉な話である。

5　公法と私法　　253

あ と が き
—— 「はじめての行政法」を取り巻く昨今の情勢

1　は じ め に

短期的視点　この「あとがき」を書き直そうと思ったのは，直接あるいは短期的には，昨今のコロナ禍である。それは，私たちの生活を一変させた。ただ，「はしがき」にも述べたが，雑誌のような速報性を欠く本書では，変化する日々の動きのフォローには限界がある。

長期的視点　そこでより長期的に，「本書を取り巻く昨今の情勢」と題して，一方で21世紀に入る前後（一部はその前）から次々と巻き起こった様々な変化や変革，そして他方，それらが行政法に及ぼした影響についても，分かりやすく解説してみようと考えた。

両者の関係　この，「短期」と「長期」と表現した両者の関係は，次のようにも言い換えられる。長期の変化変革とは能動的な，つまりは意図された変化変革である。ところがコロナ禍の発生は一種の「もらい事故」，すなわち意図せざるもので，行政の対応は受け身にならざるを得なかった。

社会の変化変革　しかし受働か能働かは別にすると，一方ではコロナ禍によって，また他方，この30年来の一連の改革によって，日本社会はこの間に大きく変化し，また変革された。

論述の順序　そこで，このような問題意識に基づいて，以下では大きく2つのテーマを論じる。まず前半（2）では，新型コロナウイルス感染症の世界的まん延と，行政法制の対応について略述する。続いて後半（3）では，上述した諸々の改革と，それらが行政法に及ぼした影響について概説する。

2つの付録　そうは言っても，スペースの限られた本解説だけでは，読者の十分な理解は得られない。そこで有斐閣のウェブサイトに，石川が作成した2つの資料（年表）を「付録」として掲載するので，照らし合わせながら，お読みいただきたい。

254

2 新型コロナウイルス感染症と行政法制の対応

パンデミック　さて，2020（令和 2）年 1 月頃から，全世界をパニックに陥れた新型コロナウイルス感染症の発生と拡大（パンデミック）は，いまだ収束のきざしを見せていない。

新型コロナの定義　まず「新型コロナウイルス感染症」（以下「新型コロナ」という）の定義は，感染症法 6 条 7 項 3 号にある。引用は長くなるので，省略する。しかし他方，COVID-19 という表現もある。

COVID-19 の定義　それは，感染症法（感染症の予防及び感染症の患者に対する医療に関する法律）7 条 3 項，新型コロナウイルス感染症を指定感染症として定める等の政令 1 条，予防接種法 7 条 1 項，検疫法附則（令和 2 年）2 条などに定義されている。

全体構造　つまりまず，上位概念に「感染症」がある（感染症法 6 条 1 項）。次にその下に，一方では「新型インフルエンザ等感染症」の一種である「新型コロナウイルス感染症」（感染症法 6 条 7 項 3 号）と，また他方，「指定感染症」（後述）である COVID-19 とがある（同条 8 項）。うち後者が，以下での考察対象となる。

総論と各論　ところで，行政法は総論と各論に分かれる。本書の対象は，行政法総論（行政各部法に共通する部分＝通則の理論）である。一方，新型コロナをめぐる膨大で複雑な法体系（コロナ法制）は，行政法各論に属する。総論と各論は，むろん関連はあるが，各論はジャングル（密林）のようなものである。だから，その全てを本書（＝総論）で，解き明かすことは不可能である。

ここでの工夫　そこで，なんらかの「工夫」が必要になる。以下では，行政法総論の問題関心から，重要と思われるコロナ法制（各論）のポイントを簡略に解説することで，読者の理解を深めたい。

1　感染症法と特措法

感染症法と特措法　さて新型コロナの発生と，国内で初の感染者が明らかになった時点（2020〔令和 2〕年 1 月）で利用可能な法的ツールには，①感染症法と，②特措法（新型インフルエンザ等対策特別措置法）の 2 つがあった。

両法の由来　①は伝染病予防法（1897〔明治 30〕年）に由来し，1998

あとがき　**255**

（平成10）年に同法を廃止して制定された。これに対し②は，2009（平成21）年に発生した新型インフルエンザに対処する体制整備のために，2012（平成24）年に成立した。

両者の性質　①は，「感染症の予防及び感染症の患者に対する医療に関する総合的な施策の推進を図るため」（同法前文）に制定された。「感染症」の定義は同法6条にあり，1項で8種類が挙げられている。一方②は，病原性が高い新型インフルエンザ等に関する政府行動計画の策定，発生時の措置，そして新型インフルエンザ等緊急事態宣言等について定めている。昨今有名になった「緊急事態宣言」は，②に法的根拠を持つ。

両者の関係　両者のうち，①が個々の感染者（患者）を守る法律であるのに対し，②は社会全体を守る（社会防衛）ための法律である。ゆえにその所管が，①は厚生労働省であるのに対し，②は内閣官房となっている（内閣官房は，行政権の行使につき国民代表である国会に対し，連帯責任を有する内閣〔内閣法1条2項〕の補助機関である〔同法12条〕）。

試行錯誤　2020（令和2年）1月，新型コロナ最初の感染者の発生と，クルーズ船の横浜港沖での集団隔離措置に始まる一連の出来事は，連日マスコミ報道等を通じて，注目を集めた。かくして国と地方公共団体ほか関係者が，試行錯誤を繰り返す動きが始まった。

2　緊急事態宣言と「まん防」

4つの時期　それらの動きは4つの時期に分けられるが，くわしいことは松澤登「新型コロナについての法的対策の変遷」を参照（https://www.nli-research.co.jp/report/detail/id=67928?site=nli）。

緊急事態宣言とまん防　ここではまず，私たちの生活に大きな影響を与えた，「緊急事態宣言」と「まん防」の解説から始める。マスコミ等で見聞きする機会が多い割には，定義や法的根拠を知らない人が多いからである。

緊急事態宣言　まず緊急事態宣言は，正式には「新型インフルエンザ等緊急事態宣言」と呼ばれる。その前提には「新型インフルエンザ等緊急事態」があり，それを宣言する措置が「緊急事態宣言」である（特措法32条1項）。宣言を発する主体は，政府対策本部長としての内閣総理大臣である（同法16条1項）。なお，宣言の実施期間は，「2年を超えてはならな

256

い」（同法 32 条 2 項）。

緊急事態　ちなみに「新型インフルエンザ等〔「新型コロナウイルス感染症」ではないことに注意〕緊急事態」とは，「新型インフルエンザ等が国内で発生し，その全国的かつ急速なまん延により国民生活及び国民経済に甚大な影響を及ぼし，又はそのおそれがあるものとして政令で定める要件に該当する事態」である（特措法 32 条 1 項）。

まん防　次に「まん防」すなわち「新型インフルエンザ等まん延防止等重点措置」は，2021（令和 3）年 2 月の改正特措法で，新たに導入された。「国民の生命及び健康を保護し，並びに国民生活及び国民経済に及ぼす影響が最小となるようにするため，国及び地方公共団体がこの法律の規定により実施する措置」と定義される（特措法 2 条 3 号）。その期間は「6 月を超えてはならない」（同法 31 条の 4 第 2 項）。

政令で定める要件　緊急事態宣言と「まん防」の「政令で定める要件」は，それぞれ特措法施行令 5 条の 3 第 1 項および 2 項が定める。

重点措置　なお，当初「まん防」と略称されていた「新型インフルエンザ等まん延防止等重点措置」であるが，可愛いらしい印象（翻車魚〔マンボウ〕を連想）を与え適切でないとの判断から，最近では「重点措置」と言い換えられ始めた。しかし本稿では，耳慣れた「まん防」の表記を用いる。

人流の抑制　これら緊急事態宣言や「まん防」に見られる政府の基本方針は，「人流」の抑制ということであった。「行き場所がなければ，人は外出しないだろう」との予測の下，目的達成の手段として多くの業種に，「協力金」を見返りに，営業自粛や時短が求められた。

6 度のピーク　なお，合計 5 回の感染者数ピーク到来に対処するため，緊急事態宣言と「まん防」は数度の発令と解除を繰り返した後，2021（令和 3）年 9 月 30 日に全面解除された。ところが直近では，2022（令和 4）年 1 月に第 6 波が押し寄せ，再び宣言と「まん防」が発令された。

3　コロナ禍の進展と法的対応

振り返り　コロナ禍の具体的進展について，くわしくは付録 1「コロナ年表」を御覧いただくことにして，以下には「どんな法的対応がされたのか」を中心に，直近までの状況を手短に振り返る。

あとがき　**257**

感染症法の適用　まず，国内で最初の感染者が確認された当初（2020〔令和2〕年1月15日），COVID-19に対して「感染症法を適用する」という，政府の方針は定まった（以下，COVID-19に限定した意味で「新型コロナ」という）。

2つの選択肢　問題は当時，新型コロナを㋐「既知の感染症」と見るか，㋑「未知の感染症」と見るかという，2つの選択肢が存在したことである。㋐は政令で指定することで，感染症法を適用する方法であり（「指定感染症」＝感染症法6条8項），㋑は政令ではなく解釈で，感染症法の適用を拡大する方法である（「新感染症」＝同法6条9項）。結局，㋐が採用される（後述）。

特措法との関係　前述のように，感染症法は感染症の予防と個々の感染者（患者）に対する医療の提供を目的とするのに対し，社会全体を守る手段を定めるのが特措法である。つまり，一方で感染症法上の「感染症」に該当すれば，他方で特措法によって，社会防衛が可能になる，という仕掛けである。

両方式の違い　違いは，新型コロナが㋐（指定感染症）だとすると，特措法は当然には適用されない。政令による指定を待って，はじめて適用されることになる。これに対し，㋑（新感染症）の場合には，政令指定がなくても特措法が適用される，という点である。

指定感染症　結局㋐の方式が採用され，そのための政令（新型コロナウイルス感染症を指定感染症として定める等の政令）が制定され，COVID-19が，感染症法上の「指定感染症」に指定された（2020〔令和2〕年2月1日施行）。

指定の効果　その結果，新型コロナには感染症法の「第3章から第7章までの規定の全部又は一部」が準用されることになった（同法6条8項）。すなわち，感染症に関する情報の収集及び公表（第3章），就業制限その他の措置（第4章），消毒その他の措置（第5章），医療（第6章），そして新型インフルエンザ等感染症（第7章）の規定である。

4　感染症法と特措法の改正

感染症法の改正　このように当初は政令で，新型コロナに感染症法を適用することとした。ところが問題は，政令の期限が1年間であった（旧法

7条1項）ため，その失効期限が近づいてきた（2021〔令和3〕年3月27日）。そこで失効前に感染症法が改正され（同年2月13日施行），新型コロナへの感染症法の適用を政令ではなく，法律自身で明定した（新法6条7項3号）。これに伴い，新型コロナ政令は廃止された。

新旧規定の概観　次に，個別の規定も改正された。以下，まず感染症法の新旧規定の違いを，4点に絞って概観する。なおスペースの関係で，条文の引用は省略する。第1に，旧法では都道府県知事は患者等に対し，疫学調査への協力を依頼することができた。これに加えて改正法では，協力するよう命令ができることになった。

入院勧告・措置　第2に，旧法でも，新型コロナに罹患した患者等に対しては，入院勧告および入院措置がとれた。しかし，罰則はなかった。それが，改正法によって，違反者に「50万円以下の過料」を課すことが可能となった。

緊急時等の措置権限　第3に，旧法でも，「緊急の必要があると認めるとき」は，厚生労働大臣（国）は，都道府県知事に対し必要な指示をすることができた。これに対し改正法では更に，知事が法令違反や事務の管理執行を怠っている場合にも，大臣の指示権限を拡張した。

医療機関への協力要請　第4に，旧法でも，新型コロナまん延防止のため，知事には医療機関等への協力要請が可能であった。しかし，ペナルティーはなかった。これに対し改正法では，要請に従わない場合，勧告し，それでも応じない場合は，公表が可能になった。

特措法の改正　同時に，特措法も改正された。そこで次には感染症法と同じ要領で，4点に絞って新旧規定を比較する。特措法によれば，第1に，都道府県対策本部長（知事）は，必要があると認めるときは，「公私の団体又は個人に対し，その区域に係る新型インフルエンザ等対策の実施に関し必要な協力の要請をすることができる」（24条9項）。これは，「一般的要請」である。その具体例が，読者も経験したであろう，知事による外出の自粛要請である。

緊急事態宣言　第2に，旧法下でも緊急事態宣言の発令に伴い，知事は各種営業の停止等を要請することができた。しかし，罰則はなかった。これに対し改正法では，「営業停止命令」が出せるようになり，違反者には「30万円以下の過料」を課せることになった。

あとがき　**259**

まん防 第3に，旧法には「まん防」（重点措置）という概念はなかった。これに対し改正法は，「まん防」という措置を新しく導入した。その結果，旧法下では行政指導だけで行われていた営業時間短縮などの要請が，法律に明記された。要請に従わなければ「命令」が出せ，違反者には「20万円以下の過料」を課せることになった。

その他 第4に，各種事業者に対する財政支援の活動や，差別防止のための啓もう活動についても改正法は定めを置いているが，スペースの関係で省略する（前掲・松澤「新型コロナについての法的対策の変遷」を参照）。その他くわしくは，付録1「コロナ年表」を参照。

3　本書を取り巻く昨今の情勢

長期的変化 さて前項では，新型コロナの発生とその対応をテーマに，概要を解説した。しかし同時に，この過去30年間に起きた別の，より長期的な変化についても，注目する必要がある。そこで以下の「あとがき」後半では，これらの状況を略述する。

分析の枠組み その前に，石川が考える「分析の枠組み」を示しておく。日本社会を動かす主体には，3つのものがある。すなわち①国，②地方公共団体，そして③民間（＝法人・個人）である。3者は「三角形」を形作るが，このトライアングルには過去30年の間に様々な，そしてきわめて大きな変化が生じた。

変化の内容 その変化は次の3点，すなわち㋐組織改革（＝①の内部の変化），㋑地方分権（＝①と②の関係の変化）および㋒規制改革（＝①と③の関係の変化）において特に著しい。振り返ると結局それらは，2021（令和3）年のデジタル庁の新設に象徴されるように，今まさに到来せんとしている新しい時代，すなわち㋓「デジタル社会」（＝①②③の全てを包含）の形成へと至る，準備（地ならし）作業でもあった。

1　「3つの主体」間の関係変化

三角形の関係 さて，上記「三角形」のうち，社会経済活動の主役になるのは，むろん③（民間＝個人・法人）である。①（国）と②（地方公共団体）は，③の動きを一方では規制しつつ（新型コロナの例では外出・営業規制），また他方では，側面援助する主体として登場する（同じく新型コロナ

の例では，各種の支援金や協力金の給付）。

行政・司法改革　このうち，まずミレニアム期（世紀転換期）に，それまでの「伏流水」が一気に表出する形で，最初に中央省庁等（＝行政組織）改革が，続いて司法制度改革が行われた。これらはいずれも，上記①の内部を変えようとする改革であった（2で論じる）。

国と地方の関係　次に，③（民間＝個人・法人）から見れば①と②は，「規制主体」という意味では「同じ穴のムジナ（＝行政）」である。ところが，「地方分権」という言葉が示すとおり，国と地方は緊張関係にも立つ。

関係の変化　実際，両者の関係はこの間に，「上下服従」から「対等協力」の関係へと，大きく変化した。これは，縮めた①（中でも行政）のパワーを，②に分け与えるための改革であった（3で見る）。

規制と緩和の関係　しかし，縮めた①のパワーを分け与える対象は，地方だけではない。「民間開放」という言葉が示すように，③（民間）に対する規制をゆるめる。これが，当初「規制緩和」と呼ばれ，後に（1999〔平成11〕年以降）「規制改革」に置き換えられた動きの本質である（4で見る）。

デジタル社会の形成　最後に，2000（平成12）年頃から急加速が始まったデジタル社会形成の動きは，2021（令和3）年のデジタル庁の設置に象徴されるように，目下は「Society 5.0」や「超スマート社会」と仮称される，新しい社会を産み出しつつある（5で見る）。以下，各項目で分説する。あわせて，付録2「かたち年表」も参照のこと。

2　一連の組織改革

ミレニアム　さて，20〜21世紀の転換期を振り返ると，当時は小渕恵三内閣（第84代）であった。その後，同氏が急逝し，森喜朗内閣（第85代）の下で21世紀を迎え，中央省庁等改革（後述）と情報公開法の施行が実現した。以来，現在までに実に18代の内閣と，10人の内閣総理大臣が生まれた。

憲法と行政法　内閣は政治の世界に属し，法的には憲法の守備範囲である。一方，本書の対象である行政法は，内閣（政治）の統轄の下に組織される行政組織と，各組織に割り振られた各種の活動（作用）の全般を考察の対象にする。しかし政治（憲法）は，行政・行政法と密接に関係する。

あとがき　**261**

一度目の政権交代　さて，2009（平成21）年秋の政権交代は，実は2度目の政権交代であった。最初は，30年近く前の1993（平成5）年6月，宮澤喜一内閣（第78代）に対する不信任案が可決され，衆議院が解散されたことに始まる。夏の総選挙で自民党が過半数割れを起こし，野党（非自民7党1会派）の政策合意により，8月に細川護熙内閣（第79代）が発足した（「55年体制の崩壊」）。

行政手続法　続く1994（平成6）年は波乱含みの年で，1年の間に，3つの内閣が交代した（細川→羽田→村山内閣）。村山内閣の下で，行政手続法（平成5年法律88号）が成立したことは，行政法にとっては画期的な出来事であった（本書第3章）。

行政改革　細川内閣の下で政府に「行政改革推進本部」が設置され，行政改革の動きが本格化する。その推進主体として，村山内閣の下で総理府（当時）に，行政改革委員会が設置された。1996（平成8）年1月に同首相が辞任後，与党の政権協議で，自民党総裁を首班とする連立政権である橋本龍太郎内閣（第82代）が発足した。

橋本行革　1996（平成8）年秋，橋本首相は都内での講演で，中央省庁の再編について「首相直属の審議機関を発足させ，1年ほどの間に成案を得たうえで，総合的な『霞が関改革』の検討を行っていく」との考えを表明した。

行革会議　それに基づき行政改革会議が総理府に設置され，同会議は翌1997（平成9）年9月に「中間報告」を，また12月に「最終報告」を出した。それまでも各種の行政改革は断続的に行われてきたが，大規模な組織改革には至らなかった（マイナーチェンジ）。

中央省庁等改革　世紀末が迫り来る中，行革会議の諸報告（上記）に基づき，一連の法律が施行されて，中央省庁等改革が断行された。これは「日本株式会社」という組織のフル・モデルチェンジであった。

改革の結果　すなわち，21世紀元年の2001（平成13）年1月6日，「霞が関」が53年ぶりに，大きく変わった。「中央省庁等改革」とは，①内閣機能の強化，②国の省庁再編，そして③行政組織・事務・事業の減量・効率化等のことを指す（上記・基本法2条）。

内閣官房　特に，内閣機能の強化のために，従前の総理府に代わって内閣府が置かれ，内閣の事務局（補助機関）である内閣官房の機能が強化さ

れた。だから上記の新型コロナ関係では，頻繁に「内閣官房」の名前が出てくる。

省庁再編　次に，省庁の大規模な統廃合が行われ，総務省が新設され，旧大蔵省が財務省に，旧通商産業省が経済産業省に変わり，旧建設省・運輸省等2省2庁が統合されて国土交通省ができた。その結果，国の組織は，1府11省に再編された（現在の組織図は本書図1-1）。

司法制度改革　この中央省庁等改革は，次なる司法制度改革への「伏線」であった。すなわち1999（平成11）年7月，司法制度改革審議会が設置された。2000（平成12）年11月に中間報告，また翌2001（平成13）年6月に最終報告を出して，司法審は解散した。

その成果　続いて各種の法律が改廃されて，裁判員裁判をはじめとする，各種の司法制度改革が実現した。本書との関係でいえば，同改革の最も大きな影響は，法学部と分離する形で新設された，法科大学院であろう。行政法は必修科目になり，司法試験でも必修科目になった。

手続3法の改正　行政手続法，行政不服審査法，行政事件訴訟法を「手続3法」という（本書 Intermezzo I と II 参照）。うち，2004（平成16）年の行訴法改正は，司法制度改革の直接の成果であった。しかし，2014（平成26）年の行審法と行手法の改正もまた，行訴法の改正と無関係ではない（本書第3章と第5章参照）。

諸改革の意義　これら一連の改革（中央省庁等改革と司法制度改革）とは結局，従来アンバランスだった「車の両輪」（＝行政と司法）の大きさを補正する試みであった。すなわち，行政の車輪を縮め，逆に司法の車輪を広げる，という意味の補正である。

十年改革　これら「車輪の補正」作業は，1996（平成8）年から始まり，およそ10年間続いた。この両改革がクロスした2000（平成12）年4月2日，時の首相・小渕恵三氏が緊急入院の後に逝去されたことに，当時の「激動ぶり」が象徴されている。

改革の意義　これら十年改革は，日本を動かす「3つの主体」のうち，国（内部）の組織改革であった。しかし，それは続いて国の外，すなわち国と地方の関係にも影響を及ぼす。すなわち，「縮めた国（行政）のパワーを地方へ」という動き（＝地方分権）が出てくるからである。

あとがき　**263**

3 地方分権の動き

地方分権の動き　「地方分権アーカイブ」（内閣府のサイト）によると，地方分権の動きは，大きく次の3期に分けられる。すなわち，①第1次地方分権改革（1993〔平成5〕年〜2001〔平成13〕年），②三位一体の改革（2001年〜2005〔平成17〕年），そして③第2次地方分権改革である（2006〔平成18〕年〜現在に至る）。

分権推進決議　第1次地方分権改革の始まりは1993（平成5）年，上述した細川内閣（第79代）が発足する直前の6月に，衆参両院で行われた「地方分権の推進に関する決議」であった。

分権推進委　この第1次改革において大きな役割を果たしたのが，地方分権推進委員会（総理府）である。分権委は，1995（平成7）年7月から6年間活動し，5次にわたる「勧告」を出して，2001（平成13）年7月に解散した。

自治法の大改正　これら勧告に基づいて，次に一方では政府の「地方分権推進計画」が立てられた。また他方，地方自治法の抜本的改正が行われた（2000〔平成12〕年）。

インターネット元年　なお，阪神・淡路大震災が起きた，この1995（平成7）年は，「インターネット元年」と呼ばれた。8月に，日本電信電話公社（当時）が定額料金の「テレホーダイ」サービスを開始し（「つなぎっぱー」），11月にはWindows95が発売されたからである。つまり振り返ると，ソフトとハードの双方で，今日の「デジタル社会」形成の基盤が整った年でもあった（後述5）。

三位一体の改革　続く地方分権改革の2期目は，三位一体の改革であった。これは法的というより税財政に関する改革で，内容は，①国庫補助負担金の改革，②国から地方への税源移譲，そして③地方交付税改革の3つであった。実際には地方公共団体・総務省と，財務省とが対立し，数値目標は入ったものの，補助金の具体的な削減は，今後の予算編成作業に委ねられた。また移譲する税目も盛り込まれないなど，実質的結論は先送りされた。

第2次改革　最後に，現在も進行中の第2次地方分権改革の特徴は，次の3点である。すなわち①地方に対する規制緩和（義務付け・枠付けの

264

見直し），②事務・権限の移譲等，そして③国と地方の「協議の場」の設定である。

分権一括法　義務付け・枠付けの見直しの具体策は，一連の「第〇次地方分権一括法」と呼ばれる法律の中で，そのつど示されてきた。東日本大震災が起きた，2011（平成 23）年の第 1 次分権一括法に始まり，直近では2021（令和 3）年 5 月に，第 11 次分権一括法が公布された。くわしくは，付録 2「かたち年表」を参照。

4　規制改革の動き

地方分権と規制改革　地方分権が，国と地方の関係の改革であったのに対し，規制改革は国と民間（個人・法人）の関係の改革を示す。実は情報公開法も，この規制改革の論議の中から出てきた。こういった「思わぬつながり」にも，気を留めておく必要がある。

改革の始まり　規制改革の動きは，行政手続法が施行された 1994（平成 6）年頃に始まった。というのも，この年の終わり（12 月）に，行政改革委員会が総理府（当時）に設置され，具体的な議論が始まったからである。いわゆる「橋本行革」である。

橋本行革から小泉行革へ　「はじめチョロチョロ，中パッパ」で，こうして地味に始まった規制改革の動きは，その後，「事前規制から事後チェックへ」という時代の空気を追い風に，その勢いを加速した（小泉改革）。

緩和か改革か　当初，この分野では「規制緩和」という語が使われていた。それが 1999（平成 11）年頃から，「規制改革」へと表現が改められた。緩和と改革の違いは，緩和は「減らす」こと（だけ）に力点が置かれるが，改革のほうは，規制をケースバイケースと見る。要は「良い規制と悪い規制」とを区別して，必要なら規制を「増やす（強化する）」と考える点にある。

規制と許認可　規制自体は，その必要があるから設けられる。つまり，「ひと様に迷惑をかけるおそれのある動き」は，事前に行政（国・地公体）が情報を得ておきたい。だから典型的には，「許可申請書」や「〇〇届」その他の書類の提出を通じて，各種の情報（個人・法人の）を収集する。

許認可の意味　これら書類は，(a)事故・事件が起きないようにする。しかし，(b)起きてしまった時には，その後の対策の参考にする。これが「許

あとがき　**265**

認可の意味」である（本書第3章）。

許認可等　一連の規制改革の結果，2002（平成14）年には1万621件あった許認可等の根拠条項数は16年の間に，1万5475件となった。この，規制改革の動きにもかかわらず，件数が増えていることの「謎解き」も含め，くわしくは石川『新プロゼミ行政法』（実務教育出版・2020〔令和2〕年）2頁以下を参照されたい。

推進組織　規制改革の動きは，規制改革委員会→総合規制改革会議→規制改革・民間開放推進会議→規制改革会議（以上，政権交代前）→行政刷新会議，規制・制度改革委員会（民主党政権下）→（再政権交代後）規制改革会議→規制改革推進会議と，似通った名前の組織（すべて内閣府）に受け継がれて，現在なおも進行中である。くわしくは，付録2「かたち年表」を参照。

各党と規制緩和　なお，ここでは触れられないが，下記には「各党と規制緩和」の関係（スタンス）が図解されており，参考になる（http://nihonseiji.com/policy/13）。

5　デジタル社会の形成

ことの発端　最後に，「デジタル社会形成の動き」は，世紀末の2000（平成12）年頃から始まった。その基礎は，中央省庁等改革（上述2）と同じ日に施行されたIT基本法（高度情報通信ネットワーク社会形成基本法）の制定と，同法を具体化するIT基本戦略（同年11月27日）に始まる一連の，IT戦略によって築かれた。なおIT基本法は，2021（令和3）年リニューアルされて，「デジタル社会形成基本法」となった。

個情法と番号法　これらデジタル社会形成の動きの中から，個人情報保護法（個情法）とマイナンバー法（番号法）が生まれ出た。「意外な取り合わせ」ではあるが，記憶されておいてよい。特に，今まで3つ（地方公共団体の条例を含めると4つ）あった個人情報保護法制は，2021（令和3）年に一本化された（本書第2章）。

推進組織　以上のデジタル社会化を一貫して推進してきた組織は，内閣に置かれた「IT総合戦略本部」であった。その成立はかなり早く，1994（平成6）年8月に内閣に置かれた，高度情報通信社会推進本部である。同本部は，「出世魚」のように名前を変えて現在に至り，2021（令和3）年9

月1日に廃止されて，デジタル庁（(Japan) Digital Agency）となった。

新しい時代　1995（平成7）年が「インターネット元年」と呼ばれたことは，前に述べた（前述3）。以来，30年も経たない間に，次のような新しい時代が，今われわれの眼前に出現しようとしている。

Society 5.0　すなわち，従前の情報化社会（＝Society 4.0）では，サイバー空間（仮想世界）とフィジカル空間（現実世界）は分離しており，人々は必要に応じてサ空間にアクセスして，情報を得ていた。これに対し，新しい社会（＝Society 5.0）では，サ空間とフィ空間が高度に融合した状態になる。

両空間の融合　すなわち，①サ空間にある情報がリアルタイムにフィ空間に伝達される，②AI等によってフィ空間にあるモノが制御されるなど，利用者からの積極的なアクセスを待たずに，日常生活（フィ空間）の中に，サ空間が溶け込み始めるようになる（例えば人ではなく，AIによる自動車の自動運転）。

IoT　これに限らず今後，あらゆるモノやサービス（フィ空間）がサ空間と融合していく（IoT〔インターネット・オブ・シングス〕。デジタル社会形成基本法2条）。つまりは産業を含めた社会全体で，サ空間とフィ空間が融合していくのが，Society 5.0（超スマート社会）の特徴である。

光と影　しかし，「いいこと」ばかりではない。これからはサ空間とフィ空間の接点の全てが，サイバー攻撃の対象にさらされる。よって，それに対する高度なセキュリティ対策が必要になる。くわしくは，経済産業省の「サイバーセキュリティ政策」のほか，デジタル庁のサイトを参照されたい。さらに，付録2「かたち年表」も参照。

一滴と大河　結局，上述した一連の改革は，単独・バラバラなのではない。①組織改革＋②地方分権改革＋③規制改革という「大河の一滴」が，全体として④「デジタル社会の形成」という大河へと注ぎ込んでいる，というストーリーなのである。

関係者に感謝　コロナ禍とたたかう医療関係者等への感謝が語られることが多い。しかし，③で見た諸改革の根拠には，膨大な数の公文書が存在する（付録2「かたち年表」には，およそ2700個のURLを引用してある）。その作成や準備には，それを支えた膨大な数の事務方（公務員）はじめ，委員など関係者の努力がある。彼らのおかげで今の私たちの，便利で快適

あとがき　**267**

な生活があるわけで，改めて関係者に感謝しよう。

4 むすび

　以上，限られたスペースで，多くの事柄を凝縮して述べた。『はじめての行政法』の背景には，以上に略述した様々な動きがある。私たち共著者は，それらを観察し踏まえながら，本書を執筆している。読者がそのことに気づき，興味を持ち，できれば参加してくださることを期待しつつ，本書の「むすび」とする。

　なお，有斐閣のサイトに，2つの資料すなわち付録1「コロナ年表」と付録2「かたち年表」を掲載した（http://www.yuhikaku.co.jp/websupport）。特に後者は，石川が長年収集・蓄積してきたデータを用いて作成した資料である。本書と本あとがきの理解を深めるために，ぜひ利活用してほしい。

「全体の見取り図」を使った「行政法学習のすすめ」　⇨巻末付録表面

地 図を持たない登山は無謀である。現在地を常に確認できるようにしておかなければ，頂上に到達するどころか，思わぬ事故に巻き込まれかねない。法律の勉強にも似た所がある。闇雲に教科書を読み進めるのではなく，今読んでいる部分が全体の中でどのように位置づけられるのか，時々立ち止まって確認することが大切だろう。このことは，行政法では特に重要かもしれない。行政法学の体系は，行政法という名前の法律がないため，実定法の構成とは無関係に編み出されたものだからである。そこでこの本は，「全体の見取り図」というルートマップを用意した。「木を見て森を見ず」の勉強にならないよう，「全体の見取り図」を使って，着実にこの本を踏破していってほしい。　　　　　〔下井康史〕

「行政法(学)関係年表」トリセツ　⇨巻末付録裏面

見 取り図の裏スペースがもったいないので，読者の「ためになる」付録をつけることにした。「行政法(学)関係年表」である。ここで簡単に年表のトリセツ，すなわち取り扱いを説明しておく。

1　年表は全体で 107 行から成る。

2　最初の行には，左から右へ，色々な意味で行政法に関係の深い事象の起きた①西暦（元号），②（わかれば）月，③各事象の「属性」，④出来事（これが「事象」である），⑤備考という 5 つの欄を区切った。

3　そして，次の行から年号順に出来事を並べてある。

4　各出来事には，年月の後に見出し（タグ）をつけ，各出来事の「属性」が一目でわかるよう工夫した。属性は，五十音順に次の 15 項目である。すなわち，IT，学会，憲法，講義，災害，試験，事件，書籍，人口，制度，戦争，内閣，法典，法令，翻訳である。

5　なお，行政法の「判例」も重要なのであるが，本書には別途「判例索引」が付けられているので重複を避け，本年表には入れなかった。

6　行政法の書物は，ともすると記述が抽象的で，「時空を超えて」存在するかのようである。その理由は，本年表に示したような，過去の様々な人類の営みを踏まえ，それらを包み込んでいるからである。

7　本年表が，読者の理解をさらに深める助けになれば嬉しい。　〔石川敏行〕

269

事 項 索 引

あ

アカウンタビリティ（説明責任）
　……………………………49,53
伊方原発訴訟……………………87
意見公募手続　…………49,122-123
意見陳述………………………104,108
1次試験……………………………202
一般概括主義　…………………158
委任命令　………………118,119,120
伊場遺跡訴訟　…………………188
違法確認訴訟
　国等による――　……………174
　不作為の――　…155,169,178,179,
　　　　　　　　　　　181,182
違法性の承継　…………………95,96
イン・カメラ審理　…………63,64
受付……………………………………102
訴えの利益　………………79,191
　狭義の――　…………………190
「エホバの証人」剣道実技拒否
　事件……………………………87
大阪国際空港訴訟　……………226
公の営造物……………………223,231
小田急線高架化訴訟
　――［原告適格］……………189
　――［処分の違法性］………87
オンブズパーソン　……………158

か

外形主義　………………………216
解釈基準　………………………120
回避可能性　………………220,225,228
確認訴訟　…………81,113,171,185

過失　………207,209,217,220,241,242
　――と違法性　………………220
　――の客観化　………………217
課税処分………………………………28
課徴金………………………………140
仮処分……………………………166
　――の排除　…………………197
仮の義務付け……………………196,197
仮の救済　…………………194-197
仮の差止め　……………………196,197
過料　………135,142,143,144,259,260
川崎マンション事件　…………188
環境アセスメント………………50
環境影響評価法…………………50
関西水俣病訴訟　………………213
監査請求前置主義　……………172
間接的強制制度　…7,75,139,141-143,
　　　　　　　　　　　144
完全補償（説）　………………237
環六高速道路訴訟　……………189
機関訴訟　………………155,169,174
棄却　…………………163,199,202
規制規範　……………42-43,46,99
規制権限不行使　………………213,214
規制の行政指導　………………111
規則……………………………………118
羈束処分　…………82,83,180,181,183
期待可能性　……………………215
機能的瑕疵　……………………226
宜野座村事件　…………………126
義務付け訴訟　…17,155,158,169,179,
　　　　　　　　　　193,196
　拒否処分型の――　………181,182
　非申請型の――　……158,179,182,

183,195

不作為型の── ………………181,182

却下 ………71,79,93,163,183,199,202

客観訴訟………………………169,172

求償 ………………………………221,222

給水拒否…73,80,112,114,127,128,137,139,151

給付行政………………………………67

教示 ………………109,160,193,194

行政
　　──とは何か ………………243
　　──の行為形式 …………7,68,69

行政委員会 ……………………164

行政改革会議 ………………49,262

行政官庁………………………………24
　　──(法)理論 ………………27-29

行政機関 ……6,15,16,20-32,63,117,174

行政機関情報公開法……54,56,60,101,117

行政規則……69,101,102,104,110,112,117,119-121,122,132,136

行政客体……………………………20

行政計画……70,77,78,123-126,171,185

行政刑罰 ………72,75,142,143,150

行政契約 ………70,75,80,126-128

行政権の主体 …………………253

行政行為……………………81,82

行政サービス
　　──の拒否 ………………139
　　──の停止…132,137,138,141,144,150,151

行政裁判所(特別裁判所)……166,206,250,251

行政事件訴訟……8,153,154,160,161,163,165-200

行政事件訴訟特例法……166,196

行政事件訴訟法…26,70,90,93,113,

154,158,190,196,202-204,226,263
　　──改正(2004年) …………167
　　──の世界 …………………204

行政指導…7,17,18,36,41,43,55,70,75,77,79,80,99,104,109-116,121,133,136,137,139,150,159,171,185,209,210,211,259
　　──指針 ………112,120,122
　　──実施請求 ………………116
　　──中止請求 ………………116
　　規制的── …………………111
　　助成的── …………………111
　　調整的── …………………111
　　法定── …………………110,116

行政主体 …6,15,16-20,20-27,34,35,48,78,183,224

行政上の秩序罰 …………………143

行政処分 ………7,9,44,68,70,71-109,110,111,113,124,127,128,154,171,208,218
　　無効の── ………………93-95

行政審判 …………………………164

行政争訟 ……………………8,153

行政相談 …………………………157

行政庁 ……24-27,75,96,103,155,180

行政調査 …………………77,147,148

強制徴収 …69,75,89-92,94,145,146,150,176

行政的執行 ……………………149

行政手続 ……………………48,99

行政手続条例…100,107,116,122,136,137

行政手続法……48,70,81,97,99-116,117,119,122,136,137,148,159,164,202,203,262,263,265
　　──の世界 …………………203

行政罰 ………132,142-143,144,149

行政不服審査……………………84

行政不服審査会…………………157,162

行政不服審査法 …154,156,202-204,
263

　　──の世界…………………204

行政不服申立て …8,63,64,153-154,
155-165,176,195,245

行政文書…………………………56,61,62

行政便宜主義……………………213,214

行政法

　　形式的意味の──　…………2,3

　　実質的意味の──　…………2,3,4,5

行政立法(行政基準)……49,69,70,
77,78,79,80,99,116-123,171,185,
245

供用関連瑕疵……………………226

緊急事態宣言……………256,257,259

苦情処理…………………………157,158

国地方係争処理委員会…………174

国の関与に関する訴え…………174

グローマー拒否　→存否応答拒否

クロロキン薬害訴訟……………214

群馬中央バス事件………………108

訓令………………………………119

警察制限…………………………236

刑事補償法………………………241

契約自由の原則…………………74

結果回避可能性…………………215,218

結果責任…………………………228

決定………………………………163,176

権限………………………………22-28

原告適格 …154,173,181,183,186-190,
191

原処分主義………………………176

現代的サンクション……………139,140

建築確認…………………………100

　　──の留保…………78,178,179

権力分立　………………37,167,246

権力留保説…………40,110,124,127

故意………………………209,217,220

効果裁量…………………………83

公行政作用………………………252,253

公権力の行使 ……155,169,183,206,
210-215,216,217,221,222,231,252

　　──〔狭義説〕………………211

　　──〔広義説〕………211,217,220,252

　　──〔最広義説〕……………211

抗告訴訟………155,169,170,175,178

公聴会……………………………46-48

高知落石事故……………224,228,230

公定力……………………92,93,95,130

公表……132,133,134,136-141,150,151,
258,260

公物………………………………84,224

公文書管理………7,54,56,62,64

公文書管理委員会………………62,64

公文書管理制度…………………60-62

公文書管理法……………………61

公文書の利用請求………………62

神戸幼児高校校庭転落事故判決
………………………………225

公法と私法………………………248-253

公務員………6,15,16,23,78,206,209,
216-218,240

　　──の過失…………………240

　　──の故意…………………240

　　──の個人責任……………212,221

公用制限…………………………236

国道43号線訴訟…………………226

国民主権…………………………34,37,53

国立公文書館……………………62,64

個人情報

　　──の開示請求………59,60,63

　　──の削除請求……………59

事項索引　**273**

──の消去請求‥‥‥‥‥‥59

──の追加請求‥‥‥‥‥‥59

──の訂正請求‥‥‥‥59,60,63

──の利用停止請求‥‥‥‥59,63

個人情報保護‥7,35,36,53-56,59,60,62

個人情報保護委員会‥‥‥‥‥‥55

個人情報保護条例‥‥‥‥‥‥55

個人情報保護法‥‥‥‥‥‥‥55,266

個人タクシー事件‥‥‥‥‥‥108

国家行政組織法‥‥‥‥‥‥‥28

国家賠償‥8,17,91,113,153,205,208-231,239,240

国家賠償法‥205-207,208,209,211,219,231

──1条‥‥‥27,113,209-223,252

──2条‥‥‥‥‥210,223-231

国家補償‥‥‥‥‥8,153,205,208,239

──の谷間‥‥‥8,205,207,239-242

国家無答責　→主権(国家)無答責

ごみ焼却場事件‥79,80,96,184,185

コロナ禍‥‥‥‥‥‥‥‥‥140,254

根拠規範‥41,42-43,46,80,99,100,107,110

さ

在外邦人選挙権訴訟(在外投票事件)‥‥‥‥‥‥‥‥‥171,215

裁決‥‥154,157,159,162,163,164,176,181

──固有の瑕疵‥‥‥‥‥176

裁決期間‥‥‥‥‥‥‥‥‥164

裁決取消訴訟‥‥‥‥‥‥169,176

再婚禁止期間事件‥‥‥‥‥215

財産権の主体‥‥‥‥‥‥‥253

再審査請求‥‥‥‥‥‥‥156,157

在宅投票事件‥‥‥‥‥‥‥215

再調査の請求‥‥‥‥‥‥‥156

財務会計行為‥‥‥‥‥‥172,173

裁量‥46,82-87,101,119,130,158,168,180,182,183,213,214

時の──‥‥‥‥‥‥‥‥‥83

裁量基準‥‥‥‥‥‥‥‥101,119

裁量権

──の逸脱・濫用‥‥‥‥84

──の消極的濫用論‥‥214,215

裁量権収縮論‥‥‥‥‥‥214,215

裁量処分‥‥‥‥83,180,182,183

差止訴訟‥‥‥158,169,182,195,196

三権分立‥‥‥‥37,196,245,246

三段階構造モデル‥7,68,69,70,147

私経済活動‥‥‥‥‥‥‥‥211

私経済行政(作用)‥‥‥67,210,252

自己拘束論‥‥‥‥‥‥‥‥121

自己情報コントロール権‥35,53,59

自己責任説‥‥‥‥‥‥‥‥221

事実行為‥‥‥74,77,110,112,139,148,158,164,202

事実誤認‥‥‥‥‥‥‥‥‥85

事実上の強制‥‥‥‥‥‥112,113

事情裁決‥‥‥‥‥‥‥‥163,204

事情判決‥‥‥125,163,199,200,204

私人‥‥‥‥‥‥‥7,16,20,23,24

自然人‥‥‥‥‥‥‥‥‥‥22

失火責任法‥‥‥‥‥‥‥‥209

執行機関‥‥‥‥‥‥‥25,28,173

執行停止‥‥‥‥‥‥161,194-197

執行罰‥‥‥132,141,142,144,150

執行不停止の原則‥‥‥160,161,194

執行命令‥‥‥‥‥‥‥‥‥118

実質的証拠法則‥‥‥‥‥‥165

実質的当事者訴訟‥80,90,95,113,122,125,128,170,171

実体的判断代置審査…………84
指定感染症 …………………258
指定機関(指定法人)……19,191,210
私的自治の原則………………74
指導要綱……………………120
品川マンション事件………114,115
司法制度改革 ………167,261,263
司法的執行 …………………149
市民参加 ……………34,50,52
諮問機関……………………25
社会留保説…………………39
釈明処分の特則 ……………198
自由裁量……………………85
自由選択主義 ………63,64,154,193
重大かつ明白な瑕疵・違法
　…………………………93,94
重点措置 ……………………257
住民監査請求 ………………172
住民訴訟 ……………………172
　──4号請求 ……………172
住民投票 ……………………51
主観訴訟 ……………………169
主権(国家)無答責 …………206
出訴期間 93-95,130,154,177,183,192
主婦連ジュース訴訟 ………188
受理…………………………102
準司法手続 ……………98,165
準備行政……………………67
上級監督庁…………………96
消極説(控除説)…………246,247
証拠書類の謄写(不服申立て)
　…………………………162
情報公開……7,34,35,36,53,54,56-58,
　59,60,62
情報公開・個人情報保護審査会
　…………………………63
情報公開条例………………54

情報公開法 ………………261,265
情報の収集・管理…………65
将来効 ……………………97,98
省令…………………49,118,119
職務行為基準説 ……218,219,220
職務を行うについて ………216
助成的行政指導……………111
職権証拠調べ ………………198
職権審理主義 ………………162
職権探知主義 ………………198
職権取消し …………………96-98
処分……9,10,12,13,129,130,158,160,175,
　176,183,184,190,202
処分基準………104,106,107,117,119,
　120,122
処分・裁決取消訴訟 …………182
処分実施請求 …………108,116,159
処分性……79,113,122,124,125,184,185
処分庁………………84,96,160
　──への質問権(不服申立て)
　…………………………162
処分取消訴訟…159,169,175,177,180,
　183,191,194,197,198,199
自力救済の禁止……………89
自力執行 ………………142,149
侵害行政 ……………………39,67
侵害留保説 ………39,110,124,127
新型インフルエンザ等まん延防
　止等重点措置 ……………257
新型コロナウイルス感染症
　……140,254,255,257,260,262
新感染症 ……………………258
審議会 ………25,27,35,46,47
信義誠実の原則 ……………126
審査応答義務 ………………102
審査基準 …48,101,104,106,107,117,
　119,122

事項索引　275

審査請求…62,63,64,129,156,157,159,
　　160,163,180,181,193
審査請求前置…129,130,160,183,192,
　　193,194
審査庁…157,159,162,163,164
申請…103
　――に対する処分…48,81,
　　100-103
　――の受付…102,103
　――の受理…102,103
　――の到達…102,103
　――の不受理…102,103
　――の不受理返戻…102,109,112
申請型義務付け裁決…163
申請型義務付け訴訟…159,163,180
審理員…157,162
　――意見書…162
　――による審理…156,161
スモン訴訟…214
政策評価法…52
政令…49,117
積極説(目的実現説)…246,247
設置・管理の瑕疵…224,226,227
　――[主観説]…224,228
　――[客観説]…224,225,228,229
説明責任　→アカウンタビリティ
選挙訴訟…172,200
専決…21
泉南アスベスト訴訟…214
全部留保説…40,110
相互保証主義…209
争訟裁断行為…98,164
争訟取消し…96-98
争点訴訟…95,178
相当補償(説)…237
即時強制(即時執行)…7,132,145,
　　146,147

組織規範…42,43,115
組織共用文書…56,57,60
組織の過失…240,242
損害…221
損失補償…8,170,205-208,226,
　　231-239,240,241
存否応答拒否(グローマー拒否)
　…58

た

代位責任説…221
代決…21
第三セクター…19
代執行…72,91,132,135,138,139,143,
　　144,146,150
対司法裁量…85
代替的作為義務…141,143,144
大東水害訴訟…227,229,230,231
滞納処分手続…145
対法律裁量…85
宝塚市パチンコ条例事件…149,252
宅建業事件…214
多摩川水害訴訟…230
団体訴訟…189,190
筑豊じん肺訴訟…214
地方自治法…20,28,50,264
地方分権…174,261,263,265
地方分権改革…264,267
注意義務違反…220
中央省庁等…260
　――改革…262,263
調整的行政指導…111
調達行政…67
聴聞…104,105,106
　――主宰者…105
　――調書…105
直接強制…132,144,145,146,149

直接請求 ……………………50
直接的強制制度………7,75,139,141,
　　　　　143,144
通損補償 …………………239
通達 ……………119,120,121,171
　　——による行政 ………120
適正手続……………7,34,151
撤回…………………97,98,208
手続3法 ……9,10,12,82,202,263
撤廃・変更…………164,202
東京12チャンネル事件 ………187
東京都教職員国旗国歌訴訟
　　——［処分の違法性］………86
　　——［訴訟の適法性］…78,171
当事者訴訟………155,170-171,185
　形式的—— …………………170
　実質的—— …………………130
到達 ……………102,103,109
特定管轄裁判所 ……………192
特定歴史公文書等 …………62,64
特別の犠牲 ………231,232,233,241
独立行政法人 …………54,62,192
土地収用 …35,43-46,51,124,126,170,
　　　178,207,232,237,238
届出…………………100,108,133-135
　　——の受付 …………………109
　　——の到達 …………………109
　　——の不受理返戻 …………109
取消訴訟 …17,70,71,72,73,79,80,90-
　　98,107,113,120,121,124,125,128,
　　130,148,155,175,176,178,181,184,
　　190-194,195,218
　　——の排他的管轄 ……90,92,93,
　　　　　95,96
取消判決 …………………199
　　——の拘束力 …………199
　　——の第三者効 …………199

な

内閣総理大臣の異議制度 ……166,
　　　　　196,197
長沼ナイキ事件 ……………187
長良川水害(安八町)訴訟 ……229
奈良県ため池条例事件 ………236
新潟空港訴訟 ………………188
2次試験 ……………………202
二重処罰の禁止の原則 ………142
認容……………………163,202

は

橋本草案………………………10
パブリック・インボルブメント
　　　　　　　…………………52
パブリック・コメント ……122
浜松市事件 ………………125
反射的利益論 ……………188,213
判断過程審査………………86
PFI法 ……………………52
被告適格 …………154,183,191
飛驒川バス転落事故 …………228
標準処理期間 …101,102,117,120,164
標準審理期間 …………………164
平等原則……………………86
比例原則……………………86
不開示情報…………………57,59
不可抗力 …………………225,228
不可争力 ……………93,95,130
不可変更力 ………………98,164
附款(付款) …………………81
不許可補償 ………………239
不受理 ……………………102,103
不受理返戻 ………102,109,112
2つの行政機関概念 …………28
不服審査 ……………………129

事項索引　277

不服申立て……129,154,155-165,168,
　　188,193,198
　──［証拠書類の謄写］…162
　──［処分庁への質問権］…162
不服申立期間 …………130,160,163
不服申立庁 ………………96,160
不服申立人適格 …………………159
不利益処分……81,100,101,104-106,
　　107,129
不利益処分手続 …………………97
不利益変更の禁止 ……………163
府令………………………………118
文書閲覧 …………………………105
辺野古事件 ………………87,175
弁明手続 ……………105,106,107
弁明の機会の付与 …104,105,138
弁論主義 …………162,197,198
法規………………………………118,120
法規裁量…………………………85
法規命令 …………69,117-119,122
法人………………………………22
法治主義……4,7,18,33,37-43,83,96,
　　103,112,119,120,121,172,199,206,
　　218
法定外抗告訴訟 …………………169
法定行政指導 ……………110,116
法定抗告訴訟 …………………169
法の支配 …………………………38
法の保護に値する利益説 ……186
法律関係…………………………48
法律上の争訟 ……166,167,174
法律上の利益…159,172,177,180,183,
　　186-190
法律上保護された利益説…186,188
法律による行政の原理…………38
法律の根拠 …33,38,39,40,41,42,43,
　　46

法律の優位 ………………41,42,43-46
法律の留保…4,18,42,43,44,124,151
　──の原則 ………………38-41
補償 ………………………………205
　正当な── ……………………237
補助機関……21,24,25,26,28,256
　狭義の── ……………………25
　広義の── ……………………25,27
本案審理 …………………………202
本質留保説 ……………………40

ま

マクリーン事件 …………85,86,87
まん防 ……………………257,259
3つの手続………………………202
民間委託 …………………212,222
民事訴訟 ……80,88,95,128,165,166,
　　170,177,178,197,198,203
民事訴訟法 ……………………154
民衆訴訟 ……………155,169,171
無過失責任………………225,240
無効………………………………87
無効(等)確認訴訟 ……94,169,176,
　　177,182,189,193,194
武蔵野マンション事件
　──［教育施設負担金］……114,
　　115,140
　──［水道法違反］ ……127,140
無名抗告訴訟 …………………169
もんじゅ訴訟…………………177,188

や

郵便法違憲判決 ………………209
要件裁量…………………………83
要件審理 ………………………202
要綱……72,73,80,112,114,117,119-121,
　　131-135,136,186

予見可能性 ……………215,218,220
予防接種事故 …………207,240,241
四大公害裁判 …………………215

ら・わ

リーニエンシー ………………140
理由提示(理由附記) …103,105-108
輪中堤訴訟 ……………………238

判 例 索 引

《判例集略称》
民録＝大審院民事判決録　　　　　刑集＝最高裁判所刑事判例集
民集＝最高裁判所民事判例集　　　判時＝判例時報

＊【　】内の数字は，宇賀克也＝交告尚史＝山本隆司編『行政判例百選
〔第7版〕』（有斐閣・2017）の巻数（ローマ数字）と項目番号を示す。
例：I-7　→　行政判例百選 I 巻　7番の項目

大審院・最高裁判所

大判大5・6・1民録22輯18巻1088頁 ……………………………………206
最判昭28・9・11民集7巻9号888頁 ……………………………………164
最大判昭28・12・23民集7巻13号1523頁【II-248】 ……………………237
最判昭30・4・19民集9巻5号534頁【II-234】 ……………………212,222
最大判昭31・7・18民集10巻7号890頁 …………………………………93
最判昭31・11・30民集10巻11号1502頁【II-229】 ……………………216
最判昭33・7・25民集12巻12号1847頁【II-202】 ……………………200
最判昭36・4・21民集15巻4号850頁 …………………………………222
最判昭37・1・19民集16巻1号57頁【II-170】 ………………………187
最大判昭38・6・26刑集17巻5号521頁〔奈良県ため池条例事件〕【II-251】
　　　　　　　………………………………………………………………236
最判昭39・10・29民集18巻8号1809頁〔ごみ焼却場事件〕【II-148】
　　　　　　　…………………………………………………………79,184,185
最判昭41・2・8民集20巻2号196頁【II-143】 ………………………168
最大判昭41・2・23民集20巻2号271頁〔青写真事件〕 ………………125
最大判昭43・11・27刑集22巻12号1402頁【II-252】 …………………233
最判昭43・12・24民集22巻13号3254頁〔東京12チャンネル事件〕【II-173】
　　　　　　　………………………………………………………………187
最判昭45・8・20民集24巻9号1268頁〔高知落石事故〕【II-235】 ………224
最判昭46・10・28民集25巻7号1037頁〔個人タクシー事件〕【I-117】……108
最判昭47・5・30民集26巻4号851頁【II-246】 ………………………235
最判昭50・5・29民集29巻5号662頁〔群馬中央バス事件〕【I-118】 ………108

280

最判昭 50・6・26 民集 29 巻 6 号 851 頁 ……………………………………227

最判昭 50・7・25 民集 29 巻 6 号 1136 頁【II–236】…………………………227

最大判昭 51・4・14 民集 30 巻 3 号 223 頁【II–212】………………………200

最判昭 51・9・30 民集 30 巻 8 号 816 頁 …………………………………240,242

最判昭 52・12・20 民集 31 巻 7 号 1101 頁〔神戸市税関事件〕【I–80】…………86

最判昭 53・3・14 民集 32 巻 2 号 211 頁〔主婦連ジュース訴訟〕【II–132】……188

最判昭 53・5・26 民集 32 巻 3 号 689 頁【I–29】…………………………………85

最判昭 53・7・4 民集 32 巻 5 号 809 頁〔神戸幼児高校校庭転落事故判決〕……225

最判昭 53・7・17 民集 32 巻 5 号 1000 頁【II–244】……………………………209

最大判昭 53・10・4 民集 32 巻 7 号 1223 頁〔マクリーン事件〕【I–76】…………85

最判昭 55・11・25 民集 34 巻 6 号 781 頁【II–176】………………………………191

最判昭 56・1・27 民集 35 巻 1 号 35 頁〔宜野座村事件〕【I–25】………………126

最大判昭 56・12・16 民集 35 巻 10 号 1369 頁〔大阪国際空港訴訟〕【II–149】…226

最判昭 57・1・19 民集 36 巻 1 号 19 頁 ……………………………………………215

最判昭 57・3・12 民集 36 巻 3 号 329 頁【II–227】………………………………216

最判昭 57・4・22 民集 36 巻 4 号 705 頁【II–153】…………………………124,184

最判昭 57・7・15 民集 36 巻 6 号 1169 頁【II–151】……………………………185

最判昭 57・9・9 民集 36 巻 9 号 1679 頁〔長沼ナイキ事件〕【II–177】…………187

最判昭 58・2・18 民集 37 巻 1 号 59 頁【II–247】………………………………236

最判昭 58・2・18 民集 37 巻 1 号 101 頁 …………………………………211,220

最判昭 59・1・26 民集 38 巻 2 号 53 頁〔大東水害訴訟〕【II–237】…………227,229

最判昭 59・11・29 民集 38 巻 11 号 1195 頁 …………………………………………224

最判昭 60・1・22 民集 39 巻 1 号 1 頁【I–121】……………………………106,108

最判昭 60・7・16 民集 39 巻 5 号 989 頁〔品川マンション事件〕【I–124】…114,115

最判昭 60・11・21 民集 39 巻 7 号 1512 頁〔在宅投票事件〕……………………215

最判昭 63・1・21 判時 1270 号 27 頁〔輪中堤訴訟〕………………………………238

最判平元・2・17 民集 43 巻 2 号 56 頁〔新潟空港訴訟〕【II–192】……………188

最判平元・6・20 判時 1334 号 201 頁〔伊場遺跡訴訟〕【II–169】……………188

最決平元・11・8 判時 1328 号 16 頁〔武蔵野マンション事件〕【I–92】……127,140

最判平元・11・24 民集 43 巻 10 号 1169 頁〔宅建業事件〕【II–222】…………213,214

最判平 2・2・1 民集 44 巻 2 号 369 頁 ……………………………………………119

最判平 2・2・20 判時 1380 号 94 頁 ……………………………………………213

最判平 2・12・13 民集 44 巻 9 号 1186 頁〔多摩川水害訴訟〕【II–238】…………230

最判平 3・4・19 民集 45 巻 4 号 367 頁【II–217】………………………………242

最判平 4・9・22 民集 46 巻 6 号 1090 頁〔もんじゅ訴訟〕【II–181】…………177,188

最判平 4・10・29 民集 46 巻 7 号 1174 頁〔伊方原発訴訟〕【I–77】……………87

最判平 4・11・26 民集 46 巻 8 号 2658 頁 ………………………………………125

判例索引　281

最判平 4・12・15 民集 46 巻 9 号 2753 頁 ……………………………………174

最判平 5・2・18 民集 47 巻 2 号 574 頁〔武蔵野マンション事件〕【I-98】

　　　　……………………………………………………………………114,115,211

最判平 5・3・11 民集 47 巻 4 号 2863 頁【II-219】………………………219

最判平 5・3・16 民集 47 巻 5 号 3483 頁【I-79 ①】………………………87

最判平 7・6・23 民集 49 巻 6 号 1600 頁〔クロロキン薬害訴訟〕【II-223】……214

最判平 7・7・7 民集 49 巻 7 号 1870 頁〔国道 43 号線訴訟〕………………226

最判平 8・3・8 民集 50 巻 3 号 469 頁〔「エホバの証人」剣道実技拒否事件〕

　　　【I-81】………………………………………………………………………87

最判平 9・1・28 民集 51 巻 1 号 147 頁〔川崎マンション事件〕【II-209】………188

最判平 11・1・21 民集 53 巻 1 号 13 頁〔志免町事件〕………………………127

最判平 11・11・25 判時 1698 号 66 頁〔環六高速道路訴訟〕【I-56】………189

最判平 14・1・17 民集 56 巻 1 号 1 頁【II-154】…………………………78

最判平 14・6・11 民集 56 巻 5 号 958 頁 ……………………………………237

最判平 14・7・9 民集 56 巻 6 号 1134 頁〔宝塚市パチンコ条例事件〕【I-109】

　　　　…………………………………………………………………………149,252

最大判平 14・9・11 民集 56 巻 7 号 1493 頁〔郵便法違憲判決〕【II-245】………209

最判平 16・4・27 民集 58 巻 4 号 1032 頁〔筑豊じん肺訴訟〕………………214

最判平 16・10・15 民集 58 巻 7 号 1802 頁〔関西水俣病訴訟〕【II-225】……213,214

最決平 17・6・24 判時 1904 号 69 頁【I-7】……………………………………210

最判平 17・7・15 民集 59 巻 6 号 1661 頁【II-160】……………………113,186

最大判平 17・9・14 民集 59 巻 7 号 2087 頁〔在外邦人選挙権訴訟〕【II-208】

　　　　…………………………………………………………………………171,215

最大判平 17・12・7 民集 59 巻 10 号 2645 頁〔小田急線高架化訴訟（原告適格）〕

　　　【II-165】……………………………………………………………………189

最判平 18・2・7 民集 60 巻 2 号 401 頁【I-73】……………………………87

最判平 18・11・2 民集 60 巻 9 号 3249 頁〔小田急線高架化訴訟（処分の違法性）〕

　　　【I-75】………………………………………………………………………87

最判平 19・1・25 民集 61 巻 1 号 1 頁【II-232】…………………………212,222

最判平 19・11・1 民集 61 巻 8 号 2733 頁【II-220】………………………219

最判平 19・12・7 民集 61 巻 9 号 3290 頁【II-232】………………………87

最決平 19・12・18 判時 1994 号 21 頁【II-199】…………………………195

最大判平 20・9・10 民集 62 巻 8 号 2029 頁〔浜松市事件〕【II-152】………125,185

最判平 21・7・10 判時 2058 号 53 頁【I-93】………………………………127

最判平 21・10・15 民集 63 巻 8 号 1711 頁【II-167】……………………189

最判平 21・10・23 民集 63 巻 8 号 1849 頁【II-243】……………………208

最判平 21・11・26 民集 63 巻 9 号 2124 頁【II-204】……………………78,168

最判平 21・12・17 民集 63 巻 10 号 2631 頁【I-84】 ………………………96
最判平 22・3・2 判時 2076 号 44 頁 ……………………………………225
最判平 22・6・3 民集 64 巻 4 号 1010 頁【II-233】……………………91,223
最判平 23・6・7 民集 65 巻 4 号 2081 頁【I-120】………………106,107,108
最判平 24・1・16 判時 2147 号 127 頁〔東京都教職員国旗国歌訴訟〕…………86
最判平 24・2・9 民集 66 巻 2 号 183 頁〔東京都教職員国旗国歌訴訟〕【II-207】
　　　　　　　　………………………………………………………78,171
最決平 24・7・3 判例集未登載 ………………………………………180
最判平 25・1・11 民集 67 巻 1 号 1 頁【I-50】 ………………………118,122
最判平 25・4・16 民集 67 巻 4 号 1115 頁【I-78】 ……………………181
最判平 25・12・10 民集 67 巻 9 号 1761 頁 …………………………219
最判平 26・10・9 民集 68 巻 8 号 779 頁〔泉南アスベスト訴訟〕【II-224】 ……214
最判平 27・3・3 民集 69 巻 2 号 143 頁【II-175】 ……………………121
最大判平 27・12・16 民集 69 巻 8 号 2427 頁〔再婚禁止期間事件〕………………215
最判平 28・12・20 民集 70 巻 9 号 2281 頁〔辺野古事件〕…………87,175
最判令 2・6・30 民集 74 巻 4 号 800 頁 ………………………………175

高等裁判所

名古屋高判昭 49・11・20 判時 761 号 18 頁〔飛騨川バス転落事故〕…………228
東京高判昭 56・11・13 判時 1028 号 45 頁 …………………………253
東京高判昭 62・8・31 判時 1247 号 3 頁〔多摩川水害訴訟〕 ………………230
東京高判平 4・12・18 判時 1445 号 3 頁 ……………………………240,242
東京高判平 15・5・21 判時 1835 号 77 頁……………………………211
福岡高判平 23・2・7 判時 2122 号 45 頁 ……………………………180

地方裁判所

東京地判昭 53・8・3 判時 899 号 48 頁〔スモン訴訟〕………………………214
東京地判昭 54・1・25 判時 913 号 3 頁〔多摩川水害訴訟〕…………………230
岐阜地判昭 57・12・10 判時 1063 号 30 頁〔長良川水害（安八町）訴訟〕……229
東京地判平元・3・29 判時 1315 号 42 頁 ……………………………219
名古屋地判平 16・11・12 民集 61 巻 1 号 41 頁 ………………………216
横浜地判平 24・1・31 判時 2146 号 91 頁 ……………………………210

判例索引　　283

はじめての行政法〔第5版〕

2007 年 4 月 10 日	初　版第 1 刷発行
2010 年 4 月 30 日	第 2 版第 1 刷発行
2013 年 12 月 10 日	第 3 版第 1 刷発行
2015 年 4 月 10 日	第 3 版補訂版第 1 刷発行
2018 年 4 月 10 日	第 4 版第 1 刷発行
2022 年 3 月 30 日	第 5 版第 1 刷発行
2023 年 7 月 30 日	第 5 版第 3 刷発行

著者　石　川　敏　行
　　　藤　原　静　雄
　　　大　貫　裕　之
　　　大　久　保　規　子
　　　下　井　康　史

発行者　江　草　貞　治

発行所　株式会社　有　斐　閣
郵便番号 101-0051
東京都千代田区神田神保町 2-17
https://www.yuhikaku.co.jp/

印刷・株式会社精興社／製本・大口製本印刷株式会社
Ⓒ 2022, T. Ishikawa, S. Fujiwara, H. Onuki,
N. Okubo, Y. Shimoi. Printed in Japan
落丁・乱丁本はお取替えいたします。
★定価はカバーに表示してあります。
ISBN 978-4-641-22194-9

JCOPY　本書の無断複写(コピー)は、著作権法上での例外を除き、禁じられています。複写される場合は、そのつど事前に(一社)出版者著作権管理機構(電話03-5244-5088, FAX03-5244-5089, e-mail:info@jcopy.or.jp)の許諾を得てください。